D1373853

SE LEVER À NOUVEAU DE BONNE HEURE

Du même auteur :

Le Pied mécanique, Lattès, 2011.

www.editions-jclattes.fr

Joshua Ferris

SE LEVER À NOUVEAU DE BONNE HEURE

Roman

Traduit de l'anglais (États-Unis)
par Dominique Defert

JC Lattès

Titre de l'édition originale
TO RISE AGAIN AT A DECENT HOUR
publiée par Little, Brown and Company, New York

Couverture : Bleu T
Photo : © Keystone-France.

ISBN : 978-2-7096-4297-2

Ce livre a été publié avec l'accord de l'Agence Anna Jarota.

(Première édition septembre 2015)

À Grant Rosenberg

AH ! AH !

JOB 39 :25

JE SUIS LE FILS D'UN ÉTRANGER[1]

1. Samuel II 1 :13 *Livres des Prophètes (N.d.T.).*

1.

La bouche est un lieu étrange. Pas tout à fait à l'extérieur, pas tout à fait à l'intérieur non plus – ni peau ni organe, un entre-deux : sombre, humide, une porte vers les entrailles, vers un monde intérieur que peu de gens auraient envie de visiter, là où naissent les cancers, où les cœurs cessent de battre, où l'on ne trouvera peut-être jamais l'âme qui est censée y habiter.

Je recommandais toujours à mes patients de se curer les dents avec du fil dentaire. Et certains jours, le désespoir me gagnait. Vraiment, ils auraient dû m'écouter. L'usage du fil dentaire évite les infections parodontales et peut prolonger l'espérance de vie de sept années. Mais ça prend un temps fou ! Une vraie corvée ! Là, ce n'est pas le dentiste qui parle, mais le type qui rentre chez lui, avec quatre ou cinq verres dans le nez, après une bonne soirée, tout guilleret, et qui, au moment d'attraper sa bobine de fil, se dit : *pff!* à quoi bon ? D'accord, à la fin, le cœur s'arrête, les cellules meurent, les neurones s'éteignent, les bactéries rongent le pancréas, les mouches pondent leurs œufs, les coléoptères grignotent tendons, ligaments, la peau devient une croûte de fromage, les os se dissolvent, et les dents aussi finissent par disparaître. D'accord ! Mais quand quelqu'un, qui n'avait jamais vu de sa vie un bout de fil dentaire, entrait dans mon cabinet avec dans la bouche ce manifeste de la négligence et de la souffrance inutile – dents pourries, gencives enflammées, pus et infections taraudant l'émail jusqu'au nerf – un sentiment de révolte me gagnait. Je donnais des noms à ce courroux : « espoir d'un monde meilleur », « conscience professionnelle », ou le plus souvent « refus de la fatalité ». Et les deux jours suivants, je martelais mon message à tous mes patients : « Utilisez le fil dentaire, je vous en prie. C'est ça qui fait toute la différence ! »

Un dentiste n'est qu'à moitié médecin, même s'il se fait appeler « docteur ». Pour l'autre moitié, c'est un embaumeur, mais il ne faut pas le dire. La matière encore vivante, il s'efforce de la soigner. Mais pour ce qui est mort, c'est le règne du cache-misère, du maquillage : il creuse, racle, rebouche et dissimule le tout ; il arrache des dents, prend leurs empreintes, et les remplace par des prothèses qu'il peint pour qu'elles se confondent avec les autres dents. Chaque trou dans une dentition est une fosse ouverte dans le crâne, et les molaires isolées sur une gencive autant de stèles funéraires.

Nous nous disons praticiens, jamais commerçants. Et pourtant la dentisterie est un commerce – un bon commerce. J'ai commencé dans un petit cabinet à Chelsea, avec deux malheureux postes de soins et des murs aveugles. Mais maintenant, j'exerce sur Park Avenue. J'occupe à moi tout seul la moitié du rez-de-chaussée de l'Aftergood Arms, un magnifique immeuble.

Park Avenue est la rue la plus chic du monde. Les portiers sont encore habillés comme dans les années 1940, avec casquettes et gants blancs, et ils ouvrent les portes à de vieilles douairières et leurs toutous. Les marquises s'étendent sur toute la largeur du trottoir pour que personne montant ou sortant d'un taxi ne soit mouillé les jours de pluie. Il y a bien sûr un tapis devant l'entrée, le plus souvent vert, parfois rouge, pour le confort des pieds. Avec un peu d'imagination, on pourrait se croire au temps des voitures à chevaux quand les premiers riches colons, monsieur canne à la main et madame soulevant ses jupons, se frayaient un chemin entre les flaques de boue. Manhattan n'est pas dans une bulle. Les quartiers changent. Pendant qu'on dort, la ville ne cesse de se métamorphoser. Mais Park Avenue reste Park Avenue, pour le meilleur et pour le pire – c'est l'âme de New York, sa quintessence, là où il faut vivre quand on en a les moyens.

J'ai contracté un gros emprunt pour aménager ces nouveaux locaux. Alors, pour rembourser le plus vite possible la banque, je n'ai pas écouté les conseils de mon architecte, ni les objections de Betsy Convoy ; j'ai décidé, en dépit du bon sens et des usages dans tous les cabinets dentaires du monde, que je n'aurai pas de bureau privé. Grâce à ce gain de mètres carrés, j'ai pu installer un cinquième fauteuil et j'ai passé les dix années suivantes à courir entre les cinq salles de soins, à pester contre le manque absolu d'intimité, et à gagner beaucoup, beaucoup d'argent.

* * *

Tout avoir ce n'est pas rien. Il n'y a pas de quoi se lamenter. Pourtant, certains jours, je n'en pouvais plus. Cesse de t'apitoyer ! me disais-je. Avoir un grand cabinet prospère, avec moi tout en haut, il y avait pire dans la vie. Mes journées n'étaient pas plus longues que celles du commun des mortels, hormis peut-être les jeudis. Les jeudis, souvent, on avait des patients jusqu'à 22 heures. Je dormais relativement bien ces nuits-là. Les somnifères paraissaient alors presque superflus. (La première chose qu'on perd quand on prend des cachets pour dormir, ce sont les rêves. Mais je me disais : vois le bon côté des choses. Au moins, au réveil, personne n'a à subir le récit détaillé de tes petits films nocturnes.)

D'accord, tout avoir, c'est déjà quelque chose, mais ce « quelque chose » – et c'est là le hic – ne sera jamais tout. Un cabinet prospère ne sera jamais la panacée ultime. Pas plus que la satisfaction de soigner ses clients, de s'offrir un mokaccino l'après-midi et une pizza le vendredi soir. Le banjo, non plus, ne suffit pas en soi, et c'est bien dommage. La VOD, ça, c'était presque le nirvâna, au début du moins, mais rapidement, c'est devenu insignifiant comme le reste. Les Red Sox, eux, ont pendant longtemps comblé mon existence, mais à la fin ils m'ont déçu. Ç'a été la plus grande déception de ma vie d'adulte : en 2004, quand les Red Sox ont gagné contre les Yankees et remporté la Série mondiale.

Un été, pendant deux mois, j'ai cru que le golf serait l'alpha et l'oméga de mon existence. Pour le restant de mes jours, j'allais mettre toute mon énergie dans ce noble sport, tout mon temps libre, toute mon ardeur ; et c'est ce que je fis pendant deux mois, jusqu'à avoir une révélation : j'étais capable, effectivement, de consacrer le restant de mes jours au golf. Et ça m'a fichu un gros coup de blues. Quand j'ai vu ma dernière balle disparaître en spirale dans le trou, j'ai eu l'impression que ma vie misérable était là, avalée par cet antre noir.

Donc le travail, les loisirs, et une implication totale dans quelque chose de plus grand que moi, de plus important – mon métier, le golf, les Red Sox – ne suffisaient pas ; rien ne constituait un tout essentiel, même si chaque chose, prise séparément, pouvait m'occuper à merveille. Tel un utopiste voulant convaincre le monde de la réalité de ses chimères, j'expliquais le plaisir que j'avais à remplacer une dent pourrie par une belle prothèse pour qu'un patient puisse à nouveau sourire sans honte. Je lui redonnais sa dignité d'être humain, quand même ! Les pizzas le vendredi soir, ça non plus, ce n'était pas rien. Et les mokaccinos, c'était du pur bonheur, non ? Et cette nuit de 2004, contre les Yankees, quand Daniel Ortiz, avec un *home run*, avait relancé les Red Sox et leur avait permis un retour historique dans la course au titre ? Un moment comme ça, ça vous donnait aussi une bonne raison de vivre !

J'aurais aimé croire en Dieu. Il y aurait eu alors dans ma vie quelque chose de plus important que le reste. En croyant en Dieu, j'aurais pu profiter de l'existence, être content de moi, avoir l'esprit tranquille. Tout serait possible ! L'éternité me serait offerte ! Tout ça pour moi : les grandes orgues, la sagesse des évêques. Tout ce que j'avais à faire, c'était de mettre mes doutes de côté et de croire. Chaque fois que j'étais sur le point de faire le grand saut, j'avais un sursaut, un réflexe de survie devant le vide. Ouvre les yeux ! Reviens sur terre ! Le monde recelait déjà tant de plaisirs. Qu'avais-je besoin de vouloir le rendre plus agréable encore en me soumettant à une entité supérieure ? Voilà ce que me disait mon esprit – mon esprit raisonnable, têtu et sceptique – qui tirait plus vite que son ombre sur Dieu et ses œuvres.

Non serviam ! avait crié Lucifer. Il ne voulait pas dévorer les têtes des bébés. Moi, esclave ? Jamais ! S'il avait servi Dieu, il n'aurait été qu'un ange parmi d'autres, anonyme, dont même les dévots auraient oublié le nom.

J'avais tenté de lire la Bible. Je n'avais jamais pu dépasser le passage sur le ciel. Le ciel, c'est ce truc, fait le premier ou le deuxième jour, qui sépare « les eaux d'avec les eaux ». Voilà, on a un ciel. Et à côté du ciel, les eaux. Autrement dit, si on reste suffisamment longtemps à dériver dans la flotte, on doit tomber sur un bout de ciel, c'est ça ? Ce n'est pas très clair pour moi : dès que ça a parlé du firmament, j'ai commencé à mourir d'ennui, à en pleurer des larmes de désespoir. Alors j'ai sauté des pages. Voilà en gros le plan général : le ciel, blablabla, un passage super long au milieu, et puis Jésus. Il faut une demi-vie, au moins, pour lire le récit des vicissitudes des femmes stériles et des courroux divins, avant d'arriver au vif du sujet. Et encore, pour moi, l'histoire commence véritablement dans le deuxième Livre des Rois. Et il faudrait se taper le premier tome avant ? On ne peut pas dire qu'on facilite la vie du lecteur ! Et pourtant, dans le métro, il y a toujours un quidam qui lit la Bible. C'est sidérant ! il est courbé sur son bouquin, le nez enfoui dedans, comme pour bécoter la page qu'il a sous les yeux, disons la page cent cinquante mille du deuxième livre des Chroniques, et chaque phrase est surlignée avec amour. Évidemment, je me dis que ce jeune Hispanique tatoué n'a pu biffer avec autant d'application le reste de son bréviaire. Mais voilà qu'il tourne la page, et putain de merde : encore du Stabilo ! De toutes les couleurs ! Avec des annotations en sus ! Et c'est comme ça partout. Si le gars saute trois ou quatre cents pages pour vérifier je ne sais quoi, on trouve le même surlignage frénétique. Cela tient du miracle : il y a encore des gens qui consacrent leur vie entière à lire la Bible ! – soit des Noirs (de vieilles bigotes ou des types de la cinquantaine), soit des Hispaniques en cravate, et il y a même des Blancs. Pendant des milliers d'heures, ils ont étudié des passages, les ont stabilotés consciencieusement, pendant que je dormais du sommeil du juste, que je regardais du baseball à la TV, ou que je me donnais du plaisir affalé sur mon canapé. Parfois, j'avais l'impression de n'avoir rien fait de ma vie. Et c'était la stricte vérité ! Avais-je d'autres choix ? Bien sûr ! J'aurais pu passer toutes mes nuits avec la Bible. Mais ma vie pour autant – toute dévote, rigoureuse, industrieuse, monastique et dévouée aux diktats divins – aurait-elle eu plus de sens qu'une autre nourrie de beuveries nocturnes, avec des réveils nauséeux en la douce compagnie de Saint James – le rhum ?

C'était le pari de Pascal et son résultat implacable : plutôt miser sur l'éternité que sur de courts plaisirs terrestres.

À une époque, je participais à des visites historiques de la ville. L'objectif premier de ces excursions pédestres était de montrer comme le monde avait changé depuis notre naissance et comme il changerait encore bien après notre mort. Finalement, ces visites étaient devenues si déprimantes que j'avais tout arrêté et m'étais mis à apprendre l'espagnol. Mais j'avais eu le temps de constater qu'avec les flux migratoires et le ballet des groupes ethniques, un lieu de culte autrefois vital pour un quartier pouvait perdre sa signification d'origine. C'était particulièrement frappant dans le Lower East Side, où une multitude de synagogues, qui répondaient aux besoins spirituels des premiers migrants juifs, avaient été transformées en églises pour les nouveaux arrivants chrétiens. L'architecture, toutefois, ne pouvant être modifiée, ni les ornements des façades, on trouvait des églises en ville avec des étoiles de David, des candélabres à sept branches ou des inscriptions en hébreu gravées dans les murs, à côté des crucifix et des statues de la Sainte Vierge.

Ouvre les yeux ! En un rien de temps, un lieu de culte peut être converti à l'usage d'un autre. Comment remettre son âme à l'un ou à l'autre quand on sait les effets de la démographie et du pragmatisme inné de l'homme ?

La dernière fois que j'avais mis les pieds dans une église, c'était avec Connie pendant notre voyage en Europe. On avait dû en visiter huit ou neuf cents en douze jours ! D'accord, j'exagère un peu. Connie dirait quatre cents. Quatre cents églises en douze jours. Vous imaginez ça ! Je passais mon temps à retirer ma casquette des Red Sox ! La moindre église était toujours unique – à voir absolument ! Mais elles étaient toutes pareilles. Quel que soit le moment de la journée, même si je venais de prendre un expresso, j'étais immédiatement gagné, passé le saint seuil, par une crise aiguë de bâillements. Connie pestait contre mon manque de discrétion. Je faisais autant de bruit qu'une tondeuse à gazon et elle s'attendait à voir jaillir de ma bouche ouverte une gerbe d'herbes broyées. Le plus souvent, j'allais m'asseoir sur un banc, malgré ses regards noirs. Quoi ? Je m'étirais, rien de plus ! Je ne faisais pas de gestes obscènes, ni rien. Et jamais, je ne lui ai proposé une partie de jambes en l'air sous ces voûtes vénérables. D'accord, une fois je lui ai dit que j'aurais bien aimé qu'elle me fasse une fellation, mais j'avais dit *derrière* l'église, cachés par les poubelles. C'était pour rire, évidemment. On n'était pas dans un magasin et il n'y avait pas de poubelles dans l'arrière-cour ! Mais c'est vrai, j'ai un faible pour les gâteries dans les ruelles derrière les boutiques. C'est assez compliqué de le faire à Manhattan. Mais dans le New Jersey, c'est jouable, et en plus là-bas ce n'est pas puni par la loi. Je trouvais que Connie se prenait bien trop au sérieux en Europe. Elle étudiait d'un air pénétré les fresques et les tableaux, et méditait sur l'infini. Les poètes sont vraiment lourds et rasoir. (Connie est poète à ses heures.) Ce sont aussi de fieffés hypocrites. Ils ne mettaient jamais les pieds dans une église aux États-Unis, mais dès qu'ils atterrissent en Europe, ils foncent tout droit vers le premier transept venu comme si Dieu, le vrai, le Dieu de Dante et du *chiaroscuro*, des arcs-boutants et de Bach, attendait leur arrivée depuis des siècles. Quelle force mystique, quel appel irrépressible étreignait donc le barde dans les églises d'Europe ? Et Connie était juive ! Au bout de trois jours, j'en avais ma claque de sa « chiesatite », comme je disais, et je n'ai pas cessé de ronchonner jusqu'à notre retour à Newark. Comme nous étions dans le New Jersey, j'ai proposé à Connie de trouver une ruelle avec des poubelles avant de retourner à Manhattan, mais Connie en avait assez de moi. Pour moi, une église n'est qu'un lieu d'ennui. Je dis ça sans vouloir offenser les chrétiens. Je ne suis pas insensible aux charmes de leur culte. Moi aussi, j'aime bien assister aux messes, à ces *pow-wow* où on se tient les mains, où on entonne des chansons pleines d'amour. Mais si d'aventure je me retrouvais à croire en un dieu et que celui-ci m'ordonne de suivre aveuglément les us et coutumes de ses fidèles, je choisirais plutôt l'enfer et la damnation. Parce que le coup de l'hostie et du verre de vin, ça devait le faire rigoler. Tous ces rites laborieux devaient lui paraître grotesques et pathétiques. Qu'est-ce que j'en sais ? Rien, d'accord. Mais l'ennui qui m'envahit quand je pénètre dans une église est, lui, bien réel ; ce n'est pas un simple inconfort, c'est un malaise qui me gagne tout entier. Pour certains, « la maison de Dieu » est le lieu ultime, le sanctuaire de tous les épanchements ; pour moi, c'est un cul-de-sac, un abribus sinistre de l'âme. Une église, c'est un tue-la-foi, un édifice qui vous ôte toute envie de prier, sitôt passé ses portes.

* * *

Je m'appelle Paul O'Rourke. Je vis à New York, dans un duplex surplombant la Promenade de Brooklyn avec vue sur l'East River et Manhattan. Je suis dentiste et prothésiste diplômé, mon cabinet est ouvert six jours sur sept, avec nocturne le jeudi.

Il n'y a pas de ville plus agréable que New York. On y trouve les plus beaux musées, les plus célèbres cinémas et boîtes de nuit, le plus grand choix de spectacles, de cabarets, de clubs de jazz et la fine fleur de la cuisine gastronomique. Ne serait-ce que par la richesse de ses caves à vins, la Grosse Pomme fait passer l'Empire romain pour un trou perdu du Kansas. Ses merveilles sont infinies. Mais comment en profiter lorsqu'il faut travailler comme un forçat pour rester à flot ? Et même, quand la journée de travail est finie, où trouver encore de l'énergie ? En douze ans, depuis mon arrivée ici, débarquant tout fier et fringant de mon Maine natal, j'étais allé voir, en tout et pour tout, une dizaine de films d'art et d'essai, deux spectacles à Broadway, étais monté une fois en haut de l'Empire State Building, et avais assisté à un seul et unique concert de jazz – un moment épique où j'avais passé mon temps à lutter contre le sommeil pendant les solos de batterie. Quant au Metropolitan Museum, ce grand reliquaire des efforts de l'humanité qui se trouvait à quelques rues de mon cabinet, j'y étais allé très exactement zéro fois. Mes temps libres, je les passais le nez collé aux vitrines des agences immobilières, en compagnie d'autres doux rêveurs, à fantasmer sur de plus belles vues et de plus grandes pièces qui pourraient adoucir ma réclusion le soir venu.

Quand je sortais avec Connie, on s'offrait un bon restaurant trois ou quatre fois par semaine. À New York, il était possible de dîner chez un chef célèbre, étoilé au Michelin, natif de la vallée du Rhône, et qui parfois avait sa propre émission TV ! Même si ce n'était sans doute pas Sa seigneurie qui officiait derrière les fourneaux, mais une brigade de marmitons hispaniques, comme dans toutes les cuisines de New York, le menu, toutefois, était toujours à base de produits frais, choisis à l'unité chez les producteurs ou transportés en une nuit à travers l'océan Atlantique. Les salles à manger étaient soit chic et intimes, avec des lustres magnifiques, soit bruyantes et bondées de VIP. Dans les deux cas, des bastions imprenables. Pour décrocher son ticket d'entrée, il fallait se montrer extrêmement patient et insistant, graisser la patte du personnel et inventer toutes sortes de mensonges. Une fois, Connie avait raconté qu'elle avait un cancer de l'estomac et qu'elle avait choisi cet établissement entre tous pour y faire son dernier repas avant d'aller finir ses jours à l'hôpital. Après ce parcours du combattant, on s'installait enfin à notre table, tout excités mais fourbus, en se regardant par-dessus nos menus qui déroulaient leurs prix à trois chiffres avant la virgule. On commandait les plats du chef, les vins du sommelier. Puis on payait. On rentrait à la maison, moroses, vidés, et au matin on se demandait déjà quel serait notre prochain Graal culinaire.

Après notre rupture, je m'adonnai à un petit jeu dans les rues de Manhattan. Ça s'appelait : *Ça pourrait être pire*. En marchant, je me disais : « Ça pourrait être pire, je pourrais être ce pauvre type-là. » Et quelques minutes plus tard : « Ça pourrait être pire, je pourrais être cet autre type… » J'allais partout où pullulaient les éclopés de la vie, les déchus, les sans-rien, les éplorés, les mutilés. Oui, ça pourrait être pire. Mais qu'une femme vienne à passer, l'une de ces milliers de New-Yorkaises, avec leurs jambes qui n'en finissent pas, perchées sur des talons aiguilles, qui s'en vont seules, ou par deux, ou par trois, avec cette beauté d'autant plus cruelle qu'elle ne cherche pas à humilier, et dans l'instant je vivais une petite mort, frappé de désir et de souffrance : non, ça pourrait être beaucoup mieux. Tellement mieux !

Qu'est-ce qui pourrait être pire ? Qu'est-ce qui pourrait être mieux ? – et ça devint le jeu des ruminations solitaires dans les rues de Manhattan, comme n'importe quel plouc tentant de survivre.

* * *

Ma vie – ma vraie vie – commença en 2011, quelques mois avant la débâcle historique des Red Sox. Betsy Convoy vint me trouver un jour de janvier ; elle voulait me montrer ce qui se passait dans la salle d'examen numéro Trois. J'y suis allé. Le patient ne m'était pas inconnu. Je devais aujourd'hui lui arracher une dent. Un plombage mal fait (dont je n'étais pas l'auteur) touchait le nerf. Il avait trop tardé à la faire dévitaliser et à présent il souffrait le martyre. Mais il ne gémissait pas, ni ne pleurait. Non, il chantonnait, à voix basse. Il avait les mains tournées paumes en l'air, les pouces et les majeurs joints, et psalmodiait un truc du genre « Ahreum… ahreum… ».

Je m'assis à côté de lui et lui demandai ce qu'il faisait. Il avait tenté, jadis, de devenir moine bouddhiste, m'expliqua-t-il, et même si cette période de sa vie était révolue, il utilisait encore, au besoin, les techniques de méditation qu'on lui avait enseignées. Dans le cas présent, il se préparait à l'avulsion de sa dent sans anesthésie. Il avait suivi, disait-il, les enseignements d'un gourou passé maître dans l'art d'oblitérer la douleur.

— J'ai fait le vide en moi, dit-il. Il suffit de se souvenir d'une vérité fondamentale : même si on n'a plus de corps, on n'est pas mort.

Sa canine, dans un état avancé de décomposition, avait la couleur du thé mais était encore innervée. Aucun dentiste sain d'esprit n'arracherait une dent sans pratiquer au moins une anesthésie locale. C'est ce que je lui dis, et il accepta finalement l'antidouleur. Il reprit alors sa position de méditation. Je lui fis l'injection, puis entrepris d'extraire sa canine d'un puissant mouvement tournant. J'avais à peine commencé mon ouvrage qu'il se mit à gémir. Je crus qu'il avait repris sa quête du vide, mais les plaintes s'amplifièrent. On devait les entendre jusque dans la salle d'attente ! Je regardai Abby, mon assistante, assise en face de moi, avec son masque rose qui lui occultait le visage. Elle resta de marbre. Je sortis ma pince de la bouche de mon client et lui demandai si tout allait bien.

— Oui. Pourquoi ? répondit-il.

— Vous faites du bruit.

— Ah bon ? Je ne m'en suis pas rendu compte. En fait, je ne suis pas là, physiquement parlant, je veux dire.

— Pourtant, on vous entend très bien.

— Je vais essayer d'être plus discret. Poursuivez, je vous en prie.

C'est ce que je fis, mais les plaintes reprirent de plus belle. C'était carrément des cris étouffés, comme des vagissements d'un nouveau-né. Je m'arrêtai net. Les yeux du type étaient emplis de larmes.

— Vous avez recommencé.

— Recommencé quoi ?

— À gémir. À crier. Vous êtes sûr que l'anesthésie fait effet ?

— Je me concentre sur un moment bien avant cette douleur, il y a trois ou quatre semaines, répondit-il. C'est comme si je faisais un saut en arrière dans le temps.

— Cela ne devrait pas vous faire mal, avec l'anesthésie locale.

— C'est bien le cas. Je n'ai pas mal du tout. Je vais être totalement silencieux, promis.

Je me remis au travail. Dans la seconde, il m'arrêta.

— Je peux avoir le gaz, s'il vous plaît ?

Je lui installai le masque, retirai la dent et installai une couronne provisoire. À son réveil, Abby et moi nous occupions d'un patient dans une autre salle. Connie entra pour me dire que l'homme était prêt à partir mais qu'il voulait nous dire au revoir.

J'aurais dû mettre Connie à la porte après notre rupture. Sa seule utilité désormais c'était de noter sur une carte le nom des patients et la date du prochain rendez-vous. C'était tout ce qu'elle fichait, huit heures par jour, plus les nocturnes les jeudis. Cela et aider Betsy Convoy pour le planning. Et faire un peu de facturation aussi, mais pas assez. Je devais quand même avoir recours à un cabinet comptable. Ah oui, elle répondait aussi au téléphone. Huit heures, parfois davantage, pour remplir les fiches des clients, mettre des noms dans les cases du planning, ne pas gérer suffisamment la paperasse comptable pour que je puisse me dispenser de payer un service extérieur, et répondre au téléphone. Le reste de son temps, elle le passait collée à son ego-Machine.

— Où est-il ? demandai-je.

— Dans la salle d'attente.

Mon patient se leva à mon arrivée.

— Je voulais vous dire merci ! Merci pour tout. C'est la dernière fois que l'on se voit. Je pars pour Israël !

Il avait la bouche pâteuse et mangeait ses mots. Les effets de l'anesthésie ne s'étaient pas encore dissipés.

— Il serait peut-être plus prudent de vous reposer quelques minutes ?

— Inutile, je ne pars pas tout de suite. Je dois d'abord prendre le métro pour aller récupérer mes valises. Je voulais juste vous dire que vous allez me manquer. Tout le monde va me manquer ici. Vous êtes tous si gentils. Cette femme en particulier. Elle est si gentille. Si mignonne. Et super bandante avec ça… un vrai appel au sexe.

Il désignait Connie, qui le regardait avec des yeux ronds, comme le reste de l'assistance dans la salle d'attente.

— Visiblement, il faut encore vous reposer un petit peu. Venez avec moi.

— Je n'ai pas le temps ! s'écria-t-il en me repoussant. Je dois m'en aller.

— Alors, au revoir.

— Non, pas au revoir. Adieu ! Je vous l'ai dit, je pars pour Israël.

Je me dirigeai vers la porte. Connie me tendit sa veste.

— Vous croyez que je vais en Israël parce que je suis juif ? C'est ça ?

— Tenez, passez donc votre bras dans l'autre manche…

— Vous n'y êtes pas du tout.

J'ouvris la porte. Il s'approcha de moi, avec son haleine saturée de protoxyde d'azote :

— Je suis un Ulm. Voilà pourquoi je vais là-bas. Je suis un Ulm, et vous aussi, vous êtes un Ulm !

Je lui tapotai le dos et le poussai gentiment vers la sortie.

— Très bien. Félicitations. Et bonne chance.

— Non, bonne chance à vous !

Le protoxyde d'azote a parfois des effets bizarres sur les gens. Voilà ce que je me suis dit sur le moment.

2.

Six mois plus tard, la journée du 15 juillet 2011, un vendredi, commença sans le moindre événement notable. Des interventions classiques d'ordre esthétique, une greffe de gencive, et un cas sévère de langue noire. *Nowhere Man* des Beatles avait été diffusé quatre fois en musique de fond, ou peut-être était-ce moi qui m'étais trouvé dans quatre salles différentes au moment où le morceau passait. Plus tard, je me surpris à fredonner cette chanson alors que je posais une couronne. Le chignon de Connie sécha lentement diffusant au fil de l'après-midi l'odeur suave de ses cheveux dans tout le cabinet. Betsy Convoy proposa une nouvelle méthode de classement des dossiers. Abby, comme à son habitude, ne dit rien.

Être une bonne assistante dentaire n'est pas très compliqué. Il s'agit de mémoriser les instruments et de les tendre au dentiste avant même qu'il ne les demande. Ce n'est pas une question de vie ou de mort comme pour de la chirurgie cardiovasculaire. Mais ce n'est pas pour autant une partie de rigolade. Les victimes d'accidents de voitures, ou de rixes de bars pouvaient arriver avec les mandibules en vrac. En plus de mémoriser les instruments et de me les présenter au moment *ad hoc*, Abby devait se montrer imperturbable quand les patients ouvraient pour la première fois la bouche. Et les victimes d'AVP, ce n'était pas beau à voir. Un conseil, soyez prudents sur la route ! Bien sûr, je m'arrangerai pour que vous puissiez à nouveau boire et manger, mais vous ne serez plus jamais le même. Vous vous en êtes sorti vivant, c'est déjà un miracle, alors vous ne pourrez en demander davantage. Désormais, le maître mot sera « compromis ». À partir de maintenant et ce jusqu'à votre mort, il s'agira de limiter les dégâts.

À vrai dire, un dentiste n'arrive à rien sans une bonne assistante. Et Abby était vraiment excellente. Elle tenait même la main du patient. Mais elle avait, je crois, un problème avec la hiérarchie. Quand elle avait un grief ou une suggestion à exprimer, ou qu'elle voulait simplement demander un après-midi de libre, elle ne venait pas me trouver. Elle allait voir Connie ou Betsy Convoy, sous prétexte qu'elle avait peur de me déranger. Peur de me déranger ? On était assis l'un en face de l'autre toute la journée ! Elle aurait préféré, c'est sûr, avoir un autre patron, un dentiste jovial qui aimait les gens et faisait des bons mots pour amuser la galerie – en gros, le type que j'aurais rêvé être. J'en avais assez de la voir assise devant moi, murée dans ce silence glacial, à me juger constamment. Mais peut-être n'avait-elle rien contre moi ? Peut-être était-ce une impression, à cause du masque qui dissimulait constamment son visage ? Peut-être attendait-elle simplement de me passer l'instrument suivant avec le professionnalisme que j'attendais d'elle ? Mettez-vous à ma place. Imaginez l'effet que ça fait d'avoir quelqu'un qui scrute vos moindres faits et gestes et se tient devant vous, muet comme une carpe, alors que vous vous sentez incapable d'être drôle ou joyeux. N'auriez-vous pas le sentiment d'être jugé en permanence ?

— Toutes les salles sont prêtes ?

Ce furent mes premiers mots pour Abby, quand j'arrivai ce matin-là.

J'aurais bien voulu commencer par un grand « bonjour ». Souhaiter le « bonjour » à tous, c'était bon pour le moral des troupes ; une façon de dire à chacun : quelle chance on a. Nous voilà de nouveau réunis, l'esprit frais, les aisselles parfumées, prêts à découvrir toutes les surprises de cette journée. Mais certains matins, c'était compliqué pour moi. On était juste quatre dans ce cabinet ; trois « bonjour », ce n'était quand même pas la mer à boire. Et pourtant, ça ne venait pas. Vu le peu de chances qu'elles ou moi passions une bonne journée, je préférais souvent me taire. Parfois, c'était un simple oubli ; je ne mesurais pas le peu de « bonjour » qu'on avait l'occasion de se souhaiter au cours d'une vie. Ou alors, ça sortait à contrecœur, avec mauvaise humeur, ou pire, à la manière d'un petit tyran. Je disais par exemple bonjour à Abby et Betsy, mais pas à Connie ; ou bonjour à Betsy, mais ni à Abby ni à Connie ; ou encore à Abby devant Betsy, et à Betsy devant Connie, mais toujours pas à Connie. Qu'est-ce qu'il pouvait avoir de si *bon* ce satané *jour* ? Il était comme les autres, non ? L'étape Deux après une longue lutte pour trouver le sommeil, quelques malheureuses heures de repos que les gens appelaient « une nuit ». Il n'y avait pas de quoi se tomber dans les bras au matin ! Alors, en arrivant, si je disais « C'est quoi le programme de la journée ? », c'était pour Connie qui se trouvait à l'accueil. Si je demandais « Toutes les salles sont prêtes ? », comme ce matin-là, ce matin où tout avait basculé, c'était pour Abby. Mes premières paroles de la journée… Évidemment qu'elle avait préparé les salles d'examen ! Et jusqu'au soir, Abby serait assise en face de moi, insondable derrière son masque, à me tendre mes instruments, à me juger sans mot dire… Ou alors je lançais à Betsy « Vous serez seule aujourd'hui » (cela signifiait qu'elle n'aurait pas d'hygiéniste intérimaire).

Et elle répondait invariablement : « Je vois qu'on s'est levé du pied gauche ce matin. » En fait, je n'étais pas de mauvaise humeur, pas du tout, même si j'avais longtemps bataillé pour trouver le sommeil et que je retrouvais mes trois employées bien trop tôt à mon goût. Mais la remarque de Betsy, ça, ça avait le don de me mettre en rogne pour toute la journée !

En revanche, mes patients je les saluais toujours. Jamais une faille ! Bonjour par-ci ! Bonjour par-là ! parce que j'étais un fieffé hypocrite, le plus vil menteur qui soit. Le pire de tous.

* * *

Parmi mes clients ce vendredi matin, il y avait Textomane – un surnom qu'on lui avait trouvé. Textomane était là pour un « soin cosmétique ». Beaucoup de patients venaient me trouver pour des raisons esthétiques. Et ils étaient de plus en plus nombreux. Ils voulaient des sourires plus étincelants, plus harmonieux, avec moins de chair visible, ils voulaient se faire blanchir les gencives, repositionner les lèvres. Leur sourire devait être redessiné dent à dent, millimètre par millimètre, jusqu'à ce que toutes les séquelles de l'enfance soient limées, rectifiées, effacées. On me réclamait le sourire de George Clooney, celui de Kim Kardashian, même celui bovin et cagneux de Tom Cruise ; d'autres apportaient des photos de célébrités moins prestigieuses ; mais tous espéraient, en sortant de mon cabinet, parader dans la rue comme des stars et s'imaginer vivre à jamais sous les feux étourdissants des projecteurs. Ces patients-là avaient les moyens de leurs caprices : des avocats et des financiers (et leurs épouses respectives), adeptes du culte de la perfection, des mondains qui couraient les galas, quêtant les flashes des photographes. Et, à l'autre bout de l'échelle, il y avait ceux qui, dépourvus d'assurance santé, venaient se faire soigner parce qu'ils s'étaient retiré eux-mêmes une dent à la pince dans leur cuisine de HLM, après avoir descendu une demi-bouteille de whisky. Quand ils avaient mal aux dents, ces gens-là ne consultaient pas ; ils sortaient l'aspirine, la bouteille de bourbon, ou je ne sais quel médicament que leur accordait l'assistance sociale. Face aux dégâts, je devais en envoyer quelques-uns aux urgences. On reprochait à ces personnes de se refermer sur elles-mêmes, de ne pas être avenantes et sympathiques. Si ces gens ne souriaient pas, ce n'était pas par inimitié envers leur prochain, mais pour ne pas montrer leurs dents jaunes, leurs carries noirâtres, ou les trous béants de leur dentition. Quand, après des années de souffrance et d'économies opiniâtres, certains d'entre eux venaient me voir avant que l'irréversible ne se produise, ils craquaient dans le fauteuil, hommes comme femmes, et me déballaient tout – les quolibets, leur surnom ridicule, leur cœur brisé, leurs occasions ratées, leur vie gâchée. Tout ça à cause de dents pourries. Dans ces moments-là, je prenais conscience que je n'étais pas fait pour ce métier. Être dentiste, c'était occulter la condition humaine dans son ensemble, avoir le détachement d'un fossoyeur devant chaque bouche béante comme une tombe. Je passais mon temps à traiter le temporaire, le provisoire et quand je recommandais à mes patients de faire des visites de contrôle biannuelles, c'était un vœu pieux, pure chimère. Toutefois, lorsque je soignais mes handicapés du sourire et qu'après la cicatrisation et la solidification des scellements ils revenaient me remercier pour leur avoir donné un nouveau départ – et parfois tout simplement une vie –, je me sentais à ma place, un bon praticien, et au diable la condition humaine !

Bref, je m'apprêtais à poser un nouveau jeu d'incisives à Textomane quand il sortit son ego-Machine et se mit à parcourir sa liste de contacts. C'était une intervention sans difficulté. Ce n'était pas de la neurochirurgie du cerveau.

Il n'empêche. J'avais besoin de me concentrer et d'un peu de coopération. Je suis sûr que si on pouvait opérer le cerveau sans anesthésie, les patients joueraient aussi avec leur ego-Machine ! Incroyable ce que les gens s'autorisent à faire quand ils sont chez le dentiste ! Ça me laisse sans voix. Betsy Convoy avait eu une fois une patiente qui s'était verni les ongles pendant un détartrage. La malheureuse avait eu droit à un long sermon sur l'irrespect qui gangrenait la société d'aujourd'hui, et elle avait dû l'écouter jusqu'au bout, sans pouvoir émettre la moindre protestation puisqu'elle avait le grattoir de Betsy dans la bouche. Je demandai au gars à la smartphonite aiguë s'il voulait bien ranger son portable, ce qu'il fit non sans avoir, au préalable, envoyé un texto. Cela me rappelait une certaine époque de ma vie. Voyant que le Prozac ne faisait plus de miracles et que mon espagnol stagnait, j'avais tenté le fitness. Un conseil de mon ami McGowan. Ensemble, on allait donc soulever de la fonte. Cela avait égayé ma vie pendant un mois et demi – l'appel des haltères luisants, la promesse de devenir sexuellement irrésistible… jusqu'à ce que la lumière sombre m'envahisse à nouveau et que je jette cette fois mon dévolu sur la pratique de la crosse en salle. Un soir, j'avais passé en revue mes contacts comme Textomane et m'étais aperçu que la majeure partie d'entre eux n'étaient pas de vrais amis. J'avais donc fait le ménage, et en avais effacé une bonne partie, même si, dans le lot, il y avait des gens que je connaissais depuis toujours. Je me souviens encore de la réaction de McGowan le lendemain : « C'étaient tes contacts quand même. » « Ouais. Et alors ? » « Cela ne te fait rien de les avoir perdus ? » « Pourquoi ? Je devrais ? » « Je ne comprends pas pourquoi tu fais des trucs comme ça ? Tu n'aurais pas dû. C'est vraiment déprimant. »

Je ne voyais pas ce qu'il y avait de déprimant, en tout cas pour lui. C'étaient mes contacts. Après ça, il m'avait évité. Et puis, un jour, j'avais reçu un appel. « Allô ? » « Coucou, c'est moi ! », avait fait la voix à l'autre bout de la ligne. « Qui ça *moi* ? » avais-je demandé puisque ce numéro n'était pas dans mes contacts. C'était McGowan. Depuis, on ne s'était plus jamais reparlé.

Quand je cessai de m'affairer sur la bouche de Textomane, je m'aperçus que Betsy se tenait à côté de moi. Betsy Convoy ressemblait à une guide de musée austère, s'apprêtant à vous faire une visite très sérieuse et très ennuyeuse, pour vous punir d'être venu. Cette impression était renforcée par son col roulé couleur chair, coincé sous son pantalon et plaquant ses seins avachis de retraitée. Il y avait aussi ses cheveux argent coupés en brosse, et ce duvet pâle qui couvrait son cou et ses joues, tout hérissé, comme chargé d'électricité statique. Mais cette fois, elle souriait, pleine de jubilation.

— Quoi ?

— Vous l'avez fait !

— J'ai fait quoi ?

— Je pensais que vous étiez contre, mais vous l'avez fait !

— Betsy, de quoi parlez-vous ?

— Le site web.

— Quel site ?

— Le nôtre.

J'oubliai Textomane, et retirai mes gants de latex.

— Nous n'avons pas de site Internet, Betsy.

Mais je me trompais.

* * *

Betsy Convoy était mon hygiéniste dentaire ; elle effectuait donc tous les soins ayant trait à l'entretien des dents : détartrage, polissage, etc... Et c'était une catholique convaincue. Si j'avais voulu devenir chrétien, ce qui n'a jamais été le cas, mais admettons, la meilleure option aurait été, je pense, d'être catholique comme Betsy. Elle allait à la messe à l'église Jeanne-d'Arc de Jackson Heights où elle exprimait sa foi par des mouvements de mains, des génuflexions, des chants, des dons, des confessions, des cierges, des hommages aux saints et quelques autres gestes codifiés. Les catholiques, comme les joueurs de baseball, communiquent par signes. Bien sûr, l'Église catholique est une abomination pour l'homme et une infamie pour Dieu, mais elle propose une messe très bien structurée, des pèlerinages variés, des cantiques très anciens, des locaux impressionnants et tout un tas de choses à faire sitôt que vous franchissez le seuil d'une église. Tout cela, mis bout à bout, scelle une communauté et vous donne pour mission d'aider votre prochain.

Un exemple : j'arrive de dehors et file me laver les mains. Quelles que soient les toilettes que je choisis, Betsy Convoy va me trouver. Elle va me renifler comme un chien de chasse. Et me lancer : « Qu'est-ce que vous avez fait ? » Je vais inventer quelque chose mais elle ne va pas s'en laisser conter : « Pourquoi me mentez-vous ? À quoi bon ? » Je vais alors lui dire pourquoi et elle contre-attaquera : « Surveiller quelqu'un n'a jamais tué personne. Mais fumer tue, ça oui ! Quel exemple pour vos patients, vous cacher comme ça pour fumer ! » Je plaiderai ma cause, et elle dira : « Non, ils n'ont pas besoin que leur dentiste leur rappelle "la futilité de l'existence" comme vous dites. Quand avez-vous recommencé la cigarette ? » J'avouerai et elle verra tout rouge : « Bonté divine ! Pourquoi avoir dit à tout le monde que vous aviez arrêté ? » Réponse honnête de ma part, et nouvelle justification de Betsy : « Je ne vois pas en quoi me soucier de votre personne serait "horriblement étouffant". Je veux vous faire prendre conscience de votre vrai potentiel, c'est tout. N'êtes-vous pas mortifié par votre absence totale de volonté ? Ne voulez-vous pas être davantage maître de votre vie ? » Je lui répondrai encore et elle va s'offusquer : « Non, je ne veux pas fumer avec vous ! Qu'est-ce que vous faites ? N'allumez pas cette cigarette ! » Je reposerai le paquet avec une remarque acerbe, et elle se vexera : « Non, je ne suis pas contre vous ! Votre véritable ennemi, ce sont vos addictions. Vous voulez détruire vos poumons et mourir prématurément, c'est ça ? » Nouvelle défense. Nouvelle attaque : « Non, votre vie n'est pas un enfer. Vous ne savez rien de l'enfer. Vous voulez que je vous dise ce que c'est l'enfer, ce qu'il est réellement ? » Cette fois, c'est moi qui attaquerai, et elle qui se défendra : « Oui, on en revient toujours à ça ! Oui, quelle que soit la conversation, il s'agit du salut de votre âme. Il n'est question que de ça ! C'est tout ce qui importe. Que faites-vous à cette fenêtre ? » Je lui dirai mes intentions et elle se moquera : « On est au rez-de-chaussée. Vous auriez du mal à vous casser ne serait-ce qu'une cheville ! »

Autre exemple : je sors tranquillement des toilettes et je tombe nez à nez sur elle. « Je vous cherche partout ! Où étiez-vous passé ? » Je lui confesse l'évidence. « Pourquoi vous évertuez-vous à appeler ça "les pétoires" ? » Je lui réponds, avec force détails, et elle prend son air de vieille bigote : « Et je vous saurais gré, quand vous allez uriner, de cesser vos jeux de mots vaseux avec "Pie VII". Je sais bien que pour vous le pape est un clown. Je sais que dans votre esprit supérieur l'Église catholique en est encore à l'âge de pierre. Mais il se trouve que je la vénère. Et même si cela dépasse votre entendement, j'aimerais, si vous avez une once d'estime pour moi, que vous fassiez preuve de retenue en ma présence. » Je lui lâche une excuse, mais cela ne lui suffit pas : « Parfois, je me demande vraiment si vous êtes capable de vous intéresser à quelqu'un d'autre que vous-même. » Sur ce, elle tourne les talons et s'en va. Je ne saurai jamais pourquoi elle m'attendait derrière la porte des pétoires, si ce n'est pour provoquer une dispute et nous faire souffrir tous les deux.

Plus tard, après avoir bien ruminé, elle était revenue à la charge : « Alors ? Je vous écoute. Êtes-vous capable d'être attentif à ce que ressentent les autres ? Vous n'avez donc aucun respect pour personne ? Aucun respect pour moi ? »

Bien sûr que j'avais du respect pour elle. Prenons une journée ordinaire, avec cinq détartrages à faire en même temps. Pour réduire le temps d'attente, et optimiser mes interventions, j'aurais normalement eu besoin de trois hygiénistes dentaires, voire quatre. Mais j'avais Betsy Convoy. Betsy, avec l'aide d'une ou deux intérimaires, parvenait à gérer les cinq salles d'examens. Elle faisait les radiographies, prenait des empreintes, effectuait les détartrages et les polissages, donnait les consignes de soins aux patients. Elle laissait des notes détaillées pour moi, et gérait en sus l'équipe et le planning. De quoi faire pâlir de jalousie les autres dentistes. Betsy Convoy était une perle.

— Alors ? Vous me respectez ou pas ? Répondez.

Mais la plupart du temps, j'aurais préféré la voir morte. Tout plutôt que de l'avoir dans les pattes ! Jamais, je ne pourrais trouver quelqu'un d'aussi efficace, mais travailler avec Betsy Convoy était un calvaire. Pauvre Betsy. C'était à elle que ce cabinet devait son professionnalisme, son efficacité, et une bonne part de ses revenus. Son esprit d'évangéliste obtus seyait parfaitement à un cabinet dentaire où la culpabilisation était souvent le dernier recours pour motiver nos brebis. Elle pouvait tendre une brosse à dents à un patient envoyé par l'assistance publique et lui dire : « Commencez par avoir la foi dans les petites choses. » Qui oserait sortir ça ? Et puis, d'un coup, je l'imaginai se faire prendre par derrière par un grand Africain sur l'un de nos fauteuils de soins.

— Bien sûr que je vous respecte, Betsy. On ne pourrait pas s'en sortir sans vous.

Ce soir-là, on était allés tous les quatre boire un verre dans un bar. Je comptais bien faire la fermeture, mais Betsy déclara : « Vous avez assez bu comme ça. » Je n'étais pas de cet avis, mais elle se montra intraitable : « Comment comptez-vous rentrer chez vous ? » Je lui dis mon idée et sa réponse fut implacable : « Non, mon cher, Connie est partie. Il y a deux heures. Allez, il faut y aller. » Elle me mit dans un taxi et me demanda : « Vous allez pouvoir vous débrouiller ? » Puis elle se tourna vers le chauffeur pour lui dire : « Il habite à Brooklyn. » Et je ne me souviens plus de la suite…

Une fois, elle m'avait traîné au bout du monde. J'avais résisté, tempêté – pas question ! Jamais ! Mais elle était parvenue à ses fins. Départ JFK, arrivée New Delhi, puis un autre avion pour Bhubaneshwar et de là, un train pour s'enfoncer de cinquante kilomètres à l'intérieur des terres, puis encore à pied, dans un dédale de venelles immondes, sous un soleil de plomb, suivis par une ribambelle d'infirmes demandant la charité. Le dispensaire dentaire se réduisait à deux fauteuils défoncés sous un barnum. Partout des enfants estropiés. Des enfants qu'on faisait travailler. C'était insupportable. « Comment avez-vous pu m'entraîner dans ce putain de pays, nom de Dieu ? » Elle m'interdit de blasphémer devant elle. Je lui rétorquai : « Ce n'est pas le meilleur moment pour me demander d'avoir du respect pour Dieu. Il a eu du respect, lui, pour ces pauvres gamins ? » Nécrose pulpaire, lésions linguales, abcès gros comme des goitres… je pourrais continuer longtemps comme ça. Et d'ailleurs, oui, je continue : dents tachées, cassées, nécrotiques, qui se chevauchent, qui poussent de travers, qui traversent le palais, ou encore ulcères, escarres, gingivites suppurantes, alvéolites, angines de Vincent, caries incurables, sans compter la malnutrition due à l'impossibilité de s'alimenter normalement. Ces bouches d'enfants étaient irréparables. Inutile de perdre son temps. Tout individu sain d'esprit serait rentré chez lui par le premier avion. Mais voilà, j'étais là à cause des impôts. Alors, je suis resté. Pour avoir une jolie déduction fiscale. Et puis j'aimais bien les kebabs. Même à Manhattan, on n'en trouve pas d'aussi bons. Betsy Convoy disait qu'on était ici pour accomplir l'œuvre du Seigneur. « Moi, je suis là pour les kebabs. » Quant à l'œuvre de Dieu, à mon avis, on s'employait plutôt à la défaire. Mais elle n'en démordait pas : nous avions une mission, et c'était pour l'accomplir que Dieu nous avait fait venir ici-bas. « Ce qui nous attend sur terre c'est le pessimisme, le scepticisme, la révolte et l'indignation, lui rétorquai-je. Sauf pour ceux qui sont nés ici. Eux, il faut croire qu'ils sont là dans un seul but : souffrir. »

Les grandes figures de la vie de Betsy Convoy appartenaient au passé. Tous les hommes importants pour elle étaient morts : le Christ son sauveur, le pape Jean Paul II, et le Dr Bertram Convoy, feu son mari, jadis lui-même dentiste, emporté prématurément par une crise cardiaque. Betsy n'avait que soixante ans mais était veuve depuis dix-neuf ans. Je l'ai toujours considérée comme une femme seule, pour ne pas dire pathologiquement esseulée. Mais seule, elle ne l'était jamais. Elle vivait en ménage à trois avec le Père, le Fils et le Saint-Esprit, plus la présence immaculée de la Vierge Marie ; elle avait ses amis les saints et les martyrs, le curé pour confident, l'évêque pour mentor, le pape pour guide, ainsi que la compagnie des ouailles de sa paroisse. Même si la religion catholique était attaquée de toutes parts, la foi de ses fidèles n'avait jamais été aussi forte et Betsy Convoy n'avait nul besoin de réconfort pour affronter sa vie de veuve, la solitude, et une existence morne et vide en apparence. Pour moi, Betsy était un roc insensible au temps. Mais si la mort venait à l'emporter, toute modeste que puisse être l'assistance à ses funérailles, elle retrouverait une joyeuse assemblée dans l'autre monde, l'amour de ses frères et sœurs innombrables, avant même que la dernière couronne d'immortelles ne soit déposée sur sa tombe.

Elle commandait aussi des livres pour le cabinet. *Comment optimiser les plannings* ou *La Voie de l'équilibre pour l'entreprise*, ou encore *Million dollar Dentist*. Ce dernier avait été écrit par un certain Barry Hallow. Il n'était pas même dentiste. Un simple consultant. Le coup classique : le type sort tout droit d'une école de commerce, cherche désespérément à faire son trou. Il entend parler des problèmes chroniques dont est victime le secteur dentaire, et s'autoproclame expert en la matière. De sa petite maison de Phoenix, en Arizona, il pond un livre. Ses méthodes (« cent pour cent certifiées ! ») peuvent révolutionner notre métier, nous apporter la prospérité, et même rallonger notre espérance de vie ! Mieux encore : il prétend pouvoir nous aider à trouver le bonheur. Hé, les gars, n'est-ce pas ce que tout le monde veut ? Le bonheur total. Viser moins haut, c'est bon pour les losers, les dépressifs, les vieux qui n'y voient plus, les enfants stars qui vont devenir moches plus tard. Non, avec Barry Hallow, on allait toucher le gros lot ! « Notre gestion du temps est obsolète, nos soins insuffisants, et nos honoraires inadaptés », m'avait donc annoncé un jour Betsy, en reprenant les mots de Barry Hallow. Je lui avais dit que j'étais en désaccord avec le second point : nos soins étaient irréprochables. « Nous ne consacrons pas assez de temps à éduquer nos patients, avait-elle rétorqué. La prévention, voilà ce qui, au long terme, sera le plus payant. » Ben voyons… « Ce n'est pas avec la prévention qu'on payera les factures. Je dirige un cabinet dentaire, pas une master class ! » « Je le sais bien mais… » « Et en plus, l'interrompis-je, on passe réellement un temps fou à faire de la prévention, comparé aux autres cabinets. Mais je vous rappelle à qui on a affaire : à des êtres humains. Des gros mous, des soûlards qui ne voient pas plus loin que le bout de leur nez ; et vous espérez les convaincre de prendre leur brosse à dents après avoir descendu quatre verres de vin ? Un doux rêve, même si vous le leur répétez à chaque fois qu'ils daignent se rappeler le jour de leur rendez-vous et qu'ils se pointent ici la queue basse, comme des écoliers venant se faire taper sur les doigts. C'est un combat perdu d'avance, je vous dis ! » « Vous avez une bien piètre opinion de l'humanité. » J'ignorai sa remarque, et poursuivis : « Pourtant, on ne leur demande pas grand-chose. Les mains s'entretiennent toutes seules. Les pieds aussi, plus ou moins. Les narines exigent un peu d'attention de temps en temps, comme les sphincters, mais c'est à peu près tout. Une petite maintenance buccale, ce n'est pas bien compliqué comparé aux bienfaits qu'elle procure. Les bonobos passent bien leurs journées à s'épouiller, à se débarrasser des parasites. Suffit de faire comme les singes. » « Pour l'amour du ciel, épargnez-moi vos grandes tirades ! Écoutez plutôt ce que je vous dis. Les méthodes de Barry Hallow ont fait leurs preuves. Si on suit scrupuleusement les douze étapes de son programme, il assure que… comment il dit, déjà ?… Attendez, j'ai noté ça quelque part… Ah voilà : “Prenez le temps. L'émail sera blanc et le patient payera *content*.” » « Je vois que notre ami a le sens de la formule… Ce clown n'est même pas dentiste ! » Mais Betsy Convoy avait de la suite dans les idées : « J'aimerais que vous m'autorisiez à mettre en pratique quelques-unes de ses recommandations. » « Cela va faire un surcroît de travail pour le personnel ? » « Sans doute, un peu, oui. » « Et pour moi aussi ? » « Possible. » « Alors c'est non. »

Volontairement, je me faisais discret sur le web. Pas de site Internet, pas de page Facebook. Mais je tapais de temps en temps mon nom sur Google, et chaque fois les trois mêmes commentaires sortaient : celui que j'avais écrit, celui que Connie avait posté à ma demande, et un signé Anonymous. Bien sûr, je savais qui était Anonymous. J'avais proposé à ce type toutes les facilités de paiement possibles et imaginables, mais en vain. De guerre lasse, j'avais embauché un cabinet de recouvrement. Comme vous sans doute, je n'aime pas ces gens. Leur stratégie consiste à vous prendre de haut, à vous laisser entendre que vous êtes un raté, jusqu'à ce que vous soyez totalement démoralisé par leur condescendance, épuisé par leurs relances, au point d'accepter un accord avec eux, pour qu'enfin vous puissiez faire vos emplettes tranquille. Quelqu'un dans une soirée a-t-il déjà rencontré un agent de recouvrement ? Bien sûr que non. Ils se cachent. Ils se présentent tous comme experts en assurances. On comprend pourquoi ! Mais ce type me devait huit mille dollars. J'avais fait le boulot. Je lui avais sauvé la mise : grâce à moi, ce connard pouvait à nouveau manger. J'y étais de ma poche. Moi aussi, j'ai des frais. Et vous savez ce qu'a fait ce salopard ? D'un côté, il a accepté de me rembourser vingt dollars par mois et de l'autre, il a lâché son fiel sur Internet en disant que je travaillais comme un sagouin à des prix prohibitifs. Pire encore, que j'avais des crottes de nez ! Pure diffamation ! Je m'inspecte toujours les narines dans le miroir avant de m'approcher d'un patient. C'est une question de politesse élémentaire. Mais le mal est fait et tout le monde y croit ! Si quelqu'un fait une recherche sur Internet pour trouver un dentiste, il ne risque pas de choisir le gars qui travaille mal et cher, et qui offre, en prime, le spectacle de sa pullulation nasale. Évidemment ! Mais je ne pouvais rien faire. Me plaindre à qui ? À qui plaider ma cause et demander le retrait de ce post ? Alors je tapais mon nom sur Google tous les mois. Et quand l'article d'Anonymous sortait, ce qui ne manquait jamais d'arriver, je jurais de rage et de frustration. Et Betsy Convoy la Modératrice arrivait en trombe : « Cessez donc de vous googleliser ! »

« Qu'est-ce que vous reprochez aux gens ? » m'avait-elle demandé un jour. J'étais assis dans un des fauteuils à roulettes à la réception, à m'occuper de paperasse. Je relevai les yeux de mes papiers et répondis : « Qu'est-ce que je leur reproche ? Rien. Rien du tout. » « Vous vous excluez du monde. » Je fis pivoter mon siège vers elle pour la regarder droit dans les yeux : « Moi, je m'exclus du monde ? » « Vous n'avez pas de site Internet. Et vous refusez de créer votre page Facebook, précisa-t-elle. Vous n'avez aucune existence en ligne. Barry Hallow dit que… » « Et c'est pour ça que je m'exclus du monde ? Parce que je n'ai pas de page Facebook ? » « Barry Hallow conseille d'avoir une existence sur le web, insista-t-elle. C'est le garant d'un surplus de clients. C'est prouvé. C'est tout ce que je dis. » « Non, Betsy. Vous sous-entendez bien plus que cela. Sinon, vous ne m'auriez pas accusé de me couper du monde. » « Vous avez mal interprété mes propos. Et je pense que vous le faites exprès. » « Betsy, je n'ai rien contre les gens. Je vous l'assure. Est-ce que je les comprends ? Non. La plupart demeurent un mystère pour moi. Leurs réactions dépassent mon entendement. Ils sont là, à jouer au baseball, à faire du bateau, ou je ne sais quoi encore. Tant mieux pour eux. Et vous savez quoi ? J'adorerais faire du bateau. Quel pied ça doit être ! Allez venez, Betsy ! Tous à bord ! Allons nous goinfrer de crevettes ! » « Jésus Marie Joseph ! Qu'est-ce que les crevettes viennent faire là-dedans ? Je n'aurais jamais dû aborder ce sujet ! Je m'en vais. » « Non, Betsy, ne partez pas, c'est trop facile. Finissons-en. Vous pensez que je peux occulter tout ce qui se passe dans le monde et aller faire du bateau comme si de rien n'était ? » « À ce que je sache, c'est vous qui avez parlé de bateau. » « Vous croyez que je peux me mettre des œillères, et aller bronzer tranquille sur la plage, faire de l'alpinisme, cueillir des pommes, acheter des tapis, commander des salades bio, poser ma petite monnaie tous les soirs au même endroit et faire ma petite lessive sans penser à rien, et écouter U2, et boire du chablis ? » « Mais de quoi parlez-vous ? J'étais juste venue vous dire qu'un site web et une page Facebook seraient bons pour les affaires. Oublions ça. » Mais j'étais parti sur ma lancée : « J'ignore pourquoi je n'y parviens pas. Mais c'est comme ça. Je ne peux pas. Je voudrais bien être comme tout le monde. Faire ces petites choses qu'on fait le soir et le week-end. Ou en vacances. » « Inutile de me suivre partout comme ça. Je vous entends très bien. » Mais je ne la lâchais pas : « Vous n'imaginez pas comme j'aimerais aller dans un bar et regarder un match ! Comme j'aimerais avoir des copains, une bande de joyeux drilles qui me lanceraient un grand salut dès que je passerais la porte, qui m'appelleraient "mon pote" ou "vieux frère" ou "ma poule", tous juchés comme des pots de fleurs sur nos tabourets, une bière à la main, à regarder le championnat à la télé. » « Je vous laisse. Un patient m'attend. Nous continuerons cette conversation une autre fois. » « Cela me ferait tellement plaisir, Betsy. Rire, boire et roter avec mes vieux poteaux. J'adorerais ça. Mais vous savez ce qu'exige un match des Red Sox ? La concentration que je dois avoir ? Même pour un simple match de division ? » « D'accord, je ne vais nulle part, soupira Betsy. Allez-y, je vous écoute. Parce que, visiblement, vous avez un truc à dire. » De toute façon, je n'avais pas l'intention de m'arrêter… « C'est vrai, repris-je, j'ai choisi de ne pas avoir d'amis. Mais je mesure néanmoins tout ce que je rate. Vous pensez que cela ne me torture pas ? J'en suis malade, Betsy. Malade. Vous dites que je m'exclus du monde ? Bien sûr que je m'en exclus. C'est ma seule protection, le seul moyen pour moi de ne pas voir l'ampleur de mon isolement. Mais cela ne signifie pas que j'ai quelque chose contre le genre humain. Est-ce que je les envie ? Bien entendu ! Est-ce que je voudrais être avec eux ? Tout le temps ! Est-ce que je les étudie ? Tous les jours ! Simplement, je ne les côtoie pas assez pour les comprendre. Aimer une communauté qu'on ne comprend pas, qui vous est étrangère et pourtant dont on voudrait faire partie… Qui voudrait vivre ce supplice ? Qui, Betsy ? Qui ? » « Ça y est ? Vous avez terminé ? Parce que ça, c'est un véritable supplice ! » « Vous savez ce qui me sidère le plus, plus encore que l'idée de pouvoir faire du bateau ou de la bronzette la conscience tranquille ? C'est de lire sur Internet des posts de gens racontant qu'ils ont fait du bateau ou la bronzette ! J'étais déjà isolé avant que n'apparaisse Internet. Avais-je besoin d'être davantage exclu ? Maintenant, il faudrait que je prenne le temps de lire le récit de ce que les autres font et que je ne fais pas ? De télécharger toutes leurs vidéos, de leur dire comme ils ont de la chance de faire tout ça, à follower, liker, retweeter tous ces machins, et me sentir plus que jamais coupé de tout ? Pourquoi le monde devrait-il être plus encore connecté ? Jamais de ma vie je ne me suis senti aussi seul. C'est comme les riches qui deviennent toujours plus riches. Les connectés deviennent plus connectés, et les déconnectés toujours plus isolés. Non merci, sans façon. C'est au-dessus de mes forces. Le monde était suffisamment compliqué comme ça avant les réseaux sociaux, Betsy. » « D'accord, je retire ce que j'ai dit. Vous n'avez rien contre les gens. Et je ne vous parlerai plus jamais ni de site web, ni de Facebook. »

J'étais un dentiste, pas une page Internet. J'étais un grand fatras, pas un produit. J'étais un homme, pas un profil. Ils voulaient mettre ma vie dans des petites cases : achats, préférences, prescriptions médicales, types de comportement. Ce n'était pas un homme ça. C'était un animal en cage.

« Quand êtes-vous allé à la messe pour la dernière fois ? » avait-elle demandé. Je lui avais répondu. « Jamais ? Ce n'est pas une réponse possible. Tout le monde est allé à la messe au moins une fois dans sa vie. Dites-moi la vérité. » Je la lui avais dite. « Dieu du ciel ! Personne ne voue un culte aux lutins bleus. D'abord, les lutins ne sont pas bleus. Et puis, vous savez très bien que ce ne sont pas les lutins qui ont créé la terre et le ciel. Il n'y a aucune raison de croire dans les lutins et toutes de croire en Dieu. Moi, je vois le Seigneur partout, dans le ciel, dans la rue. Comment pouvez-vous prétendre ne pas sentir Son œuvre ? » Je lui expliquai mon point de vue. « Non, on ne peut pas parler de "l'œuvre" du Big Bang ! Pourquoi faut-il que vous me sortiez le Big Bang chaque fois que nous parlons de Dieu ? » Nouvelle réponse de ma part. « Mais personne n'a envie de faire le bien parce qu'il croit au Big Bang, n'est-ce pas ? Seul Dieu donne cette aspiration. C'est Son message. Vous ne voulez donc pas faire le bien ? » Je tentai une analyse honnête. « Non, ce n'est pas un syllogisme métaphysique ! Je veux une vraie réponse. Pensez-vous, oui ou non, être un homme bien ? » Je lui répondis que oui, que je pensais être quelqu'un de bien. Elle médita ma réponse un moment, et puis elle posa la main sur mon bras et me demanda tout bas : « Mais vous, êtes-vous bien ? Êtes-vous sûr d'aller bien ? »

* * *

Betsy et moi sommes allés retrouver Connie devant l'ordinateur. Il existait effectivement un site pour un cabinet dentaire O'Rourke. Il y a donc deux dentistes O'Rourke, me suis-je dit sur le coup. La pauvre Betsy va être bien déçue. Puis Connie cliqua sur l'onglet « qui sommes-nous ? ». Et on était là, tous les quatre : Abby Bower, assistante ; Betsy Convoy, hygiéniste dentaire ; Connie Plotz, secrétaire de direction ; et moi, Dr Paul O'Rourke. C'était bien *le* cabinet O'Rourke, mon cabinet !

— Qui a fait ça ? demandai-je.

— Pas moi, répondit Connie.

— Ni moi, renchérit Betsy.

Connie se tourna vers Abby qui s'empressa de secouer la tête.

— Il n'est pas apparu tout seul, dis-je.

Toutes les trois me regardèrent d'un drôle d'air.

— Non, ce n'est pas moi !

— C'est forcément vous, insista Betsy Convoy. Regardez, toute l'équipe est là.

C'est vrai qu'on était tous là. Avec photos en prime.

Celle de Betsy datait de 1969, extraite de l'album de classe de sa dernière année au lycée. Un portrait en noir et blanc qu'elle devait trouver avantageux puisqu'elle ne poussa pas de hauts cris. Elle était jeune et presque jolie, malgré sa coiffure bouffante déjà démodée en 1969. Un sacré contraste avec sa coupe en brosse d'aujourd'hui. La photo d'Abby avait été réalisée, à l'évidence, par un photographe professionnel, avec coiffure et maquillage de star. Abby était-elle comédienne à ses moments perdus ? Si c'était le cas, je l'ignorais, puisqu'elle ne me parlait jamais. Le cliché lui donnait un air glamour – encore une fois, rien à voir avec son double dans la vie réelle. Connie n'avait pas droit à sa photo, ce qui la mit en rogne. Pour elle, cela prouvait le peu de considération qu'on avait pour les secrétaires de direction. Je m'abstins de lui faire remarquer que personne ici, de toute façon, ne lui aurait accordé ce titre. Quant à ma photo, elle provenait d'une caméra de surveillance, alors que je descendais un escalier – précisément celui de la bouche de métro à l'angle de la 86e et de Lexington Avenue. Je ressemblais à un terroriste recherché par le FBI.

— Qui a fait ça ? répétai-je.

Mes trois employées me regardèrent encore fixement.

— C'est une honte, une infamie !

— Moi, je le trouve pas mal ce site, répliqua Betsy.

— Je vais le faire supprimer.

— Mais pourquoi ? C'est exactement ce qu'il nous faut ! Je ne sais pas qui l'a conçu, mais c'est du bon travail.

— L'auteur l'a fait sans ma permission, et ce n'est pas un hasard. Je n'ose même pas imaginer ses motivations. Qui se donnerait tout ce mal ? C'est très bizarre. Vous devriez toutes être terrifiées.

— Ce doit être vous l'auteur. Mais vous ne vous en souvenez pas. Ou alors, vous avez gagné un site Internet à un concours ? Ou bien, c'est un cadeau aléatoire. Votre carte de visite est sortie du panier et bingo !

— Ce n'est guère vraisemblable Betsy. (Je me tournai vers Connie.) Trouve-moi qui a fait ça.

— Comment ?

Je n'en avais aucune idée.

— Passe des coups de fil !

— À qui ?

— C'est inadmissible !

Il y avait un nom en bas de page, rien d'autre : Séïr Design. Une recherche Google me sortit une sauvegarde du site, avec une petite description, et une adresse : info@ seirdesign.com. Je leur envoyai aussitôt un e-mail :

« Au responsable de Séïr Design », écrivis-je.

> Mon nom est Paul O'Rourke. Je dirige le cabinet dentaire O'Rourke au 969 Park Avenue à Manhattan. Je vous écris pour vous demander de retirer (effacer, fermer, bloquer, je ne sais quelle est l'expression consacrée) un site que vous avez, sans mon autorisation, publié sur le web pour présenter mon cabinet.
>
> Cela vous arrive-t-il souvent de créer des sites Internet pour des gens qui ne vous ont rien demandé ? Ou quelqu'un vous a-t-il contacté en se faisant passer pour Paul O'Rourke ? Auquel cas, j'aimerais connaître l'identité de cet imposteur. Je suis le vrai Paul O'Rourke et je vous assure que je ne veux

pas de site web. Vous imaginez, je suppose, comme cela est désagréable de découvrir qu'à votre insu un site concernant votre activité a été mis en ligne.

J'attends impatiemment de vos nouvelles.

C'était comme un viol. Je me sentais impuissant. Je passai la journée à interroger ma boîte mail, mais je n'eus aucune réponse.

* * *

Tous les ans, je renouvelais le pack Baseball que proposait DIRECTV et j'enregistrais toutes les parties des Red Sox de Boston sur mon vieux magnétoscope. J'avais ainsi l'ensemble des matches de l'équipe depuis 1984, à l'exception de ceux perdus suite à des coupures de courant. J'en étais à mon septième magnétoscope. Craignant que ces appareils ne soient plus fabriqués, j'en avais sept autres encore emballés dans un placard. Je mangeais le même plat (poulet et riz) avant chaque partie et me réservais toute la soirée. Et jamais, je ne regardais la sixième manche.

— Pourquoi la sixième ? m'avait demandé un jour Connie.

— Juste une superstition.

— Mais pourquoi pas la cinquième ou la septième ?

— Ou la quatrième ? Ou la huitième ?

— Je veux dire : pourquoi être superstitieux tout court ?

— Parce que ne pas l'être porte malheur.

Si les Red Sox accusaient, durant la saison, neuf matches de retard sur les Yankees de New York, je prenais le Holland Tunnel pour me rendre dans le New Jersey, louais une chambre à l'hôtel Howard Johnson de North Bergen, et regardais la partie hors des limites de la ville, pour tenter de conjurer le mauvais sort.

— Si tu détestes à ce point les Yankees, me demanda Connie, pourquoi t'être installé à New York ?

— Pour élucider ce mystère urbain : pourquoi les Yankees ont-ils des supporters ? C'est d'une telle aberration.

Même si tout avait changé pour moi depuis 2004, je continuais à regarder tous les matches des Sox. Je les suivais depuis si longtemps… Sinon, je me serais retrouvé dans mon salon, les bras ballants, à ne pas savoir quoi faire. Ce n'était pourtant pas les distractions qui manquaient en ville. Jamais, dans toute l'histoire du monde, l'homme n'avait eu autant de possibilités. New York n'avait pas d'égal en la matière. J'avais l'embarras du choix. Je pouvais manger des sushis ; je pouvais commander du fromage de chèvre dans un bar à vins, et vider ballon sur ballon, jouer la bohème, jusqu'à ce que j'en aie ma claque d'entendre Billie Holiday et que je sois rond comme une queue de pelle. Je pouvais descendre au Brooklyn Inn et m'envoyer une Guinness. Sans compter les cinq ou six autres bars sympas en chemin ! Il y avait des bodegas et des épiceries coréennes où l'on trouvait des fruits et des légumes bio. Je pouvais m'asseoir au comptoir du nouveau bistrot italien devant une assiette de boulettes et une bouteille de chianti. La bière pression était la nouvelle folie du moment. J'aurais pu aller m'en jeter une par exemple ? Ou faire quelque chose de totalement inattendu, comme retourner à Manhattan, sur la 34e Rue, et monter en haut de l'Empire State Building ? – non, c'est vrai qu'il était fermé à cette heure. Beaucoup de choses étaient fermées le soir : les musées, les galeries d'art, les librairies. Mais c'était sans importance. Il suffisait de penser à tout ce qui était encore ouvert. J'aurais pu aller dans un Starbucks. Ou acheter un bagel. Ou un sandwich fallafel. C'était fou le nombre de distractions qui avaient trait à la nourriture ou la boisson ! À croire qu'on avait été envoyé sur terre pour manger et boire. C'était donc ça ma mission ? Quitter le cabinet et rentrer chez moi pour m'empiffrer toute la soirée ? Me gaver de fallafels, de hot-dogs, de poulet au curry et faire passer le tout à coups de bière et de whisky, avant de m'écrouler à quelques mètres des toilettes, dans mon fauteuil de relaxation ? Apparemment, oui. Toutefois, il ne fallait pas oublier toutes les autres distractions que propose la Grosse Pomme à celui qui veut enrichir son temps et donner du sens à la nuit. Lesquelles ? Le cinéma, par exemple. Les plus beaux films passaient à New York. Ou mieux encore, le théâtre. Aller voir une pièce à Broadway, quel bonheur ! New York et ses merveilles… Mais on était vendredi soir. Combien de New-Yorkais étaient de sortie, voulant profiter eux aussi de leur ville, sans parler des touristes accomplissant leur devoir de touristes ? Les meilleurs spectacles étaient complets. Et aller là-bas n'était pas une sinécure ; il fallait se préparer psychologiquement des semaines à l'avance pour affronter les hordes de visiteurs qui engorgeaient Time Square. Et une fois à destination, devant le théâtre, il fallait encore subir la foule sous la marquise, puis l'interminable premier acte, puis encore l'entracte… L'entracte ! Quand la lumière reviendrait dans la salle, quand les gens se lèveraient et s'étireraient, chacun parlant à sa chacune pour commenter la pièce, tous se demanderaient ce que je fichais tout seul un vendredi soir. Je ne voulais pas qu'on me voie solitaire un vendredi soir. Les jeudis soir, le problème ne se posait pas. Le hic, c'étaient les vendredis, samedis, dimanches, lundis, mardis et mercredis. Ces soirs-là, j'étais obligé de rester chez moi, à boire et manger ce que j'avais acheté en chemin. La ville n'avait quasiment rien d'autre à me proposer, et si l'offre d'une mégapole est aussi réduite, imaginez ce que ça doit être en banlieue ou dans une bourgade rurale où la plupart des gens sont de petits employés ou des agriculteurs. On comprend mieux pourquoi cette nation est composée d'obèses alcooliques et de thérapeutes qui tentent de les soigner. Il suffit de se promener dans la rue.

Les bourrelets sont désormais de nouvelles parties du corps humain, des régions anatomiques encore sans nomenclature. Nous pourrissons sur pied, et notre monstruosité est proportionnelle à notre dette nationale et à notre nombre d'armureries. Dans tout le pays, il n'y a rien d'autre à faire que boire, manger et se tirer dessus, et puisque, par décret municipal, on n'était autorisé qu'aux deux premières activités, autant regarder le match à la télé. C'est donc ce que je fis ce soir-là. On ne change pas une équipe qui gagne : plats à emporter et baseball – après tout, il y avait pire dans la vie. Cela me permettait momentanément de ne plus penser à ce site Internet qu'on avait créé contre ma volonté, ni à mon impuissance face aux webmasters de Séïr Design. Les Sox jouaient les Rays de Tampa Bay ce soir, et je faisais mon possible pour me concentrer. Le but du jeu, c'est d'oblitérer tout ce qu'on loupe en s'écroulant devant un match, toutes ces autres possibilités qui vous viennent à l'esprit alors que le match commence et qu'on a acheté à manger, toutes ces possibilités impliquant des gens, des activités, et une certaine définition du bonheur. Les soirées professionnelles faisaient partie du lot ; il y en avait quasiment tous les soirs. Mais pourquoi irais-je à une sauterie entre gens du métier un vendredi soir ? Des dentistes pompeux étaient bien les dernières personnes avec qui je voulais traîner un soir de week-end. Pourtant un jour viendrait, me disais-je… Un jour, je recevrais encore une invitation pour un gala de ce genre – invitation que je jetterais une fois de plus avec mépris : moi ? perdre mon temps dans une fête ringarde ? – et le soir de la réception venu, je me verrais d'un coup seul chez moi, avec mon repas dans une boîte en carton et rien d'autre à faire qu'à regarder le match… Peut-être ce jour-là aurais-je une prise de conscience. J'envisagerais ces rencontres professionnelles sous un jour nouveau. À l'inverse de moi, ces dentistes rasoir avaient quelque chose à faire un vendredi soir, autre chose que regarder un match à la télé. À l'inverse de moi, ces collègues se lançaient dans des discussions passionnantes, faisaient des rencontres inattendues, ou, au pire, découvraient une nouvelle technique améliorant le confort du patient. Rien que cela, ça valait le déplacement. Mais voilà, j'avais un esprit obtus, revêche, fermé à tout changement, parce qu'il y a une semaine ou deux, j'avais reçu une telle invitation et l'avais encore jetée à la poubelle. Les Sox jouaient à cette date ! Et je ne faisais jamais rien les soirs de match, même si j'enregistrais les parties et que je pouvais toujours les visionner plus tard. Ces soirées avec les Red Sox étaient sacro-saintes et si je délaissais un rite sacré, qu'est-ce qui me resterait ? Toute dévotion implique le sacrifice. Ma dévotion aux Red Sox avait-elle faibli après leur extraordinaire remontée en 2004 ? Un exploit historique quand on sait qu'ils étaient menés trois matches à rien au championnat ? Et contre les Yankees en plus ! – cette équipe de brutes épaisses, avec leur logo ridicule, ce N et ce Y entremêlés qu'on trouve partout dans le monde, un symbole aussi révoltant que la croix gammée. Les Yankees appartiennent aux forces du mal, tout le monde le sait, et pourtant il y a des naïfs pour les trouver sympathiques, parfois même pour les aduler. Décidément le peuple est prêt à croire à toutes les chimères. Ma dévotion avait-elle faibli, donc, quand les Sox avaient battu les Yankees et finalement sorti les Cardinals pour remporter la Série mondiale, mettant ainsi un terme à quatre-vingt-six ans de traversée du désert ? Non. Mes trente années de sacerdoce n'auraient eu aucune valeur si elles n'avaient exigé de moi de l'abnégation, du véritable sacrifice, indissociable de la souffrance. Alors, bien sûr, j'avais décliné l'invitation et je me retrouvais dans mon fauteuil, avec ma bière et mon poulet-riz basmati, pour regarder jouer les Sox ! Ce n'était qu'un match de division, et contre les Rays, une équipe de troisième zone. Un match sans importance, à moins bien sûr qu'un outsider ne vienne changer la donne en toute fin de la saison – mais on n'en était pas là. Pour l'heure, il n'y avait aucun péril en la demeure. C'était juste une rencontre de Séries, une parmi les milliers que je verrai en une vie, une partie sans enjeu, et qui n'exigeait qu'un minimum d'investissement émotionnel. Demandez à quelqu'un qui ne s'intéresse pas au baseball ce que représente pour lui un match de division Est de la Ligue américaine, et vous comprendrez : Rien. *Nada*. Comment ne pas penser à ces gens qui se fichaient totalement du sport, et qui menaient à la place une vie sociale intense ? Comment ne pas se considérer infirme, paralysé au regard de ce monde de liberté qui grouillait les vendredis soir, terrifié par ses charmes et merveilles, quand je me voyais ainsi assis devant ma télé, à regarder les manches et les points s'enchaîner dans une morne litanie. Mais heureusement, il se passait toujours quelque chose sur le terrain, un double jeu, l'éventualité de voir les Sox réaliser un match sans aucun point concédé à l'adversaire ; ma bonne vieille excitation d'antan revenait alors, indemne, ardente, comme lorsque j'étais gosse à six ou sept ans et que je voyais mon père suivre le match sur notre télé noir et blanc et que les commentaires de la radio se chargeaient de donner de la couleur aux images. Son fauteuil était pourtant confortable, avec des gros coussins, mais il se tenait perché au bord du siège comme un aiguilleur du ciel dirigeant un atterrissage délicat. Il m'appelait Paulie : « Paulie, va me chercher une bière au frigo. » « Paulie, ne t'endors pas, c'est la sixième manche, il faut que tu la regardes et que tu me racontes ce qui s'est passé. » « On a perdu, Paulie, encore une fois ! C'est rien que des nuls, des bons à rien ! » Je commençais tous les matches sur ses genoux, mais avant la fin de la première manche, il ne faisait plus attention à moi et je me retrouvais par terre à ses pieds. Moi, en revanche, j'épiais le moindre de ses faits et gestes, le moindre couinement des ressorts de son fauteuil.

Les spires étaient fatiguées comme les vertèbres d'un vieux cheval, mais elles étaient fidèles au poste, informant la maisonnée de la tension du propriétaire, de chacun de ses accès de joie ou de désespoir. Mon père notait les points sur une feuille de score posée sur l'accoudoir. Des gouttes de condensation tombaient de sa canette de Narragansett, maculant notre moquette élimée. C'était à croire qu'il se trouvait dans l'abri avec les joueurs, tant il vivait le match. Il faisait les cent pas, se mordillait un ongle dans une position de mains improbable, se levait d'un bond dans un juron (ce qui m'emplissait de terreur), ou bien se jetait à genoux, les yeux levés vers le poste comme un adorateur d'idoles. Je l'observais du coin de l'œil et mimais ses expressions. Je calais mes réactions aux siennes quand un événement du jeu mettait en émoi le stade. L'intensité des réactions de mon père me médusait. C'était quoi ces Red Sox de Boston ? C'était quoi ce monde là-bas ? Chaque lancer était une question de vie ou de mort, chaque coup de batte une promesse d'un monde meilleur. Et il s'agissait d'un match de division ! Autant dire rien. *Nada*. Comme j'aimais cet homme. Il était mon tout, mon dieu parfait et omniscient, jusqu'au jour où il s'était installé dans la baignoire, avait refermé le rideau de douche et s'était tiré une balle dans la tête.

On perdait ce vendredi soir. On était en première place dans la division Est, à un match et demi devant les Yankees et on se faisait ramasser par ces besogneux de Rays. La honte ! Mais ce n'était pas plus mal. Cela nous donnait une chance de revenir, ce qui était la plus belle forme de victoire. Mais on est restés au fond du trou. Score final : neuf à six contre ces nuls de Rays au soir du 15 juillet 2011 ! J'éteignis le téléviseur, dégoûté. J'enfonçai le bouton « STOP » du magnétoscope et rembobinai la cassette. Je l'éjectai, l'étiquetai et la rangeai sur l'étagère avec les autres. Puis j'allai me coucher.

Quand je me réveillai, il était trois heures moins le quart du matin. Incroyable : presque quatre heures de sommeil continu ! En fait, c'était plutôt à peine plus de trois heures, mais je préférais voir le verre à moitié plein. Depuis combien de temps n'avais-je pas autant dormi d'une traite ? Trois semaines ? Quatre ? Je me sentais bien, presque reposé ; il me fallait néanmoins prendre une décision : me lever ou batailler pour me rendormir ? Parfois, rarement, je parvenais à grappiller une heure ou deux de plus, afin de cumuler un total de cinq ou six heures de sommeil. D'un point de vue arithmétique, c'était seulement quatre ou cinq, mais je préférais ne pas être réaliste, et ces matins-là je lançais de joyeux « Bonjour Abby ! Bonjour Betsy ! Bonjour Connie ! ». Alors je restai au lit, dans l'espoir de me rendormir, malgré mes pensées parasites. D'abord, il y avait la frustration d'avoir perdu contre ces bouseux de Rays, et le fait d'avoir encore choisi de passer la soirée seul. J'avais rejeté toutes les autres options pour regarder un match et maintenant, à trois heures moins le quart du matin, il était trop tard pour tout. C'était le cœur de la nuit. Et sous ce ciel noir et ses occasions manquées, je me mis à penser que cette nuit-là aurait pu être ma dernière sur terre, quand tous les possibles – tous, pas seulement ceux de ce soir – auraient été épuisés. Chaque nuit qui passait était une volée de chemins perdus, autant de vies inexplorées, autant d'opportunités avortées – celles de s'enrichir, de découvrir, de se mettre en danger, d'espérer, d'exister. Voilà à quoi je pensais tout en essayant de me rendormir. Dans ma tête, là où je vivais, des guerres éclataient, des vallées étaient submergées, des forêts s'embrasaient, des océans déchiraient les côtes, des tempêtes emportaient tout dans les abysses, et il ne restait que quelques jours, au mieux quelques semaines, avant que le monde entier, et tout ce qu'on y avait fait de bien et de remarquable, ne disparaisse dans les ténèbres du cosmos. Autant dire que mes chances de me rendormir étaient réduites à zéro !

Je sortis du lit, consultai mes e-mails. Toujours aucune réponse de Séïr Design. Je me préparai des œufs et du café, m'installai à la cuisine pour boire et manger (la deuxième fois de la soirée !) – boire et manger pour tenir quelques heures, pour résister encore et encore, ou boire et manger pour m'occuper l'esprit et ne pas voir que la lutte était absurde. Je n'étais peut-être pas la seule personne réveillée de la ville, mais la seule à ne pas vouloir l'être, à avoir dormi aussi peu et à ne pouvoir se recoucher. Peut-être, par une succession de petits miracles, la nuit avait-elle eu raison de tous les autres insomniaques ? Et maintenant, j'étais le dernier encore réveillé, seul à la table de ma cuisine, des heures avant que l'aube ne se lève, sans possibilités, sans options, à me demander quoi faire de ma vie. J'eus très envie d'appeler Connie, mais cela m'aurait obligé à allumer mon ego-Machine… j'allais découvrir que Connie ne m'avait pas appelé, ni même envoyé de SMS. Alors, je commencerais à me demander ce qu'elle avait bien pu faire de sa soirée. Avant, elle m'envoyait un message ou tentait de me joindre. Non seulement elle n'avait fait ni l'un ni l'autre, mais ne pensait probablement même pas à moi – telle serait la conclusion implacable. Et le fait qu'on soit en pleine nuit n'atténuerait en rien la cruauté de ce constat. Quand bien même l'aurais-je appelée, qu'aurais-je bien pu lui dire ? Tout avait été dit. Il n'y avait plus rien à ajouter. Appeler Connie était absurde. Mais je le fis quand même. Elle ne décrocha pas. Il était bien trop tôt. Évidemment. Je raccrochai. Puis je pris la cassette que je venais d'enregistrer, la glissai dans le magnétoscope et regardai le match une seconde fois jusqu'à ce que l'aube pointe, pour revivre notre déconfiture improbable. Comment avions-nous pu aussi mal jouer et perdre contre ces merdeux de Rays ?

3.

Le lundi suivant, je vins m'asseoir près de Connie au bureau de la réception. À chaque fois que je me trouvais à côté d'elle, elle était occupée à se passer de la crème sur les mains. Je la regardais se frotter les paumes méticuleusement. Ses mains étaient comme deux animaux à la peau luisante accomplissant une danse nuptiale. Et elle n'était pas la seule à avoir cette manie. Partout des gens avaient des flacons de lotion sur leur bureau, partout des gens ce matin se mettaient de la crème sur les mains. Je ne comprenais pas l'intérêt. Et je détestais ça, ne pas comprendre. Vraiment. Si j'avais pu devenir un adepte de la crème, combien de petits plaisirs de la vie quotidienne aurais-je pu encore savourer ? Et cet exil, cet isolement où je me trouvais n'aurait-il pas pu s'évanouir d'un coup ? Mais c'était au-dessus de mes forces. J'exécrais cette sensation humide, visqueuse, qui perdurait longtemps après que la lotion fut absorbée. On avait beau se frotter encore et encore, ça collait toujours. J'en avais terminé avec la souffrance. Plus question de m'adonner à quelque pratique, qu'elle fût réellement salutaire ou illusoire, qui ne me procurait pas le moindre plaisir. Pour moi, c'était un supplice, point barre. Cette petite goutte de lotion perlant de l'embout, une véritable horreur ! Et pourtant c'était ça l'intérêt, la substantifique moelle. Pourquoi fallait-il que je sois toujours du mauvais côté de la porte, à regarder par le trou de la serrure ce qui se passe de l'autre côté, toujours l'étranger, toujours hors jeu ? Bref, Connie n'était pas la seule à s'adonner à ce rituel. Dans les cabinets médicaux, les cabinets d'avocats, les agences de pub, dans les zones industrielles, les centres de tri, les administrations des cinquante États, dans les postes des Rangers, et même dans les baraquements militaires, les gens s'hydrataient les mains. Ils étaient en possession d'un secret, c'était sûr ! Ils dormaient sur leurs deux oreilles, jouaient au softball, se promenaient, se racontaient leur journée à la tombée du soir tandis que le chien trottait à côté d'eux. Terrifiant. Absolument terrifiant ! Leur loisir me donnait la chair de poule. Cela paraissait si facile, si naturel. Et pourtant une question s'imposait : Pourquoi ? Pourquoi cette manie, cette frénésie du malaxage compulsif ? Les mains de Connie se caressaient et copulaient, étalant cette chose gluante en un film égal sur le moindre millimètre carré de peau. C'était presque obscène, une pratique à faire en privé. Et parfaitement inutile. Connie avait de jolies mains. Les mains des vieilles personnes sont les seules à avoir besoin, même aux yeux du profane, d'une réhydratation en profondeur. Elles sont tachetées, osseuses, parcheminées, noueuses, mourantes. Un jour, alors que Abby était assise en face de moi, attendant de me passer un instrument, je lui montrai les mains de notre patiente, les mains d'une vieille personne toute concentrée à tenir sa bouche ouverte sous la lumière de la lampe. Je désignai cette peau translucide et tavelée : « C'est ça que Connie essaie d'éviter ? » Abby, fidèle à elle-même, n'avait pas d'opinion sur le sujet. Oh, elle avait plein de choses à dire, je n'en doutais pas, mais rien qu'elle voulût exprimer à travers son masque de papier rose. C'est sûr qu'elle aurait été très loquace si je n'avais pas été là. Il ne se passait pas une journée sans que j'aie l'impression, à un moment ou à un autre, qu'elle souhaitait ma mort. Rien ne lui aurait fait plus plaisir que de me voir terrassé par une crise cardiaque. Elle serait enfin libre, délivrée de ses chaînes ! Une fois que je serais au sol, les yeux révulsés, les joues creusées, la bave à la bouche, elle se lâcherait, et je l'entendrais pour la première fois dire ce qu'elle pensait de moi, la vérité nue. Tout en continuant à m'occuper de la vieille femme, je lui demandai : « Vous vous mettez de la crème, Abby ? » Elle me regarda fixement. *Me mettre de la crème ?* « Apparemment, cela vous semble très important de vous lubrifier les mains, comme le reste. » *Comme le reste* ? Comment pouvais-je sortir ça ! Mes paroles allaient être aussitôt mal interprétées, sur-interprétées ! Abby resta impassible mais n'en pensait pas moins. Même moi, je me rendais compte de l'énormité de ce que je venais de dire, et sans doute aussi la petite vieille sur son siège.

À un moment pendant l'hydratation de Connie, le mouvement des mains s'apaisa. Les frottements frénétiques du début laissèrent la place à un ballet plus doux, plus réfléchi. Elle avait atteint le stade où la crème, absorbée par la peau, n'était plus un onguent visqueux en surface, mais une huile qui lubrifiait et facilitait les mouvements. Elle n'appliquait plus simplement la lotion, elle la travaillait, la faisait pénétrer avec soin, concentrant ses efforts sur les doigts, un à un, et sur la membrane de peau entre chaque jointure. Elle joignait ses mains comme dans une prière sensuelle, puis les séparait pour masser la racine du pouce, avec la patience d'un joueur de baseball graissant son nouveau gant. Puis quelque chose dut attirer son attention parce qu'elle aborda la dernière partie du rituel : elle s'enlaça les mains à plusieurs reprises, dans une danse langoureuse, la gauche étreignant la droite, puis la droite étreignant la gauche, et ainsi de suite, plusieurs fois. Pour tout observateur, cette chorégraphie était l'expression ineffable d'une profonde satisfaction, celle du travail accompli. J'en eus les larmes aux yeux, réellement. Bien entendu, n'importe qui ne m'aurait pas fait un tel effet. Je n'aurais pas versé une larme si j'avais vu GI Joe s'hydrater les mains. Mais il s'agissait de Connie. Pourquoi ne parvenais-je pas à comprendre d'une façon toute simple et naturelle que les gens partout autour de moi tentaient d'apaiser leurs petites souffrances par ces menus rituels de réconfort ? Pourquoi fallait-il que je juge leurs tentatives vaines ou futiles ?

— Tu recommences, dit-elle, sans relever les yeux.

— Quoi ?

— À me regarder. Comme un objet.

— Moi ? Pas du tout.

— Tu le fais tout le temps. Tu m'idéalises, et puis tu es déçu quand tu t'aperçois que je ne suis pas aussi parfaite que ça. Tu me reproches alors de ne pas être une déesse. C'est usant.

— Je t'assure, si quelqu'un sait que tu n'es pas parfaite, c'est bien moi.

— Alors pourquoi me regardes-tu comme ça ? Pourquoi tu m'observes ? Tu n'en as pas assez ? D'autant que tu m'as bien fait comprendre que j'étais très loin de la perfection.

— Je pensais que tu étais parfaite, c'est vrai, mais cette époque est révolue.

— Alors cesse de me regarder, s'il te plaît.

— J'aurais aimé que tu m'apprennes à me mettre de la crème.

— À te mettre de la crème ?

— Oui. Je veux comprendre pourquoi les gens font ça.

— Les raisons sont assez évidentes. Tu en étales sur les mains et tu te sens mieux.

— Moi, ça ne m'a jamais fait de bien. Je suis toujours poisseux.

— Il faut la faire pénétrer. Après, tu te sens bien. Tes mains sont toutes douces. Ta peau est souple et hydratée.

— Mais à quoi ça sert puisqu'à la fin tes mains deviendront quand même toutes tachetées, osseuses et mourantes ?

— Ce qui compte, c'est ce que tu fais de tes mains avant leur décrépitude ! répondit-elle en relevant enfin la tête vers moi.

Elle me donna une tape sur le front, puis leva les yeux au ciel, joignant ses paumes en un signe de supplique. Ce qui aurait pu être drôle si le geste n'avait pas duré aussi longtemps.

— Vas-y, prends-en une goutte. Tu verras que tes mains seront plus douces après ça.

— Non, sans façon.

— Parce que si tu essaies, tu risques d'y prendre goût, c'est ça ? Et ta morale t'interdit d'y prendre plaisir, sachant ce qui va arriver, les taches de vieillesse et la mort. Mieux vaut ne jamais rien faire, plutôt que prendre du plaisir sur le moment et perdre tout à la fin.

Je me levai pour m'en aller, mais je fis demi-tour.

— Tu ne réponds pas à mes appels.

— Il faut que tu arrêtes de me téléphoner, Paul.

— À cause de l'heure ? Pardon. J'ai oublié.

— L'heure n'est que la moitié du problème.

— Je voulais envoyer un SMS, en fait.

— Tu ne m'as jamais envoyé le moindre SMS.

— Les SMS, c'est pour les ados. Je déteste taper des messages. Ça fait mal aux doigts. Mais cela ne veut pas dire que je n'essaie pas.

— Un coup de fil ou un texto, en pleine nuit, Paul, cela revient au même. Cela dit la même chose.

— Je n'appelais pas pour qu'on se remette ensemble. Mais pour qu'on soit amis. Entre amis on s'appelle, c'est normal.

— On ne se remettra pas ensemble. Jamais.
— Ce n'est pas pour cela que je t'ai téléphoné.
— Pour quoi, alors ?
— C'était la nuit…
Elle me regarda dans les yeux pour la seconde fois.
— Ce n'est plus mon problème, Paul.

* * *

L'expression « perdre sa culotte » est assez parlante. On se représente bien un gringalet soumis, qui retire ses couilles le soir, les pose sur la table de nuit comme un vieux son dentier, et se glisse dans le lit pour se pelotonner à côté de sa Nefertiti et regarder avec elle un nanar à l'eau de rose. Si c'est votre truc, tant mieux. Moi, je suis raide love. C'est la fièvre et le sang, l'obsession, la folie ! Ce n'est pas la culotte que je perds, mais la tête. Et tout le reste. C'est l'appel du vagin, le grand esclavage, l'addiction XXL ! Et après, il s'agit de rester en vie. Ce qui ne tue pas, rend plus fort, comme on dit. Comprendre : lève-toi et marche, jusqu'à tomber sur la vraie chieuse qui aura ta peau.

Être raide love, c'est débarquer à l'improviste, appeler en pleine nuit, c'est dire « je t'aime » bien trop tôt, dès le deuxième rendez-vous, et le dire bien trop souvent ensuite. Et quand elles me reprochent d'aller trop vite, je fais deux fois pire et leur envoie des fleurs et des corbeilles de fruits. Être raide love, c'est penser avoir trouvé tout ce qui manquait jusqu'ici à sa vie. Elles comblent un vide béant, ces femmes dont je tombe amoureux ; et pour ne pas retourner à mon néant (à pire encore que le néant, maintenant que j'ai entrevu la lumière), il faut qu'elles continuent à remplir ce vide. J'ai tellement peur de les perdre… alors je multiplie les actes désespérés, ce qui me pousse invariablement vers la sortie. J'ai connu ainsi quatre grandes addictions dans ma vie, sans compter quelques fausses alertes : ma première c'était quand j'avais cinq ans, ma seconde quand j'en avais douze, ma troisième à dix-neuf et finalement ma dernière ce fut avec Connie, quand elle est venue travailler au cabinet – j'avais alors trente-six ans et elle vingt-sept. La première fois, j'étais si nouveau dans le monde qu'il ne me reste que quelques souvenirs : son nom (Alison), nos étreintes de mains et mon gros chagrin alors que j'étais pelotonné sous les gradins jonchés de détritus. Mais pour les trois autres je me rappelle tout. Dès que sonnait l'appel du vagin, je devenais un esclave décérébré. L'essence même de moi (bon élève, adorateur des Red Sox, apôtre de la non-existence de Dieu) partait en fumée. Tout implosait. Que restait-il alors de ma personne ? Rien, sinon ma langueur sans fin. Les filles – d'abord Alison, puis Heather Belisle, puis Sam Santacroce, et enfin Connie –, toutes me consumaient tout entier, réduisaient mon être à cette unilatéralité Paul-qui-aime-Alison, Paul-qui-aime-Connie. Au début, c'était flatteur et plaisant pour l'élue d'être ainsi adulée, de voir quelqu'un s'annihiler totalement rien que pour ses beaux yeux, mais le charme faisait long feu, gâché par mes demandes obsessionnelles, ma jalousie, mes éloges sans limites, et mes débordements d'amour qui effrayaient parents et amis. Une fois « esclavaginé » comme je disais, je reniais tout ce que je considérais essentiel jusqu'alors, et je devenais, à mes yeux, comme à ceux de ma dulcinée, un type d'un ennui mortel n'ayant rien à offrir sinon les épanchements de son cœur. Inutile de dire que la relation ne durait pas. Pour le cas d'Alison, j'ai déjà raconté tout ce dont je me souviens. Pour Heather, je suis tombé raide love peu de temps après la mort de mon père. Avec le recul, je m'aperçois que j'étais autant subjugué par Roy Belisle, le père de Heather, que par la langue de cette fille frétillante et mouillée dans ma bouche. Roy Belisle entraînait notre équipe mixte de baseball, conduisait un gros pickup et avait des veines de camionneur sur les bras. (Jamais un homme comme lui ne se serait installé tout habillé dans une baignoire vide pour regarder pendant des heures les joints brunâtres. Une image inconcevable ! Jamais il ne m'aurait envoyé au centre commercial acheter dix paires de baskets pour les enterrer ensuite en catimini derrière l'immeuble.) Je passai le long week-end du Presidents' Day à m'envoyer en l'air avec Heather dans le garage et, durant les repas, à admirer les veines du papa tout en le regardant tripoter sa radio pour épier les fréquences de la police. Ce fut bref ; quand l'école reprit le mardi, Heather me largua pour un garçon particulièrement mal coiffé. J'étais sous le choc, blessé, mortifié, privé de la langue de Heather, en véritable manque – ma première langue ! c'est pour ce souvenir, entre autres, que je suis devenu dentiste, car j'avais découvert la bouche et ses merveilles – mais j'étais en colère aussi, parce qu'une force capricieuse et implacable m'avait d'abord volé mon père, et à présent M. Belisle. J'ai alors réagi comme n'importe qui l'aurait fait à ma place : j'ai marché quinze kilomètres jusqu'au centre commercial, me suis installé à l'arrière d'une voiture qui n'était pas fermée à clé et me suis fait emmener par mon chauffeur à son insu. J'ai ensuite attendu un long moment dans le garage avant d'entrer dans la maison, puis j'ai trouvé un placard et m'y suis masturbé avant de m'endormir. Et le lendemain matin je suis tombé sur toute la famille attablée au petit déjeuner.

L'appel du vagin que me lança Samantha Santacroce tint plus de l'ordalie et se solda par mon renvoi de l'université du Maine, doublé de certaines restrictions concernant ma liberté de mouvement sur le campus. Sam et moi avons passé onze semaines ensemble, onze semaines durant lesquelles nos âmes parurent enfin s'éveiller au monde et nos cœurs être pleins. Dans l'instant, nous fûmes inséparables, nous modifiions jusqu'à nos trajets à pied entre les amphithéâtres pour minimiser le temps où nous serions séparés. On mangeait ensemble, étudiait ensemble, dormait ensemble, chuchotant tout bas jusque tard dans la nuit pour ne pas déranger ses colocataires. On buvait dans la même tasse, à la même paille, partageait la même brosse à dents. On se nourrissait de pastèques, en se donnant langoureusement la becquée. On regardait films et matches de football pelotonnés sous la couette, on faisait les devoirs à l'unisson, relevant les yeux de nos manuels à intervalles réguliers, synchrones, pour nous contempler d'un air béat, dans un abandon total, oublieux du reste du monde. Sam avait toujours une sucette à la bouche. J'adorais entendre le globe sucré cogner contre ses dents d'une blancheur miraculeuse, et voir ce bâton luisant qui s'amollissait entre ses lèvres. Puis elle croquait les derniers morceaux d'un coup de molaires, les réduisant en miettes, faisait rouler les grains d'un maxillaire à l'autre pour les faire fondre. Quand elle avait terminé et que le bâton avait disparu, avec les autres, dans la boîte vide de Coca light (qui contenait également les papiers d'emballages et des restes de chewing-gum), elle faisait passer sa langue sur sa lèvre supérieure, en quête d'ultimes cristaux et, si d'aventure elle en trouvait un, elle l'attrapait et le coinçait entre ses canines. Puis elle léchait ses lèvres, nettoyant toute trace de sucre – d'abord la lèvre supérieure, un mont rose à deux pointes, délicieusement ourlé, puis l'autre, tout aussi parfaite. Je ne savais pas grand-chose de Samantha Santacroce, mais j'aurais voulu vivre à jamais sur le bord de cette péninsule carnée, ce promontoire réchauffé l'hiver à son souffle sucré, et l'été baigné par ce soleil qui avait fait naître sur ses joues ces délicieuses taches de rousseur.

Mais son trait particulier, unique, c'était son amour lumineux et indéfectible pour ses parents. Alors que moi, je tentais plutôt de cacher les miens dans un placard. Sam parlait de ses géniteurs comme si elle comptait passer le reste de l'éternité avec eux, la période universitaire étant moins à ses yeux un temps de rébellion et de construction de soi qu'une parenthèse temporaire dans une relation d'amour filiale. J'étais presque jaloux. Bob, Santacroce père, était un grand gaillard, avec des cheveux blonds qui avait bien réussi dans le domaine du meuble et qui passait ses matinées au golf. Barbara, maman Santacroce, avait élevé Sam (et son petit frère Nick) et partageait aujourd'hui son temps entre le tennis et les bonnes œuvres. Sam m'avait tellement parlé d'eux qu'ils étaient devenus, deux jours après notre rencontre, des êtres d'exception, et carrément des créatures mythologiques à la fin de la semaine. Et donc, lorsque Sam et moi leur rendîmes visite pour Thanksgiving, j'étais certes intimidé et nerveux, mais déjà totalement conquis et plein d'affection. D'autant que je comptais à cette occasion leur demander la main de leur fille (mais Sam avait réfréné mon enthousiasme : « Pas même en rêve ! »). Les Santacroce étaient une famille catholique modèle : un garage immaculé, des chênes vénérables dans leur jardin, des portraits de famille aux murs ; c'était là un élixir pouvant absoudre de tous les péchés, effacer tous les dysfonctionnements de mon enfance. Comme cela avait été le cas avec Heather Belisle, mon amour pour Sam Santacroce dépassait de loin le cadre de sa stricte personne, même si nous avions une passion commune pour les chiens et Led Zeppelin, même si j'aimais sa coupe à la Jeanne d'Arc ou le goût de ses lèvres écarlates. La vérité était plus vaste : il n'existait pas de funérailles miteuses chez les Santacroce, pas de pêches aux pièces de monnaie sous les sièges de la voiture, pas de collectes de canettes vides pour récupérer de quoi s'acheter des pâtes, ni de séances chez les psys de l'aide sociale, ni de suicides. J'aimais Sam et je voulais l'épouser, mais j'aimais aussi les Santacroce père et mère. Je voulais qu'ils m'adoptent, vivre sous leur coupe lumineuse jusqu'à mes derniers jours. J'aurais reconnu l'existence de Dieu, je me serais converti au catholicisme, j'aurais condamné l'avortement, bu des martinis, glorifié le saint Dollar, aidé les pauvres et arpenté le globe avec bonne conscience. J'étais prêt à tout pour quitter le monde des O'Rourke et rejoindre celui des Santacroce.

Mais Sam eut un brusque revirement de cœur. On courait main dans la main vers le bord de la falaise de l'amour sans fin, mais elle s'était arrêtée net, alors que moi, j'étais emporté par mon élan. Et je me retrouvai sans elle, en suspension au-dessus de l'abîme, cherchant le sol sous mes pieds comme dans un dessin animé, avant de tomber dans le précipice. Je n'avais rien vu venir, ou n'avais pas voulu voir, même si j'avais noté que mes déclarations enflammées n'étaient plus retournées avec la même fréquence, puis plus du tout. J'essayais de comprendre ce qui s'était passé, ce que j'avais fait de mal. Apparemment, je n'avais pas commis d'erreur sinon de continuer à faire ce que Sam et moi faisions ensemble depuis onze semaines, ce qui nous comblait l'un et l'autre jusque-là. D'un coup, elle avait freiné des deux fers, et moi j'avais continué, encore et encore, ce qui l'avait confortée dans sa décision. Je n'étais plus une personne, sinon un cœur battant pour elle et, comme chacun sait, ce genre de dévotion attire plus les coups que l'affection.

Oui, sans doute ai-je commencé à la menacer. Au début, je me contentais de m'asseoir sur les marches de l'escalier de son immeuble et de pleurer, et quand enfin elle me laissait entrer, je tentais de me ressaisir, de cesser de sangloter comme un benêt pour lui parler, mais les larmes ne voulaient pas s'arrêter. Une ou deux fois, elles me trouvèrent dans l'appartement, elle et ses colocataires. J'attendais dans la chambre de Sam, étendu sur le lit, pleurant dans son oreiller, sans embêter personne. Mais elles n'aimaient pas me trouver là. La première fois, cela leur a causé un choc et j'ai rendu ma clé, en promettant de ne pas recommencer.

Mais, évidemment, j'avais un double, et j'étais accro aux draps de Sam et malade à l'idée qu'elle puisse vivre sans moi. Si seulement je m'étais contenté de me glisser dans sa chambre pour humer son odeur sur la literie, toucher ses affaires, sentir ses lotions de beauté et feuilleter son album de famille et puis m'en aller… mais j'étais incapable de partir. Sa chambre était mon sanctuaire. J'étais dans sa chambre sans elle, et quand elle m'y trouva pour la seconde fois, elle appela la police. Ma mère dut venir me chercher. Elle avait peur pour moi. Tout le monde avait peur pour moi, et ils n'avaient pas tort, car je n'étais plus rien, plus que Paul-qui-aime-Sam, ou plutôt Paul-qui-aime-Sam-sans-Sam. J'étais encore moins que rien, en fait. J'avais vu Dieu, mais Dieu était parti.

Un ou deux ans plus tard, alors que je me remettais plus ou moins de la séparation et que j'avais terminé deux semestres en prépa-médecine dans une nouvelle section de l'université du Maine, Sam me contacta. Elle m'annonça qu'elle regrettait l'époque où on était ensemble. Elle s'en voulait de m'avoir plaqué, parce qu'aucun garçon, avant ou après moi, ne l'avait adulée autant que moi. Elle mesurait désormais son erreur et voulait avoir une seconde chance. Elle me demanda si je l'aimais encore. Je lui dis que oui. Six mois plus tard, on vivait ensemble – sans la bénédiction de ses parents, mais je m'en fichais, et Sam également. Je n'étais pas exclavaginé cette fois, j'étais simplement amoureux. Mais surtout, j'étais sidéré – sidéré que Sam Santacroce me soit revenue, et qu'elle fût plus amoureuse encore que la première fois. Quel retournement de situation !

Cela dura environ un an, un an durant lequel on rendit quelques visites à ses parents. Je m'efforçais de les voir sous le même jour qu'autrefois. Mais j'étais définitivement grillé avec eux, et les Santacroce ne connaissaient pas le pardon. Ils n'avaient pas une bonne opinion de moi, et maintenant que je n'étais plus décérébré par l'amour, je me rendais compte que c'était toute l'humanité qu'ils avaient dans le nez. Ils jugeaient, condamnaient à tour de bras. Personne ne trouvait grâce à leurs yeux. Ils faisaient des dons, participaient aux bonnes œuvres, mais méprisaient les pauvres. Ils disaient que les homosexuels sapaient l'Amérique, et aussi les Afro-Américains, et aussi les femmes qui travaillaient. Le vieux Santacroce, le grand-père de Sam, avait toujours une dent contre Roosevelt, pourtant considéré comme l'un des meilleurs présidents américains et décédé depuis cinquante ans. Quand Bill Clinton apparaissait à la télé, la mère de Sam quittait la pièce. Cela me dépassait. Et peu à peu, je retrouvais mon moi d'antan. Comment avais-je pu imaginer me convertir au catholicisme pour ces arriérés ? Par représailles, je forçais Sam à écouter mes longues diatribes contre l'hypocrisie des catholiques et la bêtise du christianisme en général. Et puis, un soir, en plein dîner, j'ai confessé mon athéisme aux Santacroce. Toute la famille me regarda avec horreur. Sam courut rejoindre sa mère qui s'était enfuie dans la cuisine. Je l'entendais crier que j'étais Satan en personne et que je ne devais plus jamais remettre les pieds dans sa maison. Ce qui m'allait parfaitement. Après cet épisode, Sam et moi, ça ne dura pas longtemps. Ses parents lui demandèrent de choisir entre eux et moi. Elle n'allait pas tourner le dos aux deux personnes qui l'avaient nourrie et choyée plus que quiconque sur cette terre. J'étais triste de perdre Sam – nous n'avions plus rien à faire ensemble – mais j'étais soulagé de constater qu'après avoir cédé aux sirènes du vagin, il y avait un retour possible. Finalement, il existait quelque part, même s'il demeurait nébuleux et bien trop prompt à s'effacer, un moi auquel me raccrocher.

Puis vint Connie. Elle débarqua au cabinet comme intérimaire. Dès le premier jour, je sentis mon moi se dissoudre à nouveau. Le lendemain, je lui suggérai de quitter son agence d'intérim et l'invitai à travailler pour moi à plein-temps. Elle serait bien payée, aurait une bonne couverture sociale et tous les soins dentaires gratis. Et un salaire bien supérieur à celui d'une standardiste classique. Oui, je fondais comme neige au soleil. Mais une petite voix me disait de ne pas larguer les amarres, de ne pas renier tout ce que j'étais, d'y aller doucement cette fois, avec précaution, avant d'entrer dans l'orbite de cette beauté céleste. Il ne fallait pas réitérer les erreurs du passé. La prudence. C'était nouveau pour moi. Et quand Connie accepta mon offre et vint travailler au cabinet O'Rourke, je fis de mon mieux pour rester très occupé, parce qu'une bonne part de ma personne était ce dentiste qui soignait ses patients tous les jours, en nocturne le jeudi, qui avait un cabinet à faire tourner et une équipe à diriger et soixante mille dollars de revenus mensuel à protéger. Cela aurait été imprudent de tomber amoureux de Connie, de compromettre tout cela pour des élans pathétiques. Et donc, même si j'étais encore une fois raide love, j'essayai une autre approche. Rester sourd au cri du vagin. Imperturbable. Feindre l'indifférence. Je la jouais « cool ». Pas « cool » au sens super génial, mais juste calme et retenu. J'arrivais le matin avec une aura de mystère et m'en allais le soir digne, mais la mort dans l'âme. Finement, je m'attachais à me montrer sous mon meilleur jour : je commandais des pizzas le vendredi soir, traitais Betsy Convoy avec grand respect, ne râlais ni ne me plaignais, comme si j'étais un moine ayant recours journellement aux prières pour garder sa zénitude. Pure posture, bien sûr. Mais l'amour donne de la noblesse, non ? Pourquoi ne pas en profiter ? Faire durer ce petit miracle ? Avec le temps, qu'on soit gagnant de la loterie ou cul-de-jatte, tout le monde revenait à sa basse condition de toute façon.

Je cachai donc mes sentiments pour Connie pendant six longs mois, jusqu'à ce qu'un soir, après un pot « offert par le cabinet O'Rourke », on se retrouve seuls au bar du coin. On se fit alors des aveux fiévreux et on ne se quitta plus.

Je devais lui en imposer. Un dentiste ayant son propre cabinet sur Park Avenue ! Je ne lui dis pas que j'avais perdu toute personnalité maintenant que j'étais avec elle. Et de son côté, elle ne sembla rien remarquer. En fait, elle ne se rendit compte de la métamorphose que lorsque mon moi d'origine revint sur le devant de la scène. Et alors cela avait été le début de la fin.

* * *

Après avoir regardé Connie s'hydrater les mains, je partis travailler. Une vieille femme atteinte d'un Parkinson arriva ce matin-là, accompagnée de son fils qui l'installa dans le fauteuil. Elle ne cessait de trembler. Elle avait toutes les peines du monde à tenir sa bouche ouverte. Je me servis d'une cale pour l'empêcher d'avaler sa salive. Abby garda l'aspiration en fonction alors que la vieille femme continuait de déglutir avec obstination, le réflexe d'un muscle rose au fond de sa gorge. Telle une condamnée dans le couloir de la mort, ma parkinsonienne faisait face au trépas après un long et trépidant séjour dans sa prison de chair. La raison de sa visite : une dent perdue en mordant dans un toast. Son fils n'avait pu la retrouver. Il se confondait en excuses, comme s'il avait failli à son devoir filial. Les gens rapportaient souvent leurs dents cassées comme si c'étaient des doigts ou des orteils encore chauds, pensant que je pourrais effectuer une sorte de greffe. Si vous perdez une dent, vous pouvez la fiche à la poubelle. Ou sous un oreiller pour la petite souris. Je ne peux rien en faire. C'est ce que j'expliquai au fils contrit, ce qui le rassura un peu. Puis j'eus l'idée de regarder dans la bouche de sa mère – une bouche à qui il restait un an ou deux d'activité, éreintée par ces tremblements et ces déglutitions incessants – et je trouvai une pathologie rare mais parfaitement identifiable, sans doute un effet secondaire de la chimiothérapie : une ostéonécrose de la mâchoire. Ma patiente condamnée pouvait ajouter la dégénérescence de ses maxillaires à la liste de ses pathologies, en sus du cancer qu'elle avait eu et de la maladie de Parkinson qui allait l'emporter. Sa mâchoire était si molle et pourrie que sa tartine ce matin avait réussi à pousser sa dent à travers la gencive, jusque dans l'os, où elle était encore enchâssée. Avec une pincette je la retirai sans lui causer le moindre mal.

— Voilà votre dent, dis-je.

Connie apparut sur le seuil avec un iPad à la main.

— Oui ?

— Docteur, quand vous aurez un moment…

Parce que, oui, on avait des iPads ! L'année d'avant, on avait changé tous les ordis de bureau. Et l'année d'avant encore, les types de Dentech étaient venus mettre à jour notre réseau informatique. Désormais, on pouvait tout faire comme avant, mais en mieux. D'ordinaire, quand on changeait de matériel ou quoi que ce soit d'autre dans une entreprise, c'était une décision rationnelle, c'était pour gagner du temps ou de l'argent, mais avec l'informatique, c'était la course à l'échalote, tout le monde se jetait sur le dernier gadget numérique de peur de rater le coche.

— Juste une question…, commença-t-elle quand je sortis dans le couloir. Tu as lu ta bio ?

— Ma bio ? Quelle bio ?

— Sur notre site web.

Je lui pris l'iPad des mains.

— C'est de la folie. Ils avaient tout le week-end pour fermer ce truc. Et ils n'ont même pas répondu à mon mail !

— Ta bio, tu l'as lue ou pas ?

Encore une fois, je n'en revenais pas. Qui avait fait ça ? Avais-je fait attendre un patient ? Avais-je été impoli avec une intérimaire ?

— Je sais qui ça peut être…

— Ah bon ? Qui ?

— Anonymous.

— Anomymous ? Qui c'est ?

Je lui remis en mémoire le connard qui n'avait pas voulu payer son bridge et ses propos diffamatoires sur Internet.

— Mais cela date de deux ans. Tu crois qu'il serait encore…

— C'est injuste ! Et avoir des crottes de nez, ce n'est pas si grave !

— Lis ta bio, insista-t-elle.

Le Dr O'Rourke pratique l'orthodontie depuis plus de dix ans. Originaire du Maine, il offre à ses patients des prestations de haut niveau. Fort de ses grandes compétences, ce praticien chaleureux à l'écoute de ses patients vous garantit des soins efficaces et sans stress.

Je relevai les yeux vers Connie.

— Celui qui a écrit ça me connaît bien, et connaît bien ce cabinet.

— Et la partie bizarre ? Tu l'as sautée ?

La partie bizarre se trouvait tout à la fin :

Maintenant, viens. Avec toi je vais établir mon alliance. Car je vais faire de toi une grande nation. Mais tu devras mener ton peuple loin de ces maîtres de guerre, et ne jamais t'en faire des ennemis en mon nom. Et si tu te souviens de mon alliance, alors tu seras sauvé. Mais si tu fais de moi un Dieu, si tu me voues un culte, et si tu envoies psaltérions et tambourins pour porter ma parole, et fais la guerre, alors tu seras consumé par le feu. Car à l'homme je demeure inconnu.

— Qu'est-ce que c'est que ça ? dis-je en cherchant son regard. Ça sort de la Bible ?

— Possible.

— Qu'est-ce que ça fiche dans ma bio ?

Elle haussa les épaules.

— Et sur ta bio ? demandai-je. Il y a un machin de ce genre ?

Elle secoua la tête.

— Et sur celle de Betsy ? Celle d'Abby ?

— Juste sur la tienne.

— Je ne suis pas chrétien ! Je ne veux pas d'extraits de la Bible sur mon site ! Qui a fait ça ?

Elle me reprit l'iPad des mains.

— Va donc poser la question à Betsy.

* * *

Betsy Convoy arrivait au bureau avec, à la main, son exemplaire d'Ignatius Press tout corné (et annoté, évidemment). Son nom – Elizabeth Anne Convoy – était inscrit en lettres dorées sur la couverture verte. Il l'accompagnait partout depuis près d'un demi-siècle, depuis sa première communion. Ce livre était le symbole même de ma méfiance envers elle. D'abord, parce que Betsy était experte en tout, et que son autorité naturelle se trouvait sacralisée par cette Bible – archétype du savoir universel – qu'elle avait toujours sous le bras. Plus tard toutefois, quand elle se croyait hors de vue, elle rangeait son talisman dans son sac à main, et Mme Convoy, emmerdeuse en chef, redevenait simplement la petite Elizabeth Anne, une personne totalement insignifiante, une créature falote et sans attrait qui, à n'en pas douter, avait été émue aux larmes quand elle avait vu son nom gravé sur le livre de Dieu. Pour rassurer cette fille maladroite et apeurée, j'aurais été prêt à lui dire que son Dieu l'aimait. Je ne voulais pas que Betsy pense qu'au tréfonds, elle était détestable, vile, seule, quantité négligeable, indigne d'être aimée. Je ne souhaitais ça à personne. Si Dieu ne devait avoir qu'une seule utilité, c'était bien celle-là. Coup de bol, Il était là ! Quelle belle œuvre Il accomplit, tout cet amour qu'Il donne quand les mortels échouent. Les esseulés, les mutilés, les handicapés, aucun d'eux n'avait besoin de la pitié de leurs congénères, parce que Dieu les aimait. Grâce à Dieu, même les castratrices, les moralisatrices pompeuses et les chieuses patentées pouvaient connaître l'amour.

— Ce n'est pas moi, s'agaça-t-elle quand j'allai la trouver. Je vous l'ai déjà dit. Vous croyez que je vous mentirais ?

— Je ne sais plus quoi penser, Betsy. D'abord, je découvre que quelqu'un a créé, contre ma volonté, une page web pour mon cabinet, et maintenant voilà qu'il y a un charabia biblique dans ma bio ! Et, ici, l'experte en Bible, c'est vous.

— Pour l'amour du ciel, cela ne signifie pas pour autant que je sais faire un site web.

— Je n'ai pas dit que vous l'avez fait avec vos petites mains.

— Je n'ai rien à voir, de près ou de loin, avec ce site. Je n'ai rien fait et encore moins inséré des extraits de la Bible. Quelle idée ! Et si cela avait été le cas, je n'aurais certainement pas choisi ce passage.

— C'est quel passage, d'ailleurs ?

Elle se pencha à nouveau sur l'iPad. Chaque fois que Mme Convoy lisait, les petits poils autour de sa bouche pincée se mettaient à gigoter, comme si elle était une chenille grignotant une feuille.

— « Mais si tu fais de moi un Dieu, si tu me voues un culte, et si tu envoies psaltérions et tambourins pour porter ma parole, et fais la guerre, alors tu seras consumé par le feu. » Je doute que Jésus ait pu dire ça.

— Alors, ça vient d'où ?

— Ça sent plus l'Ancien Testament. C'est très sévère et sentencieux. Ça sonne plutôt juif.

Elle me rendit l'iPad.

— Allez donc poser la question à Connie.

* * *

Je préférerais passer sur le web pour un Juif que pour un chrétien. Cela m'agacerait, parce que je ne suis pas juif, mais ce serait quand même un moindre mal, parce qu'on peut être juif non pratiquant (ce que je ne suis pas. Je ne suis pas né Juif et ni ne me suis converti au judaïsme pour devenir après un Juif athée – ç'eût été absurde non ?). En revanche, il est impossible d'être un chrétien athée. C'est une impossibilité sémantique. Soit on croit, soit on ne croit pas – au Christ Sauveur, à tout le tralala, aux miracles, aux prophéties. C'était ridicule de parler de chrétien « pratiquant » alors que, justement, pour être chrétien, il n'y avait pas grand-chose à faire, sinon dire qu'on avait la foi, alors que les Juifs, même les non-religieux, en faisaient davantage en un seul Seder qu'une grenouille de bénitier en un an. À la naissance, être juif ou chrétien, c'était du pareil au même, mais en grandissant, la différence devenait abyssale. Un chrétien pouvait se débarrasser de son héritage spirituel et devenir ou athée, ou bouddhiste, ou un coincé du cul, mais un Juif, pour des raisons qui dépassent mon entendement, demeurerait à jamais un Juif, par exemple un Juif athée, un Juif bouddhiste. Certains Juifs que je connaissais, telle Connie, détestaient que cette étiquette leur colle à la peau, mais en tant que non-juif, j'avais le luxe d'envier ce qu'impliquait cet aléa du destin – avoir une identité immuable, une appartenance tribale. Voilà pourquoi cela me dérangeait moins de passer pour un Juif que pour un chrétien. Passer pour un chrétien, ça, c'était infamant.

Je ne savais rien du judaïsme avant de rencontrer Connie. Avant elle, je ne savais même pas que j'avais le droit de prononcer le mot « juif ». Cela sonnait comme une insulte à mes oreilles de goy, en particulier dans ma bouche de païen. Je craignais que si un Juif m'entendait prononcer ce mot-là, il y verrait une résurgence des stéréotypes, une volonté de raviver les anciens antagonismes, une incitation à la haine. C'était un effet secondaire, mais prégnant de l'Holocauste : les Américains non-juifs, nés bien après la Seconde Guerre mondiale, qui ne savaient rien des Juifs et du judaïsme, avaient peur d'offenser quelqu'un en disant le mot « juif ».

Avant de connaître Connie, mes relations avec les Juifs se limitaient à inspecter leurs bouches. La bouche d'un Juif est identique à celle d'un chrétien. Ce n'était que des bouches pour moi, de grandes bouches ouvertes, enflées, meurtries, des bouches qui pourrissaient lentement. C'était les mêmes caries, les mêmes inflammations des gencives, les mêmes infections des canaux dentaires, les mêmes douleurs, les mêmes plaintes, les mêmes échecs, le même sort. Tout ce que je savais sur les Juifs – tout ce qu'il me suffisait de savoir pour le restant de mes jours, pensais-je alors –, c'était qu'ils avaient offert au monde Sandy Koufax des Dodgers, un gaucher qui avait été élu trois fois meilleur lanceur de l'année et qui détestait les Yankees comme tout bon citoyen américain.

Connie venait d'une famille juive traditionaliste, et je me surpris à apprécier la période des Yamim Noraïm, les « Dix jours redoutables ». Je participai aux rites d'expiation, j'assistais même aux cérémonies interminables sans broncher, parce qu'elles ne m'étaient pas destinées. C'était à Connie que ça s'adressait ; elle n'était plus pratiquante, et avait, sur la religion en général, le même regard que moi, bien qu'elle fût encore incapable de déclarer « je ne crois pas en Dieu » – non par superstition, ou par fidélité à quelque foi résiduelle, mais plutôt parce qu'elle se méfiait des jugements définitifs. Elle préférait se définir comme une « athée modérée ». Ainsi elle n'était pas entièrement insensible au sens du sacré, disait-elle, et pouvait donc apprécier toutes les poésies, qu'elles soient profanes ou non.

Elle constituait un contraste saisissant avec Sam Santacroce, qui pensait que le catholicisme était au-dessus de tout et que sa famille vivait au pays de Oui-Oui, avec leurs polos assortis et leur teint hâlé. Même si cela faisait longtemps que je ne me laissais plus duper par la perfection étincelante des Santacroce et que j'avais appris à distinguer, sous le vernis Ripolin, leur cynisme, leur vénalité, leurs idées préconçues, je considérais encore l'amour indéfectible de Sam pour sa famille comme le signe d'une plénitude sans faille. Je rêvais que tout le monde, comme Sam, ait avec sa famille des liens aussi idylliques. En tout cas, c'était mon souhait pour Connie, parce que les Plotz, eux, le méritaient peut-être. Il fallait se rapprocher d'eux. Mais Connie n'était guère convaincue par mon enthousiasme. Elle multipliait les mises en garde : les traditions étaient rasoir au possible ; ils étaient tous fous dans sa famille ; Dieu était partout ; cela risquait de m'agacer très vite.

Aucun risque. Ces bondieuseries-là ne me poseraient pas de problème, parce qu'il n'était pas question d'un gars planté sur une croix. Le Dieu des Juifs – miracle ! – ne prônait ni jugement ni revanche ; pas de Sauveur ni d'Ascension d'entre les morts au troisième jour, pas d'Eucharistie, pas de contorsions mentales pour accepter la Trinité, pas de passé sinistre et son chemin de sang et de tortures, pas de menace de damnation, ni pruderie sexuelle, ni culpabilisation, pas de puritains avec leurs mœurs obtuses et castratrices, pas de suffisance morale, pas de joug à la curiosité, et, plus important que tout, pas de guerriers prêts à tuer pour le sapin de Noël et les Dix commandements. Au lieu de ça, les Plotz avaient des prières et des chants dont le message dogmatique me demeurait imperceptible puisque prononcé en hébreu. Ils avaient des rites et des traditions datant de plusieurs millénaires, une culture qui avait résisté au temps contre toute probabilité. Ils ne craignaient pas les débats houleux pendant le repas du shabbat. À table, tous parlaient librement, cousins éloignés comme frères et sœurs. Les discussions étaient enflammées, ponctuées de postillons. On s'invectivait, on se lançait des citations anciennes, des références bibliques. Et, à la fin du repas, tout le monde se séparait plein de joie et enroué. Non, cette religion ne me posait aucun problème, et c'est ainsi que les ennuis ont commencé pour moi.

Jamais Connie ne me donna une raison de me cacher dans un placard chez des inconnus pour me masturber, ni d'appeler sa mère, comme je l'avais fait avec celle de Samantha Santacroce, et de faire à table des remarques mystérieuses et désespérées telles que « des voix… j'entends des voix ». Après m'avoir « esclavaginé », Connie me retournait mon amour comme nulle autre pareille, et ce n'était pas sans générer des effets secondaires – à savoir de l'inquiétude, parce que je craignais qu'elle étouffe son vrai moi, comme je le faisais moi-même, pour préserver notre amour et qu'un jour il y ait un retour de bâton. Je parvenais toutefois à me comporter comme un adulte à qui il reste un zeste d'amour-propre, prêt à imposer des limites, doté encore d'un certain discernement. Je ne suis pas tombé raide dingue de Rachel et Howard Plotz. Je n'ai pas vécu le même égarement qu'avec Bob et Barbara Santacroce ou Roy Belisle et ses jolies veines saillantes. Je me suis tenu. Mais pendant un moment, je suis quand même devenu un peu trop obnubilé par la famille de Connie, cousins et cousines compris, et ce n'était pas sans rappeler mon comportement avec les Belisle ou les Santacroce – ce désir, un peu déplacé, de faire partie du clan, d'être l'un des leurs, pour me sentir enfin à ma place, libre de me pencher au-dessus de la table pour piocher une carotte nouvelle ou une chips, libre de m'étendre de tout mon long sur leur tapis et d'exprimer le fond de ma pensée (qui serait évidemment en complet accord avec les leurs), libre de les serrer dans mes bras en m'en allant, et enfin entendre, au moment de quitter leur maison « On t'aime Paul ! ». C'était cette assimilation que je désirais le plus. Car malgré toutes mes assertions sur la sauvegarde de l'amour-propre et de mon moi, je voulais, plus que tout, faire partie de la tribu, être intégré à ce « on ». Je voulais être aspiré, phagocyté, transmuté en quelque chose de plus grand, quelque chose d'ancestral, d'éternel. Être l'un des leurs. Un frère. La famille tentaculaire de Connie était la quintessence de ce « on ». Elle avait un noyau – sa mère, son père, son frère et deux sœurs – et des ramifications, oncles, tantes, cousins, nièces, neveux, grands-parents, grands-oncles et grands-tantes. Une famille comme personne n'en a jamais eu. Et à l'intérieur de ce regroupement humain battait un cœur farouche et opiniâtre qui, me semblait-il, était leur rempart à l'oubli. Il y avait des pertes, bien sûr, des jeunes qui reniaient la religion, fumaient de l'herbe et n'aimaient pas être juifs. Mais c'étaient des exceptions. La plupart du temps, chacun prenait grand soin de l'autre. Ils cancanaient, se mêlaient de tout, s'inquiétaient pour celui-ci, pour celui-là, s'aidaient mutuellement, se serraient les coudes et, bien sûr, se retrouvaient au complet, qu'il vente ou pleuve, pour les Bar et Bat Mitzva, les anniversaires de mariage, la pâque ou le Yom Kippour.

Même si Connie faisait la grimace quand nous devions nous rendre dans sa famille, elle m'autorisait à les aimer, et rapidement je remarquais le lien qui l'unissait à sa mère et la tendresse particulière qu'elle avait pour son père. Elle taquinait ses frères et sœurs, riait avec ses cousins, et s'occupait des aînés comme si elle avait été élevée dans un petit hameau de la Zone de résidence de la Russie impériale. Mais elle était également très protectrice avec moi, son *shegetz.* Si elle devait se marier à un goy, sa famille ne fêterait pas l'événement. Ils l'accepteraient comme ils avaient « accepté » la laïcisation de Connie, mais souhaiteraient nous voir nous rapprocher du judaïsme, que je me convertisse – ce que je ne ferai jamais puisque je ne crois pas en Dieu. Pour ma part, j'évitais de les offenser. Je ne leur déclarerais pas de but en blanc mon athéisme, comme je l'avais fait avec les Santacroce. J'aimais ces gens. Mais j'essayais de le cacher ; non seulement c'était pathétique, mais en plus cela traduisait chez moi une faiblesse psychologique, une perversion pathologique. Pourquoi fallait-il que j'aime ainsi les familles soudées et traditionalistes de mes dulcinées ? J'en avais assez de me jeter tout seul dans ces chausse-trapes émotionnelles. Je voulais être le « bad boy » que la famille ne pouvait refuser d'accueillir à leur table. Des types comme ça se montraient froids et distants, et se contrefichaient de ce qu'on pouvait dire dans leur dos. Si seulement j'avais pu ne pas avoir cet air béat chaque fois qu'un Plotz ouvrait la bouche, ne pas m'esclaffer au moindre de leurs traits d'esprit, ne pas leur envoyer des cadeaux après chaque repas de famille. Jamais je ne pourrais jouer le brun ténébreux. Avec mon enthousiasme irrépressible, j'avais l'impression d'être une starlette écervelée devant le jury des Plotz. Je me souviens encore du mariage. Celui de la sœur de Connie. J'y suis allé de ma larme pendant la cérémonie. Et pendant le repas, je me suis soûlé, en passant de Plotz en Plotz, pour leur dire à quel point j'aimais leurs chaussures, ou combien j'étais impressionné par leur fabrique de matériel médical. Je dansais la hora, la danse traditionnelle où les deux jeunes mariés sont portés sur des chaises. J'étais à fond ! J'ai même porté la chaise de l'époux (un type que je connaissais à peine), et fait la ronde avec les autres, en m'amusant comme un petit fou.

À la fin de la danse, ne retrouvant pas Connie, je m'étais servi un autre verre et m'étais assis à une table pour reprendre mon souffle. L'oncle Stuart était arrivé. J'ai lancé « ça boum, Stu ? ». Et je l'ai aussitôt regretté. On n'appelle pas « Stu » un homme comme ça. J'avais cette fâcheuse tendance à tronquer le nom des gens, dans une tentative grotesque de lier amitié. Mais ce n'était pas le nom que je raccourcissais, c'était l'homme. L'oncle Stuart était petit de taille, mais immense en stature. C'était un gars taciturne, et quand il parlait tout le monde se taisait. Il était le frère aîné, le patriarche, c'était lui qui officiait à la célébration de la pâque.

Mais ce qui suivit n'avait peut-être rien à voir avec le fait de l'avoir appelé « Stu ». Peut-être avait-il entendu les flatteries dont je gratifiais tout le monde, et trouvé que j'en faisais trop ? Ou alors il n'avait pas apprécié ma prestation échevelée sur la piste ? Il s'assit à ma table, laissant une chaise vide entre nous deux, et se pencha lentement vers moi. Jamais il ne m'avait accordé autant d'attention.

— Vous savez ce qu'est un philosémite ?

— Quelqu'un qui aime les Juifs ?

Il acquiesça. Sa kippa, plantée très en arrière sur son crâne dégarni, semblait rivée à sa tête comme par magie.

— Je connais une bonne blague, dit-il. Vous voulez l'entendre ?

Je ne l'imaginais pas homme à raconter des calembours. Peut-être savait-il que j'adorais ça ?

— Bien sûr. Avec plaisir.

Il me regarda un long moment avant de se lancer. Ce fut si long qu'avec le recul il me semble que la musique s'était tue et que ses yeux engloutissaient toute la lumière. Enfin, il commença :

— Un Juif est assis à un bar quand deux types débarquent, un pro et un anti-juif. Ils s'assoient de part et d'autre du Juif. L'antisémite explique au Juif qu'ils se disputent avec le philosémite pour savoir lequel des deux le Juif préfère. L'antisémite soutient que le Juif le préférera au philosémite. Et le philosémite refuse de le croire. Comment un Juif pourrait-il opter pour quelqu'un qui a envers les Juifs une haine viscérale et non pour celui qui tend les bras à tous ceux qu'il croise ? « Et vous ? Vous dites quoi ? demande l'antisémite au Juif. Réglez donc notre différend. » Alors l'israélite se tourne vers le philosémite, désigne l'antisémite et répond : « C'est lui que je préfère. Au moins, je sais qu'il dit la vérité. »

L'oncle Stuart ne rit pas à la fin de son histoire. Pas même l'esquisse d'un sourire. Mon rire à moi qui était excessif, mais presque purement de courtoisie, se bloqua dans ma gorge quand l'oncle Stuart se leva et s'en alla sans un mot.

* * *

— Pourquoi moi ? s'exclama Connie.

— Betsy pense que ce n'est pas ce que pourrait dire Jésus, répondis-je. Elle pense que c'est un truc juif.

— Un truc juif ?

— Un extrait de l'Ancien Testament.

— Et si c'est un truc juif, alors forcément ça vient de moi, c'est ça ? Parce que je suis la Juive de service ?

— Tu veux bien jeter un nouveau coup d'œil, s'il te plaît, et me dire si ça peut provenir de l'Ancien Testament ?

— Parce que tu crois que je connais la Bible par cœur ?

— Tu as passé pas mal d'années à l'école hébraïque ?

— Et voilà ce que ça m'apporte ? Être nommée experte pour ce grand *brain storming* dédié au judaïsme ?

— Connie…, s'il te plaît.

Elle examina à nouveau le passage.

— Pour moi, cela ressemble toujours à ces trucs tordus que peut dire le Christ, pour que les gens lâchent des « oh » et des « ah ». Mais va savoir ? C'est peut-être bien un truc juif. Suffit de demander à Google !

Connie n'avait pas son pareil pour faire des recherches sur Internet. C'était d'un grand secours en cas de débats entre nous. Il n'y avait pas mieux pour lever les interrogations et passer à la suite. Dans un restaurant, par exemple, on ne savait plus la différence entre « rigatoni » et « penne ». Elle tapait aussitôt sur Google « différence entre rigatoni et penne », et on avait notre réponse ! Inutile de demander aux serveuses qui n'en savaient pas plus de toute façon que le commun des mortels. Noir sur blanc, nous avions la définition. Ou alors nous buvions notre vin et je demandais incidemment à Connie (parce qu'elle était plus férue que moi en œnologie) : « Doit-on aérer le vin blanc aussi longtemps que le vin rouge ? » Elle n'avait pas la réponse, ou ne s'en souvenait plus, mais il fallait qu'elle sache… alors, ni une ni deux, elle sortait son ego-Machine, et me faisait part du fruit de ses recherches en temps réel, m'expliquant non seulement l'oxygénation des vins blancs, mais également les cépages, les tanins, les techniques d'oxydation – bribes d'un savoir encyclopédique dont elle tenait à me faire la lecture, sans quitter l'écran des yeux, dans un marmonnement hâtif et souvent inintelligible. Elle oubliait souvent aussi qui chantait quoi, qui jouait où ou si machin sortait avec trucmuche, et pour toutes ces peccadilles aussi, elle interrompait notre conversation pour connaître la réponse. Elle ne vivait plus dans un monde de spéculations ou de souvenirs, et n'accordait plus foi à quiconque maintenant que la vérité se trouvait à portée de quelques clics. Cela me rendait fou. Je n'en pouvais plus de dîner avec Wikipedia, About.com, IMDb, *Time Out New York*, le *New York Times*, le magazine *People,* ainsi qu'une bonne centaine de blogueurs. N'y avait-il pas quelque plaisir intime à révéler son ignorance ? Ne pouvait-on pas, de temps en temps, se tromper ? Satanée ego-machine ! Décider de ce qu'on allait faire de notre soirée, parler du sexe et de la fréquence de nos rapports, discuter de mon addiction prétendument pathologique aux Red Sox comme de mille autres choses encore, rien de tout cela ne provoquait autant de conflits que le smartphone de Connie – hormis le sujet des gosses, bien sûr, qui restait notre « *casus belli* » numéro un. Je n'en pouvais plus, alors je sortais des truc du genre : « la lune est une étoile morte » ou « il y a du cannabis dans la farine pour les tortillas », ou encore « mon film préféré avec Sean Penn est *Forrest Gump* » et je n'en démordais pas jusqu'à ce qu'elle craque, consulte Google et m'agite son écran sous le nez comme si le machin me criait : *gna ! gna ! gna !* Et je me butais : « Tom Hanks ? dans *Forrest Gump* ? N'importe quoi ! C'est Sean Penn ! » Et elle s'énervait : « C'est écrit là ! Regarde ! "Tom Hanks." » Et je lui répondais : « Et tu as besoin d'aller sur Internet pour ça ? » Et la soirée était gâchée.

Bref, Connie sortit son ego-Machine et entra le passage dans la fenêtre de recherche de Google. Aucun résultat.

— Cela n'a rien à voir avec la Bible. À mon avis, quelqu'un veut juste t'emmerder.

— M'emmerder ?

— Et ça, c'est typiquement un truc juif !

* * *

À 11 h 34 le matin même, j'écrivis à nouveau à Séïr Design :

> J'attends depuis vendredi une réponse de votre part. Tout le monde, quel que soit le secteur d'activité, consulte sa boîte mail. Et particulièrement ceux qui, comme vous, travaillent dans l'informatique, non ? Je suis donc très contrarié par votre silence. Il s'agit d'une affaire urgente. Quelqu'un a volé

mon identité. Avec votre aide ! En ce qui me concerne, VOUS m'avez volé mon identité. Pour votre gouverne, sachez qu'en l'absence de réaction de votre part j'irai porter plainte auprès de l'Agence d'éthique commerciale.

Veuillez répondre au plus vite.

— L'Agence d'éthique commerciale ? lâcha Connie. Les gamins sur Facebook vont bien se marrer.

— Tu as une autre idée ?

Quinze minutes plus tard, j'écrivais :

Est-ce vous, Chuck Hagarty, alias « Anonymous », le type qui me doit huit mille dollars pour un bridge ? Comment une personne lambda peut-elle avoir un tel pouvoir de nuisance sur autrui ? On marche sur la tête ! Mais comme vous l'avez déjà démontré par le passé, sur Internet tout est possible, pas vrai, Chuck ?

— Betsy a terminé avec M. Perkins, m'annonça Connie.

— Entendu, répondis-je. J'y vais.

Expliquez-moi cet extrait de la Bible, je vous prie, et dites-moi ce qu'elle fait dans ma bio. Je n'apprécie guère d'être associé à quelque système de croyance que ce soit. Je suis athée. Je ne veux pas qu'on s'imagine que je fais du prosélytisme évangélique dans mon cabinet. Une bouche est une bouche. Je la traiterai toujours le mieux possible, quelles que soient les bondieuseries ineptes qu'elle pourrait sortir plus tard. Je considère cette bio comme une attaque personnelle, une insulte à mes convictions. Retirez-la fissa, ou vous aurez affaire à mon avocat !

— Docteur O'Rourke ?

— Oui ?

— M. Perkins vous attend.

C'était Betsy cette fois.

— Je suis au courant, Betsy. Je vais rejoindre M. Perkins au plus vite, mais comme vous pouvez le constater, je suis un peu occupé en ce moment.

— Ce que je vois, c'est que vous êtes sur Internet. J'ignorais qu'Internet était plus important qu'un patient.

— J'irai installer la facette dentaire de M. Perkins quand je serai prêt, Betsy. Occupez-vous de vos affaires, s'il vous plaît.

Après avoir posé la facette sur la dent de M. Perkins, j'écrivis :

> Je n'ai pas besoin d'avoir ce genre de parasitage quand je dois coller une facette dentaire à un patient. Peut-être avez-vous eu une urgence ? Genre : votre fils est tombé malade et vous avez dû l'emmener en catastrophe chez le médecin ? Mais ne me racontez pas d'histoires. Vous aviez votre téléphone avec vous, et peut-être même votre ordinateur. Dans la salle d'attente, vous étiez parfaitement connecté, parce que vous ne pouvez vous empêcher de consulter vos mails, même si votre gosse est à l'article de la mort. Je suis bien placé pour le savoir, il y a une salle d'attente dans mon cabinet, et ils ont tous le nez collé à leur écran. Même en pleine salle des urgences, vous seriez en train d'envoyer des SMS, des mails, ou des tweets pour dire que votre fils est à l'hosto et à quel point vous êtes inquiet. Il est donc presque certain que vous avez eu mon message et que vous avez simplement décidé de ne pas y répondre. Ce qui est inexcusable. Moi, toute la journée je suis en ligne et je ne travaille même pas dans le secteur informatique !

Ma relation à Internet était à l'image de celle que j'avais avec les smileys et consort. Je détestais envoyer des :) et détestais recevoir les :) des autres gens, ou leur :-) ou leur :>.

Plus encore, je honnissais le :-)), parce qu'il me rappelait mon double-menton. Et il y avait les :(et les :-(et les ;-) ou les ;) et aussi les *-) dont je ne comprenais même pas le sens. Mais les pires, c'étaient les D :< ou les > :O ou encore les cryptiques : -&. Ces raccourcis du langage, conçus par des idiots, étaient, à mes yeux, des hiéroglyphes impénétrables. Puis arrivèrent les émoticônes animées, bien jaunes et girondes, avec leurs longs cils, leur langue rouge, qui me lançaient des clins d'œil, m'aguichaient, appelaient au sexe. Chaque fois que je recevais un e-mail avec une émoticône, cela ravivait ma frustration sexuelle qui toute la journée au cabinet sapait mon équilibre mental. Si je n'avais pas eu un zest de conscience professionnelle, je serais allé me branler dans les pétoires, l'œil exorbité rivé sur l'écran de mon iPad. Jamais je n'avais utilisé d'émoticônes, jamais... Mais un jour, dans un moment d'égarement, j'ai tapé mon premier :) et, rapidement, malgré ma résistance initiale, :) devint une figure récurrente de ma correspondance électronique avec mes collègues, mes patients et même avec des inconnus. Elle émaillait quasiment tous mes posts dans les forums sur les Red Sox. J'étais à mon tour victime de la paresse universelle, témoin consentant de l'érosion des règles et de la morale sous les coups de boutoir de la technologie. Et bientôt j'ajoutais des :(et des ;(et même des émoticônes animées ! Et aujourd'hui, moi qui voulais par-dessus tout ne pas réduire le flot impétueux de mes émotions humaines à ces ruisselets falots, à ces gadgets typographiques, je passais mon temps en ligne à juguler ce bouillonnement, à le dompter, avec le vœu pieux et illusoire de parvenir néanmoins à transmettre les richesses et les subtilités de ma vie intérieure... Comment en étais-je arrivé là ? Quand avais-je franchi la ligne rouge ? Même si je honnissais ces raccourcis jaunes et clownesques, pour leur effet réducteur des émotions réelles, j'en usais et abusais. Et le pire, le plus douloureux, c'était que ma répulsion et ma capitulation face à ces signes typographiques étaient à l'image de ma lutte contre Internet en général. Je faisais de mon mieux pour me protéger de ses charmes, mais au final, que je sois avec un patient, sur la ligne F du métro, ou allongé sur les pelouses de Central Park, je me retrouvais les yeux rivés à mon ego-Machine, à m'égarer sur la toile.

Ainsi, après avoir envoyé un mail à Séïr Design, alors que M. Perkins m'attendait en salle d'examen, je pris le temps de surfer sur Internet, cliquant çà et là sur des liens qui attiraient mon attention : ...l'attaque des Talibans..., ...les rebelles gagnent..., ...les Red Sox passent à la vitesse supérieure..., ...le Sud Soudan déclare, ...les débuts d'Adele..., ...le Bangladesh..., ...les Sox ont fait sensation en juillet..., les procureurs recherchent..., ...changer d'assurance..., ... Hot Babe en talons aiguilles..., ...Likez-nous sur..., ... protéger vos..., ...livraison gratuite...

— Docteur ?

C'était Connie.

— Oui ?

— Abby pense qu'il y a un problème avec la facette de M. Perkins.

— Pourquoi ne vient-elle pas me le dire elle-même ? Pourquoi ne m'adresse-t-elle jamais la parole ?

— Parce que tu l'intimides.

— Moi, je l'intimide ? On est assis l'un en face de l'autre à longueur de journée.

— C'est bon. Ne tire pas sur le messager.

Je partis m'occuper de M. Perkins. Il n'y avait aucun problème avec sa facette.

Vous savez ce qu'il y a de comique dans cette histoire ? Mon équipe me reprochait ma méfiance à l'égard d'Internet, me soutenait que mon intimité, ma vie privée, ne pouvaient être mises en danger par un petit site et que rien d'horrible ne pouvait m'arriver si on annonçait en ligne les heures d'ouverture du cabinet et comment nous contacter. Et vous savez quoi ? Mes inquiétudes se révèlent aujourd'hui fondées ! À cause de cette page web que vous avez faite ! Alors répondez-moi, putain de merde !

— Docteur ?

C'était Betsy.

— Oui ?

— Je suis désolée de vous déranger. Je sais que vous êtes très occupé en ce moment. Je voulais juste vous informer que j'ai terminé avec Mme Deiderhofer et que vous pouvez prendre la suite.

— Merci, répondis-je. Betsy ?

— Oui ?

— Je suis désolé d'avoir été un peu brusque tout à l'heure. Je suis sur les nerfs.

— Pourquoi donc ?

— À cause de ce site. Vous avez oublié ? Je vous rappelle que l'on a usurpé mon identité.

— Oh, pour l'amour du ciel ! Cessez de dramatiser.

— Cela ne vous dérange pas, vous ? Ils sont même allés chercher l'une de vos photos de classe !

— Cette photo n'a pas grande valeur pour moi.

— Ce n'est pas la question.

— Vous avez maintenant une jolie page web pour votre cabinet. Je ne vois pas en quoi cela constitue une usurpation d'identité.

— Nous ne nous comprendrons jamais, Betsy.

Elle s'en alla. J'écrivis :

Ce que vous faites est malsain.

— Docteur ?

C'était encore Connie.

— Oui ?

— M. Perkins refuse de s'en aller. Il dit que la couleur ne va pas.

— La couleur est très bien.

— Il dit que non.

— Fait chier ! Dis-lui que j'arrive.

Je suis retourné voir M. Perkins. La couleur était nickel.

> Vous avez créé un site web pour moi alors que je ne vous ai rien demandé. Il faut régler ce problème. Et vite. Avant que cela ne devienne irrémédiable. À moins que déjà la situation soit hors de contrôle ? Est-il possible d'effacer « mon » site ? Qu'est-ce qu'un site web concrètement ? Comment le met-on en ligne ? Comment le retire-t-on ? Je suis sûr que ce sont des questions stupides et que mon ignorance en ce domaine doit bien vous faire rire, mais peu m'importe. Existe-t-il un endroit sur terre où se trouvent les lignes de codes qui ont servi à créer cette page web que vous avez conçue pour moi, peut-on s'y rendre et retirer ces instructions, les détruire physiquement ? Est-ce qu'alors cette ignominie aura définitivement disparu d'Internet ou continuera-t-elle d'exister *ad aeternam* ? Bien que je sois profane en la matière, je suppute que ces lignes de programmes subsisteront envers et contre tout. Parce que mon site est d'ores et déjà « stocké en cache » ? C'est bien comme ça qu'on dit ? Ce site va rester dans les serveurs pour l'éternité ? Alors que je n'ai rien demandé !

Souvent, quand je suis assis à m'occuper d'un patient, mes pensées dérivent. Je pense soudain à un truc du genre, Ross et… comment c'était son nom, au fait ? Ross et… je l'ai sur le bout de la langue. Ça commence par un « a », enfin je crois, c'est… merde, ça me revient pas… Ah si, bien sûr, comment ai-je pu l'oublier : Ross et Rachel ! Ross et Rachel, tout le monde sait ça ! C'est facile à se souvenir pourtant. Ross et Rachel. Et la sœur de Ross c'était… la fille qui est copine avec Rachel... bon d'accord, ils sont tous amis dans cette série, puisque ça s'appelle *Friends*, mais je parle de celle qui était en coloc avec Rachel... pas de l'autre, la blonde barrée, Lisa Kudrow. Celle-là, d'ailleurs, elle n'a pas fait une grande carrière depuis l'arrêt de la série. En fait aucun n'a fait grand-chose après. D'accord, ils sont pétés de thunes. Donc ce n'est pas si grave. N'empêche, une fois qu'on est dans une série connue, on a intérêt à savourer le moment au maximum, parce qu'après, la carrière d'acteur, c'est fini. On est et on reste à vie le personnage. C'est assez déprimant quand on y songe, parce que si chacun des Friends vit dans le luxe, leur existence doit être de plus en plus dénuée de sens. Je n'arrive pas à imaginer une vie où je ne pourrais pas faire ce que je suis censé faire sur terre, à savoir soigner mes patients, comme cette femme que j'ai devant moi, qui s'est cassé une dent cette nuit en faisant un rêve... C'était quoi son nom à cette fille, la sœur de Ross ? Ça commençait par un « A »... non, c'est pas sûr... et si je récitais l'alphabet ? Pour voir si une lettre fait tilt dans ma mémoire ? Ça marche parfois, pas toujours, mais ça vaut le coup d'essayer... A ? non, B ? non, C ? non, C ?... pourquoi pas C... Oui... il y avait un personnage dont le nom commençait par un C... Chandler ! Et il sortait avec Monica ! Monica ! C'était elle l'amie de Rachel !... oui, oui, ils étaient tous amis, je sais !... Voilà, on y est : il y avait Ross et Rachel, Monica et Chandler, et... les deux autres... C'est dingue, je n'arrive pas à me souvenir du nom des deux autres... j'ai celui du gars, l'Italien, sur le bout de la langue... il est juste là... Joey ? Oui, ce doit être ça : Joey. Je me demande si Abby se souvient de leurs noms à ces deux-là. Oui, sans doute. Il suffit de la regarder. Ça se voit qu'elle sait. Mais elle ne risque pas de me le dire ! Si je lui demande, elle va rouler des yeux, l'air de dire, « hein ? quoi ? ». Je crois vraiment que c'est Joey. Mais le nom de l'autre, la folle dingue, c'était quoi…

— Docteur ?

Connie se tenait sur le seuil.

— Quand vous aurez une minute…

— Connie, c'était quoi le nom de la troisième fille dans *Friends* ? La blonde idiote ? Celle qui n'a pas fait grand-chose après ?

— Phoebe ?

— Phoebe, bien sûr ! Phoebe ! Phoebe ! C'est bon, madame Deiderhofer, dis-je à ma patiente, vous pouvez cracher.

Mme Deiderhofer se pencha sur le bol, et crachota pendant dix minutes. J'en profitai pour rejoindre Connie dans le couloir.

— Tu as une réponse, me souffla-t-elle.

Elle me tendit l'iPad.

Pensez-vous savoir qui vous êtes ?

— C'est tout ? Je lui envoie un million de mails, et tout ce qu'il trouve à répondre c'est ça ? Est-ce que je sais qui je suis ? Il se fout de moi.

— Il y a autre chose…

— Quoi ?

— Ta bio a changé.

— Changé comment ?

Ils avaient récupéré le site – ou l'avaient mis hors ligne, ou je ne sais quoi –, ils avaient fait des modifications et l'avaient remis sur Internet. Tout était identique, à une exception près. Il y avait une nouvelle citation bizarre, ajoutée à la première.

Et Safek nous rassembla, et nous séjournâmes avec lui sur la terre d'Israël. Nous n'avions pas de ville natale pour donner un nom à notre peuple, ni de rois pour désigner des capitaines ou faire de nous des soldats ; nous n'avions aucune loi à suivre – à l'exception d'une seule : sanctifie ton cœur par le doute ; le doute pour Dieu, car s'il y a un Dieu, seul Dieu le sait. Alors nous suivîmes Safek, et nous fûmes sauvés.

— Encore des bondieuseries… Betsy ! C'est qui Safek ?

— Quoi ? Qui ça ? répondit-elle de la salle d'examen voisine.

Dans un cabinet dentaire, on entend tout ce qui se dit. Pour des raisons inconnues, même des dentistes, les parois ne montent jamais jusqu'au plafond, comme dans les toilettes publiques ou les cabines de douches. Il manque toujours trente centimètres de mur.

— Safek ! répétai-je. Qui c'est ?

À quoi bon lire la Bible toute la sainte journée, et la surligner tout azimut, si elle n'était pas fichue de connaître les noms des personnages ?

— Safek ? Il n'y a personne qui s'appelle comme ça dans le Nouveau Testament.

— Ce nom ne me dit rien, non plus, renchérit Connie. Mais je connais le mot.

— Le mot ?

— Oui, c'est un mot hébreu.

— Et qui veut dire ?

— Le doute.

— Le doute ?

— Oui, « safek », en hébreu, signifie « le doute ».

« Est-ce que je sais qui je suis ? » écrivis-je à Séïr Design.

Va te faire enculer. C'est clair, comme réponse ?

Ma dernière patiente de la journée avait cinq ans et une dent qui bougeait. Ses parents étaient du genre à demander un scanner cérébral s'ils apprenaient qu'une camarade de classe avait tiré les cheveux de leur enfant chérie. La mère : la trentaine bien tassée, un archétype : voiture Volvo, allaitement au sein, bouillies faites maison rien qu'avec des légumes du jardin, et tout le tralala. Le père : petite barbe impeccable, polo à boutons, expert en bière artisanale. Je ne pouvais les renvoyer chez eux même s'ils engorgeaient le système médical avec leurs peurs sans fondements. Ces angoissés m'apportaient la moitié de mes revenus. (D'accord, si les autres gens n'avaient pas aussi peur du dentiste, mon chiffre d'affaire aurait été multiplié par deux !) Bref, ces grands inquiets m'amenaient leur fifille parce qu'une de ses dents de lait bougeait. Très bien. J'allais jouer le jeu ; je me penchais donc vers l'enfant, avec grande solennité, pour examiner l'intérieur de sa bouche. À ma surprise, je trouvai sept caries. Cinq ans et déjà sept caries ? Cette dent ne bougeait pas par hasard. Elle était pourrie jusqu'à la racine. Je leur annonçai que j'étais obligé de l'arracher. La mère se mit à pleurer. Le père paraissait tout honteux. Ils donnaient une sucette à leur enfant tous les soirs pour l'aider à s'endormir. « C'est si terrible de l'entendre pleurer », expliqua la maman. « Cela l'apaise », renchérit le papa. Ils ne laissaient pas leur enfant boire l'eau du robinet, ne lui donnaient que de la nourriture bio, et bannissaient toutes confiseries light parce que les édulcorants artificiels donnaient le cancer, mais ils lui avaient pourri la bouche pour qu'elle cesse de pleurer et s'endorme ! Les enfants traînent de telles casseroles avec leurs parents. Tous leur reprochent de les avoir brisés dès la naissance, mais dès qu'ils deviennent eux-mêmes parents, ils oublient les victimes qu'ils ont été et s'empressent de devenir à leur tour des tortionnaires aveugles.

C'était ce que j'avais tenté de faire comprendre à Connie. Elle voulait des enfants, pas moi. Je pensais être prêt à en avoir au début de notre relation. Des enfants, ça comblait une vie. Ils pouvaient être ce « tout » que je cherchais. Du jour de leur naissance, jusqu'à celui où ils seront rassemblés autour de votre lit de mort, comme durant toutes les épreuves qu'ils vous auront fait subir entre les deux, ils auront été ce « tout ». Mais cela signifiait plus de restaurants, plus de soirées au théâtre, plus de cinéma, plus de vernissages, plus aucune des mille activités que proposait la ville. Ce n'était pas vraiment insurmontable, puisque je ne profitais guère de ces opportunités. Mais avoir des options possibles, c'était important pour l'esprit. Elles étaient des signes d'indépendance. Et les enfants les oblitéraient tous, réduisaient drastiquement les degrés de liberté d'une existence, et je craignais de leur en garder rancune. Or, ce n'était pas juste. Ils n'avaient pas à payer les pots cassés d'une décision qui m'était entièrement personnelle, à savoir : avoir ou non des enfants. Bien trop de gens connaissaient cette rancœur. Ils amenaient leurs marmots au cabinet et toute leur amertume se lisait dans leurs yeux. « Hé ! avais-je envie de leur dire, ce pauvre gosse n'a pas demandé à avoir des dents. C'est votre choix. Et maintenant ces dents sont ici, sur terre, et elles ont besoin d'être soignées, alors autant vous y faire et tenez la main de ce foutu gamin ! » Mais c'était facile de leur donner des leçons. Moi je n'avais pas d'enfants.

Ce serait bien pourtant, me disais-je de temps en temps, d'avoir un fils, un descendant. J'imaginais Connie l'appeler : « Jimmy O'Rourke ! » Ou : « Paulie Junior ! Ramène tes fesses ici ou ça va chauffer ! » Parce que je m'imaginais avec un homonyme ! Un fils et un descendant ! Mais je serais vieux alors, j'aurais plus de quarante ans, c'est sûr, et je penserais moins au plaisir d'avoir un fils qu'à l'infamie de vieillir, de se voir aborder le second et dernier versant de la vie, tandis que ce marmot, avec ses intestins en béton, sa santé et sa joie de vivre arrogantes, me survivrait. Pas question ! Pas question d'avoir des gosses s'ils ne servent qu'à me rappeler jour après jour que je vais mourir.

J'ai dit ça à Connie, et elle a tenté de m'expliquer que c'était un faux problème, que jamais je n'aurais cette impression une fois qu'on aurait des enfants, qu'on serait une famille.

Cela paraissait idyllique. Mais il restait un hic ; tout comme je ne voulais pas tenir rancœur à mes gosses, je ne voulais pas non plus les aimer trop. Certains parents ne supportaient pas d'entendre leur petite fille pleurer à l'approche du sommeil et de la vaste nuit. Dans leur tourment, ils ne trouvaient rien de mieux que de lui filer une sucette, et quelques années plus tard, la gamine avait sept caries et déjà une dent arrachée. Voilà à quoi on pouvait en être réduit. À donner au gosse un trophée pour sa participation dans l'équipe. Je ne veux pas aimer mes enfants autant, au point de ne plus voir leurs défauts, leurs limites, et leur médiocrité, sans parler de leurs lâchetés et de leurs possibles penchants criminels. Car oui, je pensais pouvoir aimer un enfant autant que ça. Un enfant pouvait être tout dans une vie et cela me terrifiait. Parce qu'une fois qu'il avait pris cette place, non seulement on perdait tout discernement et on distribuait des récompenses à tout va, mais on était mort d'inquiétude dès que la tête blonde quittait votre champ de vision. Je ne voulais pas vivre dans une terreur perpétuelle. On ne se remet pas de la mort d'un enfant. Je sais que je n'en aurais pas la force. Bien sûr, avoir un bambin serait l'occasion pour moi d'oublier mon enfance pourrie, de tirer un trait sur le suicide de mon père, une ode à la joie, mais si ce petit m'apprend à l'aimer, à aimer tout court, et que je viens à le perdre, comme j'ai perdu mon père, je ne m'en remettrai pas. Je préférais jeter l'éponge. Dire merde à ce monde, et à toutes ses tortures. C'est ce que j'avais expliqué à Connie, et elle m'avait dit que si c'était ça qui me bloquait, cela signifiait que j'étais déjà esclave de ma propre peur. Et que c'était sans espoir.

Il y avait une autre raison – la dernière – pour laquelle je ne voulais pas d'enfant. Et cette raison-là, je ne l'ai jamais avouée à Connie. Pas une fois, je n'avais songé sérieusement au suicide, mais une fois qu'on est père, cette option doit être définitivement bannie. Or, comme je l'ai dit, avoir des options c'est important.

4.

D'abord, disait mon avocat, Mark Talsman, du cabinet Talsman, Loeb & Hart, il fallait découvrir qui avait enregistré le site. L'URL était www.drpaulcorourkedentiste.com et devait avoir été déclarée sur le registre des noms de domaine, qui exigeait que le demandeur donne ses coordonnées personnelles.

Le « c » dans ce nom à coucher dehors était l'initiale de mon deuxième prénom, Conrad, le prénom de mon père. Je détestais ce nom. D'autant plus que le Conrad en question avait été appelé « Connie » toute son existence. Connie n'était pas un prénom masculin. C'était un prénom de femme, en l'occurrence, pour mon cas personnel, celui de la femme avait qui je pensais faire ma vie et qui aujourd'hui était un rappel douloureux, un de plus, de mon impuissance totale dans l'existence. Je ne fis pas tout de suite le rapprochement ; les deux Connie étaient si différents. Le premier, je le connaissais à peine, l'autre j'en connaissais intimement chaque centimètre. Personne, je dis bien personne, pas même ma Connie, n'était au courant de ce « c » dans mon nom. Il ne figurait pas sur mon permis de conduire, ni sur aucun diplôme ou document officiel. L'unique fois où Connie m'avait demandé si j'avais un deuxième prénom, je lui avais menti effrontément. Je lui avais dit que c'était « Saul ».

Elle m'avait regardé les sourcils en accent circonflexe :

— Tu t'appelles Paul Saul O'Rourke ?

C'était sorti tout seul, et cela n'avait rien d'étonnant. J'avais choisi le seul prénom qui rimait avec le mien. Et comme je ne me rattrapai pas dans l'instant, je n'eus plus d'autre choix que de poursuivre le mensonge :

— C'est bizarre, n'est-ce pas ? dis-je.

— Je connais quelques Saul, répondit Connie. Tu n'as pas une tête à t'appeler Saul.

— Mon instit' en primaire m'appelait comme ça. (Pourquoi mentais-je ainsi ?) Que veux-tu que j'y fasse. J'ai toujours eu des parents bizarres.

— Ils étaient hippies ?

— Non. Juste fauchés.

Au moins ça, c'était vrai.

De toute évidence, celui qui avait déposé le nom www.drpaulcorourkedentiste.com en savait plus sur moi que Connie, qui était quand même la personne à en savoir le plus – même si elle croyait que je m'appelais Paul Saul O'Rourke.

Où avais-je la tête quand j'avais menti ? Où était passé l'essentiel de moi, je veux dire ? Le type que je connaissais et dont j'étais fier, le type franc, le défenseur de la vérité, le pourfendeur de chimères ? Envolé ! C'était bien le signe que j'étais totalement « esclavaginé » : je lui avais sorti un gros mensonge ! Tracer son sillon en ce monde par la voie de la fabulation, c'était une version deux point zéro de moi… un double né en Floride apprenti astronaute, ou né dans le Montana et dresseur de chevaux, ou né à Hawaï et surfeur pro ; mon père aurait joué en ligue mineure chez les Red Sox avant de périr en héros au Vietnam ; et ma mère, exemplaire, après avoir perdu son prince charmant à Bông Trang, ne se serait jamais laissée aller et jouerait au tennis toute la journée. Une meilleure biographie, pour un meilleur chemin. Mais je détestais le menteur, malgré son passé étincelant, autant que la version béta, celle où je disais la vérité et n'étais que moi-même. Alors, je n'avais d'autres choix que de garder mes distances dans la relation, ou de rompre pour redevenir intègre. Ou encore, comme avec Connie, d'hésiter constamment entre les deux.

* * *

Il y avait un cendrier extérieur devant l'Aftergood Arms que je partageais avec les occupants de l'immeuble. Quelques-uns de mes compagnons de cigarette étaient des patients, mais pas beaucoup – comment avoir confiance en un dentiste pathétique qui sortait en catimini tirer deux bouffées à la va-vite dans la rue ? Chaque fois que j'allais en griller une, on me parlait du gant. J'étais convaincu, à tort ou à raison, que le gant empêchait l'odeur du tabac de s'imprégner sur la peau. Je voulais annihiler le plus de traces possibles, pour ne pas avoir Betsy Convoy sur le dos à mon retour. Ma main gauche était libre, mais je portais un gant de latex à la main droite, celle qui tenait la cigarette. Les autres occupants de l'Aftergood Arms, avec leur visage gris et leur souffle d'asthmatique, me regardaient fixement comme si j'étais un tueur en série. À tous les coups, ils voulaient mémoriser cette bizarrerie pour la rapporter à la police quand elle viendrait les interroger sur mes mœurs.

Une vague de chaleur, montant des profondeurs de l'enfer, s'était abattue sur toute la côte Est. Je rentrai avec un mal de tête carabiné. Ce stick de cyanure avait mis mes capillaires en pelote, et le sang battait sous mes tempes. L'odeur d'antiseptique, dispersée par la climatisation, flottait partout dans le cabinet. J'aimais ma salle d'attente. J'aimais ses fauteuils assortis, ses tableaux d'art populaire.

J'aimais son taux d'occupation limitée, grâce à une sélection drastique. Jamais, elle ne devait être bondée. Nous n'étions pas dans un dispensaire sordide des Appalaches, squatté par des toxicos apeurés entourés de leurs marmailles bruyantes. On était à Park Avenue, dans l'Upper East Side. Les salles d'attente dans le quartier étaient des endroits cosy et civilisés. Comme une boutique de luxe. La mienne accueillait des clients de tout âge (mais toujours en effectifs restreints), avec des visages respirant la bonne santé (hormis l'intérieur de leur bouche). Rien qu'à l'aspect net et épuré de ma salle d'attente, le client savait qu'il se trouvait dans une « maison » raffinée et professionnelle. Je ne passais pas assez de temps dans cette antichambre confortable et soignée. C'était bien dommage. Je la traversais trop souvent sans même la regarder.

Je m'installai donc dans l'un des fauteuils. On entendait un bourdonnement dans la pièce à côté ; Betsy Convoy faisait un détartrage à une patiente. Je voyais en pensée le nuage blanc s'élever dans le halo de la lampe. Abby se trouvait sans doute avec le second patient dans une autre salle d'examen, à se demander où j'étais passé. J'étais là, dans ma salle d'attente, caché derrière mon ego-Machine pour mieux observer Connie. Elle avait ramené ses cheveux en arrière aujourd'hui, comme si elle allait danser au Bolchoï. Mais quand elle se tourna, je vis que ses cheveux, une fois passé le goulet du chouchou, s'épanouissaient dans sa nuque en boucles mordorées, de toutes les nuances du marron noisette au caramel. Connie se teignait les cheveux, mais leur épaisseur et leur volume étaient naturels, un mélange heureux de la génétique, comme ces fines bouclettes qui ourlaient ses oreilles et son cou. Mazette ! Quelle crinière de rêve ! Parfois son chignon, perché sur le haut de son crâne, s'élevait comme une tornade miniature ; parfois encore, quand il était positionné plus sur l'arrière, il avait une rigueur orientale. Elle avait décidé de rajuster tout ça. Fasciné, je la regardai faire. Elle enfila son chouchou à son poignet, et entreprit de lisser ses cheveux, méthodiquement, du côté gauche puis du côté droit, dans des mouvements alternés des deux mains, la droite retenant les mèches que lui donnait la gauche. La manipulation était rapide, les coudes levés bien haut, telle une hôtesse de l'air se préparant à prendre son service. Elle ne s'arrêtait que lorsqu'elle trouvait un nœud ou une mèche rebelle sous ses cheveux autrement parfaitement lisses. Et contre toute attente, alors que je pensais qu'elle en avait terminé, elle fit un nouveau passage, d'avant en arrière, collectant toujours plus de cheveux. Finalement, avec célérité, elle retira le chouchou à son poignet et le glissa autour de ses cheveux miraculeux. Avec adresse, elle écarta la bande élastique de ses doigts, la croisa et fit passer ses mèches à nouveau dans le goulot. Elle effectua ainsi plusieurs tours – quatre au total. Le chouchou était alors devenu d'une petitesse incroyable. Elle eut une grimace. Sans doute quelques racines douloureuses. Maintenant que ses cheveux étaient maintenus et qu'elle avait les mains libres, elle effectua quelques ajustements, diminuant la tension çà et là, mais toujours avec méticulosité pour ne pas ruiner l'impression d'ensemble. L'œuvre avait été accomplie en dix ou quinze secondes. Sa chevelure sauvage désormais domptée, elle était prête à reprendre ses activités.

Connie me reprochait de l'avoir admirée comme un objet parfait, d'avoir idéalisé sa beauté et, quand je m'étais rendu compte qu'elle n'était qu'une simple mortelle, de m'être agacé comme si on m'avait floué sur la marchandise. Elle trouvait ça injuste. Comme bon nombre de personnes, je mettais l'objet de mon amour sur un tel piédestal au début que je ne pouvais qu'être déçu parce qu'il était humainement impossible de demeurer à ce niveau de perfection. Mon problème, c'était mon romantisme. Les gens m'impressionnaient toujours au premier regard, mais une fois que je grattais la surface et détectais un défaut, c'était fini. C'est ce qui me rendait misanthrope, disait-elle, et constamment insatisfait. Je n'étais pas d'accord. Mais c'est vrai que j'aimais la regarder. C'était plus difficile aujourd'hui, connaissant ses défauts, mais elle demeurait néanmoins un spécimen magnifique.

Ce matin, c'était un peu différent. Je prenais réellement beaucoup de plaisir à la voir rajuster sa queue de cheval. Soudain, j'étais davantage saisi par la grâce de ses mouvements que par sa plastique. Un ballet fascinant : un moment, elle était penchée sur le bureau, l'instant suivant elle était dressée sur la pointe des pieds pour attraper un registre en hauteur ; elle décrochait d'un geste vif le téléphone qui sonnait ; dans un sourire (ses canines blanches dépassaient de ses incisives d'un demi-millimètre), elle tendait une carte à un patient où était indiqué son prochain rendez-vous ; avec dextérité, elle clippait la fiche d'un nouveau patient et préparait son dossier.

Tandis que je dévorais Connie des yeux, j'eus peu à peu l'impression que quelqu'un m'observait aussi. Je me retournai. Une patiente – une habituée que j'avais soignée cinq ou six fois – me regardait fixement, comme si mon visage lui était familier mais qu'elle ne parvenait pas à mettre un nom dessus. Son dentiste ? Dans la salle d'attente ?

Je lui fis un sourire et sortis mon ego-Machine. Je jetai un coup d'œil sur les nouveaux messages des forums pour connaître la réaction du Boggs Wade Club après le match de la veille. Puis je lus l'analyse statistique de Owen et le récit détaillé coup par coup de EatMeYankees69. Puis je visionnai quelques extraits vidéo (en muet), et postai quelques commentaires de mon cru. Et je reportai mon attention sur Connie.

Un gars d'UPS lui remettait un colis. Parce que c'était elle qui réceptionnait les livraisons. Elle appelait aussi les patients qui avaient oublié leur rendez-vous, réorganisait le planning, changeait le bouquet de fleurs sur le comptoir de la réception (une touche de couleur que je remarquais d'ordinaire à peine), remplaçait la bonbonne de la fontaine à eau et les cartouches d'encre de l'imprimante. Et elle était la seule à devoir écouter les jérémiades des clients quand ils arrivaient penauds, la bouche sanglante et meurtrie, et que la première chose qu'on leur demandait, c'était s'ils avaient une assurance santé.

Je regardai à nouveau mon ego-Machine. Ma patiente m'espionnait toujours discrètement. Elle n'avait pas encore réussi à me resituer. Je fis défiler plus avant la liste des messages. Et c'est là que je vis ce qu'ils avaient fait.

J'apparaissais sur des blogs et des forums !

Je postais régulièrement des commentaires, mais toujours de façon incognito, sous le pseudo YazFanOne. Jamais je n'avais publié de messages signés « Paul C. O'Rourke, Docteur en chirurgie dentaire ». Mais aujourd'hui, un Dr Paul C. O'Rourke, DrCD, faisait son entrée en scène.

Et il disait des trucs comme : « Une belle troisième manche. Allez Ellsbury ! Pour en savoir plus cliquez ICI. »

Et : « Un massacre, cette huitième. Trois points produits pour McDonald. Lire la suite. »

Les liens que donnait « Dr Paul C. O'Rourke, DrCD » était sans aucun rapport avec les Red Sox ! Le premier était un article concernant la situation de plus en plus critique entre Israël et les Palestiniens. Le second parlait de tribus en danger d'extinction et autres peuples laissés pour compte.

Quand je relevai les yeux, Abby, Connie et Betsy me regardaient fixement derrière le comptoir de la réception.

— C'est pas vrai ? me lança Connie. Encore ?

Betsy Convoy hocha la tête d'un air grave. Abby détourna la tête et s'en alla, sans doute pour me maudire en privé.

J'esquissai un sourire à ma patiente ; ça y était ! Elle avait trouvé : j'étais bien son dentiste ! Je m'approchai de la réception avec mon ego-Machine à la main.

— Regardez ça, dis-je. Regardez ! Ils m'ont jeté en pâture ! Je suis sur les forums, les blogs ! Je suis partout !

Betsy Convoy se pencha vers moi, les mains en appui sur le comptoir, comme un quarterback prêt à la charge. Elle me regarda avec intensité derrière ses lunettes à double foyer et voulut savoir ce que je faisais assis dans la salle d'attente alors que c'était le coup de feu au cabinet. Je lui répondis et elle fronça les sourcils : « Comment ça “pour prendre du plaisir” ? » Je lui expliquai encore. « Et vous ne pensez pas que le “plaisir” serait plus grand encore si le dentiste s'occupait de ses patients ? » Je lui présentai mon point de vue. Elle s'agaça : « Non, l'étiquette n'exige pas que l'on fasse attendre la clientèle. Jésus Marie Joseph ! Parfois, je me demande si vous avez encore toute votre tête ! »

Elle s'en alla, rouge de colère. Je contournai le comptoir et m'assis à côté de Connie. Je lui montrai les posts de YazFanOne :

— Ceux-là, ils sont de moi. Qui d'autre irait se plaindre du coach Francona ?

Puis je lui fis lire les posts du petit nouveau, le Dr Paul C. O'Rourke, DrCD.

— C'est moi aussi, d'accord. Mais je n'ai pas publié ça : “une belle troisième manche” ! “Allez Ellsbury !” ? C'est ridicule ! Jamais de la vie !

— Et pourtant c'est bien toi, dit-elle en pointant du doigt mon ego-Machine.

— C'est moi, d'accord, mais ce n'est pas moi l'auteur des commentaires, parce que jamais je n'écris des platitudes comme ça, et jamais sous mon propre nom !

— Pourquoi cacher ton nom ?

— Pour préserver mon intimité.

— D'où ce pseudo ? Ce YazFanOne ?

— Voilà, YazFanOne, c'est moi. Mais ce Dr Paul C. O'Rourke, DrCD, c'est quelqu'un d'autre. Sauf que c'est bien mon nom.

— Donc, pour résumer, tu utilises un pseudo pour garantir ton anonymat, et du coup n'importe qui peut utiliser ton nom et se faire passer pour toi.

Elle me regarda, froide et implacable comme une agrafeuse.

— Tu n'as pas l'air de saisir.

— Au contraire. C'est très clair.

— D'abord, il y a eu ce site web. Et maintenant ça. Je sais que tu me trouves trop parano avec Internet, mais regarde ! C'est bien la preuve qu'il fallait se méfier, non ? Ça justifie toutes mes craintes. C'est le début de la fin, Connie ! Tout le monde s'imagine que cette histoire de « village global » est sans danger, mais on se trompe lourdement. Regarde ce qu'ils me font, à moi – moi qui ne suis personne !

— Dis donc… (Elle regardait l'écran fixement.) Ton nom c'est Paul C. O'Rourke ?

— Et alors ?

— C'est quoi ce « C » ?

— Comment ça ?

— Le « C ». C'est pour quoi ? Je croyais que c'était Saul ton deuxième prénom ?

— Paul Saul O'Rourke ? m'étonnai-je. Ça paraît tiré par les cheveux.

— C'est pourtant ce que tu m'as dit. Pourquoi ?

— Je ne vois pas comment j'aurais pu te dire que je m'appelais Paul Saul O'Rourke, répliquai-je avec un petit rire condescendant.

— Et pourtant, tu l'as dit.

— Dans ce cas, je devais plaisanter.

— Non, tu étais très sérieux.

— Peut-on revenir au sujet qui nous importe ? Quelqu'un usurpe mon identité. Il publie des messages sur des blogs et des forums en utilisant mon nom. Il se fait passer pour moi, mais ce n'est pas moi.

— Et c'est quoi ton nom, puisque ce n'est pas Paul Saul O'Rourke ?

— Paul Conrad.

— Comme ton père ?

— C'est un coup de ma mère. Mon paternel avait une bien trop piètre opinion de lui-même pour vouloir donner son nom à qui que ce soit. Sauf quand il était en pleine crise maniaque. À ce moment-là il m'aurait bien appelé Conrad Conrad Conrad.

— Montre-moi ça. (Je lui tendis mon ego-Machine.) Sur quoi donnent ces liens ?

— L'un d'eux renvoie à un article du *Times* parlant d'Israël et de la Palestine, et l'autre, je ne sais pas trop, à un truc parlant de peuplades en danger.

Elle se mit à cliquer un peu partout.

— Tu as commenté cet article, annonça-t-elle.

— J'ai fait quoi ?

— L'article du *Times*. Tu as posté un commentaire.

On le lut ensemble :

Dr. Paul C. O'Rourke, DrCD, Manhattan, New York.

Au début du premier millénaire, ils étaient invisibles, de simples adeptes d'un culte obscur, comme il y en avait tant à l'époque, à l'instar des chrétiens qui étaient partout persécutés. Mais à l'inverse des chrétiens, ils n'avaient ni apôtres ni évangélisateurs, et aucun n'avait la ferveur d'un Paul pour aller porter la bonne parole sur les sentiers de l'Empire romain. Ils étaient un peuple renaissant des cendres des Amalécites qui avaient été autrefois exterminés. Et quand la vague chrétienne déferla sur le monde, leur message se trouva noyé et leur culture détruite. Les Cantavétiques décrivent leur extinction inexorable.

Ils périrent ainsi : « Une portion pleurant, une portion souriant, et une autre à genoux, mais refusant de prier. » Et pourtant, régulièrement, des groupes refont surface. L'Histoire est émaillée de ces renaissances. Et chaque fois, ils sont traqués et éradiqués jusqu'au dernier.

18 juillet 2011, 20 h 04.

— C'est bizarre, lâcha Connie.

— Ce n'est pas moi qui ai écrit ça !

— Du calme. Je n'ai pas dit ça. Je dis juste que c'est bizarre. Cela n'a rien à voir avec l'article. (Elle parcourut des yeux le commentaire.) Les Amalécites, ça me dit quelque chose. (Elle fit une recherche sur Google.) « Nom d'un peuple nomade du sud de la Palestine, lut-elle. Les Amalécites ne sont pas des Arabes, mais apparentés aux Édomites (et par conséquent aux Hébreux), à en croire la généalogie dans la Genèse, chapitre trente-six, verset douze, et le premier Livre des Chroniques, chapitre un, verset trente-six. Amalec est… »

Elle s'interrompit et se tourna vers moi.

— Amalec. Tu sais qui c'est ?

— Pas du tout.

— L'ennemi biblique des Juifs. L'ennemi archétypal. Il ne meurt jamais. Il se réincarne. (Elle reprit sa lecture sur mon ego-Machine :) « Amalec est le fils d'Elifaz, fils d'Esaü, et de sa concubine Timna, fille de Séïr… »

— Séïr ? Comme Séïr Design ?

— « Il est fait allusion à l'origine ancienne des Amalécites dans le Livre des Nombres, chapitre vingt-quatre, verset vingt, où ce peuple est appelé "la première des nations". Les Amalécites furent les premiers à entrer en contact avec les Israélites lors de leur exode d'Égypte. Ils tentèrent en vain de les arrêter à Refidim, à la lisière du Sinaï. »

— Le Sinaï, les Amalécites… quel rapport avec moi ? Pourquoi ?

Elle me rendit le téléphone. Elle n'en savait rien et haussa les épaules.

* * *

Le but d'une usurpation d'identité était de séparer l'homme de son argent. Quand et comment allaient-ils passer à l'attaque ? Était-ce Anonymous, ou quelqu'un en coulisses plus fourbe et habile encore ? Ou l'objectif était-il tout autre ? Un ennemi encore invisible, tapi derrière un pare-feu, ourdissait peut-être la trame d'un complot machiavélique visant à faire de moi non pas la victime d'une escroquerie en ligne, mais son auteur ?

Ces lignes écrites en mon nom semblaient avoir quelque signification occulte, une portée ésotérique. À part la colère, avais-je d'autres options ? L'embarras ? Me sentir responsable ? Pas question ! Ce n'était pas le vrai Paul C. O'Rourke. C'était un imposteur, un Paul C. O'Rourke plus déterminé et mystérieux qui, à l'inverse de moi, avait visiblement quelque chose d'urgent à dire. Moi, je n'écrivais jamais rien sur Internet, hormis quelques commentaires sur les Red Sox, parce que, pour être honnête, le vrai Paul C. O'Rourke n'avait rien à dire.

« J'ai vu mon commentaire au bas de l'article du *Times* », écrivis-je à Séïr Design.

> J'ai trouvé également mes posts sur les forums des Red Sox. Pour votre gouverne, les gars, sachez que je ne publie pas de commentaires aussi crétins. Votre imposture a du plomb dans l'aile. Tous ceux qui me connaissent savent que mes posts sont de petits bijoux. Ils savent aussi que je me contrefous des cultes ésotériques, du Sinaï, des Amalécites, et de tout votre tintouin !

Après ça, je dus me faire violence pour me remettre au travail. Pas parce que je n'aimais pas mon métier, mais me jucher sur mon tabouret, attraper le crochet de berger que me tendait Abby, relancer toute la machine, faire les diagnostics, les soins… – tout cela me paraissait d'un coup si terre à terre. Au bout de cinq minutes toutefois, les engrenages se remirent à fonctionner. J'étais de nouveau concentré, je passais d'un patient à l'autre – pour papoter, mettre un insert, concevoir un nouveau sourire pour une future mariée. Même piégé ici, entre ces quatre murs, toute la sainte journée à répéter aux patients l'absolue nécessité de l'usage du fil dentaire, j'avais quand même la sensation d'être vivant. Malgré ce carcan familier et oppressant, mon isolement de patron, l'agacement de beaucoup de clients pour qui j'étais un éternel rabat-joie, il demeurait des raisons de se réjouir : il y avait ces veuves qui voulaient se faire refaire les dents et revivre, ces enfants qui surmontaient leur terreur, et toutes ces personnes qui avaient brossé, récuré, nettoyé leurs molaires comme il le fallait, à qui il n'y avait nul besoin de faire de sermons, et qui quittaient le cabinet avec des sourires Ultra-Brite bien mérités. Travailler n'était pas un combat, alors. Mais un cadeau, le meilleur remède contre mes afflictions centripètes.

L'un de mes patients ce jour-là était atteint d'une paralysie faciale. Il s'était réveillé la nuit avec cette affection neurologique aux origines mystérieuses qui frappait souvent les vieux et les obèses. Mon patient était juste en léger surpoids, et dans la fleur de l'âge, et pourtant j'avais l'impression qu'il ne prenait pas soin de lui. C'était le New-Yorkais typique, surchargé de travail, marchant aux vitamines. Et, comme si le destin voulait l'humilier publiquement, voilà que ses nerfs le lâchaient et l'affublaient temporairement d'une difformité faciale. Cela s'était produit quelques jours plus tôt, et il faudrait un peu de temps encore avant que les symptômes disparaissent. En attendant, il avait un abcès. Le sort avait bien préparé son coup : la paralysie, au lieu d'affaisser son visage, le contractait hideusement ; le malheureux se retrouvait avec la joue droite relevée, les lèvres retroussées comme un chien hargneux. Et ce rictus grotesque dévoilait l'état actuel de sa bouche. Au pire moment qui soit. Peut-être existait-il un lien de cause à effet, entre cette paralysie et cet abcès qui attaquait sa première molaire ? Ou alors ce gars avait-il réellement tenté le diable – les patients sont souvent des irresponsables ! – et vécu avec cet abcès bien trop longtemps parce qu'il ne lui causait aucune douleur ? Il avait laissé traîné et *paf!* la paralysie lui était tombée dessus et avait relevé le rideau pour que tout le monde voie bien sa gencive purulente. Et maintenant, avec son sourire de Doberman enragé, il faisait peur à tout le monde.

L'un des canaux secondaires de la dent était bizarrement placé, et pour nettoyer les restes de pus je devais me contorsionner, comme si je tentais de débrancher une prise électrique derrière un réfrigérateur. Au moment où je terminais le curetage, Connie entra dans la pièce pour m'annoncer que j'avais un appel.

— C'est Talsman, dit Talsman quand je décrochai le combiné. (Talsman s'appelait lui-même Talsman.)

Le site était enregistré au nom d'un certain Al Frushtick m'apprit-il.

— Frushtick ? répétai-je. Ça me dit quelque chose.

— À part « frichti », moi ça ne m'évoque rien, répondit Talsman, toujours d'une grande aide.

Je raccrochai.

— Regarde si on a un patient du nom de Frushtick, demandai-je à Connie.

Elle revint dix minutes plus tard avec le dossier d'Al Frushtick. Je l'avais vu pour la dernière fois en janvier dernier, juste avant son départ pour Israël.

— C'est ce type ! Celui qui voulait te sauter.

— Qui ça ? Qui voulait me sauter ?

— Tu ne te souviens pas ? Il était chaud bouillant à cause du gaz. Betsy ! criai-je. On le tient. C'est un patient à nous !

Elle était avec un patient dans une salle d'examen.

— Lequel ?

— Celui avec les techniques de méditation ! Vous vous rappelez ?

— Qui ça ?

— Le Tibétain ! Il voulait que je lui arrache sa dent sans… laissez tomber. Al Frushtick, dis-je à Connie. C'est lui qui me fait ça !

— Pourquoi ? Qu'est-ce que tu lui as fait ?

— Rien de plus qu'aux autres. Je me suis occupé de sa dent pourrie. C'est tout. Et puis il m'a dit qu'il était… Au moment où je le raccompagnais à la porte, il m'a dit qu'il était…

— Qu'il était quoi ?

— Il allait en Israël, mais pas parce qu'il était Juif… Et quand je l'ai aidé à passer son manteau, il m'a sorti un truc sur ses origines, une appartenance ethnique. J'ai cru que c'était encore l'effet du gaz.

— Une appartenance ethnique ?

Je fouillais ma mémoire, mais ça ne me revenait pas.

« Coucou, Al Frushtick ! » écrivis-je.

C'est ainsi que vous remerciez un homme qui vous a soigné ?

Le site fut modifié le lendemain. À présent, ma bio accueillait un passage biblique, ou pseudo-biblique, encore plus long. Carrément une histoire, une parabole, une homélie, ou je ne sais quoi. Cela commençait par une de ces généalogies sans fin qui avaient le don de me faire mourir d'ennui chaque fois que je tentais de lire la Bible ;

celle-là, comme les autres, commençait par les rejetons de l'épouse, puis ceux de la concubine, et puis, comme si l'auteur avait trop forcé sur le vin, il détaillait aussi la progéniture de la génération suivante. Tous les protagonistes avaient des noms à coucher dehors, comme ceux des figurines de *Star Wars* qu'on trouvait en rang d'oignons dans les vitrines des magasins de jouets, avec leurs accessoires vendus séparément. Un gars s'appelait Tin, qui avait eu un fils, Mamoucam, qui avait une femme nommée Gopolojol. Il n'y avait rien de plus sur Tin et sa famille, mais il avait eu son petit rôle dans la longue lignée de procréateurs qui avait abouti à Agag, le roi des Amalécites. Les Amalécites étaient une puissante et noble tribu, dont les origines remontaient à Abraham, et qui faisaient paître paisiblement leurs bêtes dans une région appelée Hassasson. Ils avaient des vaches, des dromadaires, des moutons, des bœufs. « En ordre de bataille, ils étaient cent vingt-quatre mille cinq cents, équipés de toutes les armes de guerre, prêts à tenir les rangs d'un cœur résolu », rapportait ma bio.

Un jour, les Israélites attaquèrent les Amalécites par surprise, fondant sur eux par l'Ouest. Ils prirent pour cible les plus faibles et les infirmes, ceux qui ne pouvaient se défendre, et volèrent les dromadaires des Amalécites, avant de s'enfuir. En représailles, les Amalécites levèrent une armée. Mais c'est alors que Moïse apparut. « Moïse vint s'incliner devant Agag avec une offrande. Il lui dit : Entends mes paroles, je t'en prie ; ne laisse pas perdurer ce péché sur les enfants d'Israël, car le Pharaon nous garde en esclaves depuis quatre cent trente ans. » Moïse parla de la longue captivité des Israélites en Égypte, des terribles souffrances que leur infligeait leur errance dans le désert, de leur engagement envers un Dieu unique qui semblait les avoir abandonnés. Il implora le pardon d'Agag pour cette attaque indigne, lui expliqua qu'ils étaient affamés, épuisés et terrifiés. « Et le peuple d'Israël inspira pitié à Agag, et il prit du beurre, et du lait et du bétail qu'il avait élevé, et les leur apporta, et ainsi ils mangèrent. Et les enfants d'Israël s'en allèrent, chargés d'*ephas* de lin et d'orge, et d'épices à foison. »

Et tout fut pour le mieux jusqu'à ce que les Israélites rassemblent une immense armée et attaquent à nouveau les Amalécites. « Les tribus d'Israël lancèrent la guerre sur eux, en faisant sonner les trompettes, et mirent en pièces tous leurs ennemis. » Redoutant la colère de ce peuple qui, pris d'une folie meurtrière, voulait faire main basse sur tout le pays de Canaan « de Dan à Beér-Chéba », afin de suivre les commandements de leur Dieu, Agag, roi des Amalécites, dit à son peuple : « Allons trouver les dieux des Égyptiens, et les dieux des Cananéens, et les dieux des Philistins, et faisons alliance avec eux pour qu'ils nous sauvent des mains de nos ennemis. » Quand, dans le camp, la nouvelle se répandit, que l'on sut que les dieux de toutes les tribus de Canaan arrivaient pour défendre les Amalécites, une grande clameur s'éleva, et la terre se mit à trembler. Mais les dieux se révélèrent d'un piètre secours quand le combat reprit. Les enfants d'Israël décimèrent l'armée des Amalécites. En trois jours, sur cent vingt mille combattants, il n'en resta plus que soixante-dix mille. Ils battirent en retraite, puis abandonnèrent Hassasson pour se réfugier à Refidim.

Franchement, l'ennui me gagnait et je devais me concentrer pour suivre.

Seuls des Israélites bodybuildés et poussés par Dieu auraient pu défaire les Amalécites en si peu de temps. Cette fois, Agag dit à son peuple, OK, visiblement, il nous faut revoir notre stratégie. Ça n'a pas trop marché de rameuter tous ces dieux. Peut-être étaient-ils jaloux les uns des autres ? Peut-être se sont-ils annihilés mutuellement ? Je ne peux pas vous dire ce qui s'est passé parce que je ne suis pas un dieu. Je suis juste un roi. Mais une chose est sûre : on s'est fait piler devant leur tabernacle. « Entendez ma voix, fils d'Amalec, écoutez mes paroles : vous vous êtes corrompus avec tous ces dieux qui habitent cette terre et vous avez conclu de fausses allégeances avec eux. Et chacun de ces dieux a fait de vous une charogne pour les oiseaux dans le ciel et pour les bêtes sauvages de la terre. Et vous ne reconnaissez plus vos enfants. »

Alors voilà ce que l'on va faire, leur dit-il, et il leur expliqua son petit plan de bataille : il s'agissait de rallier dans leur camp un autre dieu. Mais cette fois, juste un seul, comme les Israélites, parce que le coup de leur dieu unique ça semblait bien marcher pour eux. Le nom de ce dieu était Moloc, et Moloc avait promis un tas de trucs si les Amalécites juraient fidélité à son culte, un culte qui consistait à prier et faire des sacrifices, à faire trois fois le tour d'un temple avec du blé et de l'or, et à accomplir une pratique super-bizarre où il s'agissait de couper le petit doigt de dix guerriers volontaires qui ne pouvaient être rétablis à temps pour la bataille. « Et il vous accueillera en son sein comme son peuple, et il sera pour vous un dieu ; et vous saurez alors qu'il est Moloc, celui qui vous délivra du fléau des Israélites », expliquait ma bio. Et ils allèrent à la bataille et perdirent encore trente mille hommes.

Alors les Amalécites quittèrent Refidim pour un lieu appelé Hazor, où ils se réfugièrent pour panser leur plaie. La discorde s'installa, personne ne sachant plus que faire. Les enfants d'Israël semblaient vraiment gonflés à bloc et leur dieu était solide, déterminé et efficace. On avait l'impression que celui-là veillait vraiment sur ces gens, ce qui donna à Agag une autre idée : il rassembla son peuple autour de lui (c'était devenu une habitude de mauvais augure, et personne n'était très rassuré). « Tous ces croyants ont réduit en cendres les villes d'Amalec, déclara-t-il. Chacun d'eux a apporté sa pierre à cette désolation. Aujourd'hui, un seul dieu peut vous sauver, le dieu vivant, celui qui a donné à vos ennemis une terre regorgeant de lait et de miel, qui a fait d'eux une grande nation, qui leur a demandé de suivre des lois sur terre comme au ciel, et d'observer un jour du shabbat, ce dieu qui les a sanctifiés et purifiés, liés par une alliance d'airain qu'ils garderont à jamais, de génération en génération. Aujourd'hui, je vous le dis, à vous fils d'Amalec », poursuivait Agag dans un nouveau verset, cité *in extenso* dans ma bio, « le dieu vivant est avec Israël, avec tous les enfants d'Ephraïm. Et si vous prenez la sage décision de faire alliance avec le dieu vivant d'Israël, vous serez épargnés. »

Puisqu'on ne peut les vaincre, rallions-les. Cela sembla une bonne stratégie pour les malheureux Amalécites, qui envoyèrent l'un des leurs, déguisé en Israélite, pour aller fureter dans le camp adverse. Quand il revint après trois jours d'espionnage chez l'ennemi, il leur annonça que pour être comme les Israélites, il devait construire une arche, faite dans du bois d'acacia, haute et longue de tant de coudées, et il y avait un tas de règles encore, concernant l'arche, le temple et tout le reste ; par exemple si quelqu'un pêchait, ils devaient sacrifier un jeune bœuf ; ils ne pouvaient pas non plus contraindre leur frère à l'esclavage, et d'autres commandements comme ça, à n'en plus finir. Ah oui, un détail, il fallait se faire circoncire. Et tous les autres de demander : « "Circoncire", c'est quoi ça ? » Et quand le gars le leur expliqua, ils écarquillèrent les yeux, comme des bonnes sœurs horrifiées : « Doux Jésus, quelle horreur ! » Bref, tout le monde se fit sa circoncision à la sauvage, et on envoya des messagers aux tribus d'Israël pour leur annoncer ce qu'ils avaient fait. Et tous prièrent le dieu des Israélites pour qu'il les épargne.

Quand les Israélites apprirent que les Amalécites s'étaient circoncis et étaient « encore dolents », ils traversèrent la vallée et les massacrèrent. « Et tous périrent, à l'exception de quatre cents, qui s'enfuirent à dos de chameaux vers le mont Séïr. »

Ma bio se terminait par une référence : « Extraits des Cantavétiques, cantations 25-29. » Je me tournai vers Connie qui avait lu avec moi.

— Ce n'est pas ce qu'on m'a appris à l'école hébraïque, souffla-t-elle.

* * *

« C'est encore moi », écrivis-je.

> Je me demande bien pourquoi je continue à vous envoyer des messages, Al. Pour l'instant, cela a été contreproductif. Mais aujourd'hui je sais qui vous êtes. Je peux lancer une procédure judiciaire contre vous. Il serait temps, donc, d'arrêter vos conneries. Je pense en particulier à ces machins religieux. J'aurais encore préféré que vous fussiez un escroc voulant me voler mon argent. Des adultes qui se circoncisent ? Un roi nommé Agag ? J'espère que, vous, vous croyez à ces bondieuseries, comme ça, si un Dieu existe (ce qui est extrêmement peu probable), vous êtes bon pour rôtir en enfer !

J'avais dû dire un truc du genre « à ce compte-là plutôt mourir », ou « autant se couper les veines » ou bien « à quoi bon continuer à vivre ? ». Et soudain, Betsy Convoy était devenue toute pâle et grave, et d'une voix chevrotante elle avait dit : « J'espère que vous n'êtes pas sérieux. On ne plaisante pas avec le suicide. » Et pendant que je réfléchissais à cette question dialectique : elle ne voulait pas que je sois sérieux, mais me reprochait de plaisanter – elle avait ajouté : « Dieu seul décide de la vie et de la mort. Se suicider, c'est renier tout ce qu'Il a créé, toute la beauté et le sens de l'existence. Êtes-vous donc incapable de voir la beauté en ce monde ? » Je lui avais répondu et elle avait dit : « Non, je ne vous parle pas de ces sites immondes ! De grâce, épargnez-moi ça ! Je vous parle des aurores, des couchers de soleil, de la lune, des étoiles, des fleurs du jardin botanique, des bébés dans leur poussette. À part ces femmes qui se dénudent sur Internet, n'y a-t-il rien que vous trouviez beau ? » Je lui avais répondu et elle avait dit : « La liberté, c'est un concept, pas une chose, mais va pour la liberté. Mais pas celle de vous tuer. Ce n'est pas être libre, ça ! C'est choisir la prison ultime. Seigneur ! le monde s'offre à vous ! Vous ne vous dites jamais : Lève les yeux ! Regarde autour de toi ! Au cas où un oiseau passe dans le ciel, ou s'il y a de jolis nuages, ou quelque chose qui puisse emplir votre cœur de joie. » Je lui avais répondu et elle avait dit : « D'accord, ça passe vite. Mais Dieu du ciel, Paul, à quoi bon vivre si nous sommes incapables de savourer la vie le peu qu'elle dure ? Tout est éphémère. Même la laideur. Même la douleur. Ne mesurez-vous pas le mal que vous vous faites à refuser la joie pour ne voir que le mal et la souffrance ? » Je lui avais expliqué. « Non, ce n'est pas être lucide. C'est juste passer à côté de l'existence. Vous ne voulez donc pas avoir une vie la plus pleine qui soit ? » Je lui avais répondu du mieux que je pouvais. « Vous n'êtes pas le seul à avoir cette impression. Et vous savez comment ça s'appelle ? Le désespoir. J'ai connu plein de gens qui, avant d'avoir trouvé Dieu… » Je l'avais interrompue aussitôt, comme je l'avais fait déjà des milliers de fois, et elle avait dit : « D'accord. Ne parlons pas de Dieu pour le moment, puisque ça vous hérisse. C'est une grosse erreur, la plus grande, mais, d'accord, oublions Dieu pour le moment et poursuivons notre conversation. Et puisque nous sommes ici-bas pour si peu de temps, et que les occasions de se réjouir ne sont pas si nombreuses, acceptez donc l'idée qu'il faille chercher le beau. N'est-ce pas ce que nous devrions tous faire, chercher le beau, ne serait-ce que pour élever nos esprits ? » Je lui avais répondu.

« D'accord, il n'y a pas de quoi s'émerveiller quand on voit à longueur de journées des infections et des gens qui se négligent. Mais quand vous allez prendre le métro ou que vous en sortez ? Quand vous vous promenez ? Il y a tant de choses à voir… je ne sais pas quoi au juste, des choses qui donnent de l'espérance ? » Je lui avais répondu et elle avait dit : « Oui, Paul, je sais que le métro est plein de gens malheureux ! » Elle avait poussé un soupir agacé. Mais elle avait persévéré, ma charmante et opiniâtre Betsy. « Je ne parle pas de tous les gens abattus qu'on trouve dans le métro. » J'avais fait quelques ajouts. « Oui, et aussi les mutilés, les brûlés, les SDF. Je vous parle des trajets pour aller jusqu'à la station, ou quand vous en sortez pour venir ici. » Je lui avais dit la vérité sur ce que je faisais alors. Elle n'avait pas apprécié : « Pour l'amour du ciel, rangez donc ce téléphone quand vous êtes dans la rue et relevez la tête ! Pourquoi avez-vous toujours le nez collé à ce maudit écran ? » Je lui avais expliqué et elle avait répondu : « Puisque vous êtes conscient que ce n'est qu'un moyen de vous occuper l'esprit, un subterfuge pour ne pas penser à tout ce qui vous tracasse, pourquoi être esclave à ce point de cette machine ? » Je lui avais répondu. « C'est le pire blasphème qu'on m'ait jamais dit ! Non, un gadget électronique ne remplacera jamais le Tout-Puissant ! Nous parlons de Dieu, bonté divine ! Avec ou sans téléphone portable, on a toujours le même besoin ancestral de prier, non ? » Je campais sur mes positions. « Non, envoyer ou recevoir des SMS ou des e-mails n'est pas une nouvelle forme de prière. Ne voyez-vous pas que cette petite machine, en détournant votre attention de Dieu et du monde qu'Il a créé, ne fait qu'aggraver votre désespoir ? » Je lui avais donné mon point de vue. « Je me contrefiche du monde que ces machins ont créé. Il n'arrivera jamais à la cheville de celui de Dieu. » Je lui avais alors demandé ce qu'il y avait de si beau à voir dans la rue (non sans lui avoir fait quelques suggestions avec un certain cynisme). Elle ne se démonta pas : « Oui, le bitume, oui, les bâtiments. Oui, les gens. Et vous risquez d'avoir quelques surprises, par la joie que vous pourriez en tirer. Vous ne voulez donc pas être surpris ? » Je lui avais répondu. Elle avait secoué la tête, avec un pincement des lèvres, puis avait tendu la main vers moi. « Non, il n'est pas trop tard. Croyez-moi, mon garçon. Il n'est jamais trop tard. »

* * *

Connie vint me trouver plus tard ce jour-là et me demanda :

— C'est vrai que tu as raconté une blague sur un prêtre et un rabbin à mon oncle Michael ?

Son oncle Michael était marié à Sally, la sœur de la mère de Connie. Il avait un cabinet d'expertise immobilière. Sally était femme au foyer et avait élevé leurs enfants, tous adultes aujourd'hui. Ils habitaient une maison à Yonkers, petite mais parfaite, la maison du bonheur. On le sentait dès qu'on franchissait le seuil. Des gens chaleureux et attentionnés vivaient là, un couple qui avait visiblement trouvé son équilibre. Ce n'était pas donné à tout le monde de comprendre qu'on en avait assez, et qu'il était inutile de tenter d'en avoir davantage. Je n'étais allé chez eux qu'une seule fois, quand la mère de l'oncle Michael était morte et qu'ils observaient la Shiv'ah. Je n'avais jamais participé à une Shiv'ah auparavant. Je ne savais quasiment rien sur cette pratique de deuil et j'avais dû consulter Internet pour ne pas paraître trop benêt devant Connie. Chaque soir, il y avait foule dans la modeste maison de Michael et Sally. Et d'un coup, le kaddish des endeuillés, sombre et solennel, était psalmodié, interrompant net l'ambiance quasi festive qui régnait jusque-là parmi les convives. Bien sûr, ce n'était pas très festif à proximité de l'oncle Michael, de la tante

Sally, et de la famille proche, mais pour nous autres à la marge, là où je me trouvais, ça bavardait presque gaiement. C'était sans doute comme ça dans toutes les funérailles, une couronne de bruit entourant un noyau de douleur. En même temps, la Shiv'ah était tellement différente des autres deuils. Chez les Irlandais, le fils fait une veillée mortuaire puis enterre sa mère et rentre chez lui seul avec son chagrin, mais le fils juif, lui, a sept nuits pour partager sa douleur avec les siens et ses amis.

— Une blague avec un prêtre et un rabbin ? répétai-je. Qui t'a raconté ça ? Je n'ai pas vu Michael depuis six mois, au moins…

— Possible que ça soit aussi vieux que ça.

— Pourquoi me parles-tu de cela maintenant ?

— On racontait des trucs sur toi. Je n'y ai pas prêté attention à l'époque. Je me disais que c'était simplement des mauvaises langues. Oui ou non, connais-tu une blague avec un rabbin et un prêtre ?

J'ai marqué un temps d'arrêt.

— Je connais beaucoup de blagues.

— Combien sur des prêtres et des rabbins ?

Je fis semblant de fouiller mes souvenirs.

— Raconte-m'en une, dit-elle.

Je m'éclaircis la gorge.

— Un prêtre et un rabbin… euh… attends une seconde… Ah oui… un prêtre et un rabbin décident d'aller faire quelques trous de bon matin, mais le groupe devant traîne. (Je m'interrompis et la regardai.) J'ai appris cette blague quand je jouais au golf. Cela fait une éternité, Connie. Je n'ai pas sorti un fer depuis… Pourquoi tu me demandes ça ?

— Je veux entendre la blague que tu as racontée à mon oncle Michael.

— Je ne suis pas sûr de lui avoir raconté celle-là précisément.

— Vas-y, Paul, je veux savoir.

Au cabinet, je préférais qu'on m'appelle docteur O'Rourke, ou tout simplement docteur, mais je ne relevai pas.

— Bref, ils appellent un responsable... en fait, il s'agit d'un curé, d'un pasteur et d'un rabbin, ils sont trois à jouer. Comme je t'ai dit, ça fait une paye. (Elle fit un geste comme si j'étais en voiture et qu'elle voulait que j'avance plus vite.) Donc, les trois gars appellent le gardien et le curé dit : « Cela fait vingt minutes qu'on attend pour jouer, mais ces types mettent une éternité à mettre la balle dans le trou. » Le gardien leur présente ses excuses. « Je comprends pourquoi cela peut agacer des hommes de Dieu tels que vous, mais soyez patients. Ces pauvres types devant vous sont aveugles. » Alors le curé lâche un « Jésus Marie Joseph ! » et fait une bénédiction. Le pasteur marmonne une prière.

Je m'interrompis à nouveau.

— Pourquoi tu t'arrêtes ?

— Je dois vraiment continuer ?

— C'est ça la fin de la blague ?

— Non.

— Alors vas-y, donne-moi la chute.

— Quant au rabbin, il entraîne le gardien à l'écart et lui dit : « Pourquoi vous ne les faites pas jouer la nuit ? »

— Elle est bonne, déclara-t-elle sans un sourire.

— Mais ça ne te fait pas rire.

— Je m'interroge. Pourquoi as-tu raconté cette blague à l'oncle Michael ?

Parce que je voulais le faire rire. Je voulais qu'il m'aime. Je voulais que tous ces gens m'aiment. Je voulais être un Plotz. Être un Juif qui observait la Shiv'ah, qui allait à la synagogue, et avoir des enfants avec Connie bien à l'abri au sein de sa grande famille.

— Pourquoi pas ? répondis-je. Cela n'a rien d'antisémite, non ?

J'avais toujours peur de dire un truc antisémite.

— Cet homme était en train de pleurer sa mère.

— Quoi ?

— Ce n'était vraiment pas le bon moment.

— Non, Connie ! Ce n'est pas à la Shiv'ah que je lui ai raconté cette blague. Je n'aurais jamais fait ça. Jamais, je ne lui aurais raconté la moindre blague à un moment pareil. Jamais ! Qui t'a raconté ça ?

— C'est le bruit qui courait, je t'ai dit. Je n'y ai pas prêté attention sur le coup.

— Tu ne peux pas croire ça ! Connie, allons, jamais je n'aurais raconté un truc pareil à un pauvre gars qui veille sa mère. Je ne suis pas du genre à dire n'importe quoi.

— Tu en es sûr, Paul « Saul » ? Vraiment ?

Je la laissai pour aller m'occuper d'un patient.

* * *

Au fil des années, j'étais passé bien des fois devant la boutique de Carlton B. Sookhart, le vendeur de livres anciens du quartier, et jamais je n'imaginais qu'un jour je passerais le seuil. Et pourtant c'est ce que je fis ce vendredi. Son échoppe était un curieux mélange, entre librairie de livres rares et cabinet des merveilles. Avec son plancher en chêne du Brésil qui craquait sous les pas, la salle principale avait des airs de cales de galion. Une échelle à roulettes, accrochée à son rail, permettait d'accéder aux rayonnages les plus hauts où se pressaient, en masse silencieuse, les témoins de l'histoire humaine. Le bureau du maître des lieux était perché sur une estrade, protégé par des balustres chantournés, fins et délicats comme du verre soufflé de Murano. Suspendue derrière lui, une épée ancienne dans son écrin de Plexiglas, le pommeau incrusté de pierreries – « elle vient des croisades, m'annonça-t-il » –, et dans la vitrine, juste à sa droite, un alignement de crânes, fixant l'éternité de leurs orbites vides. En préambule, il me fit une présentation détaillée d'une pierre posée sur son bureau. Le machin ressemblait à un vulgaire caillou de la taille d'une balle de baseball, mais était en fait un trésor archéologique provenant de fouilles à Jérusalem. Il faisait aujourd'hui office de presse-papier. Quelle tristesse pour une pierre, quelle qu'elle soit, d'être arrachée des entrailles mystérieuses de la terre pour se retrouver à coincer un tas de factures et autres courriers en souffrance dans une boutique borgne de la 82e Rue.

Je lui parlai de ce site indésirable concernant mon cabinet dentaire et des messages publiés en mon nom sur les blogs et les forums.

— Les Cantavétiques, ça vous dit quelque chose ? lui demandai-je.

— Les Cantavétiques ? Qu'est-ce que c'est ?

— Un ensemble de cantations, proposai-je.

— Des cantations ? C'est quoi ça ?

À chaque fin de phrase, sa voix montait dans les aigus, comme s'il tentait de prendre un accent anglais. Ses manches de chemise étaient roulées sur ses coudes et pendant qu'il parlait, il caressait de façon presque obscène ses poils blancs qui couvraient ses avant-bras.

Sookhart avait réalisé de belles transactions par le passé : l'une entre un Jordanien et un musée israélien concernant un fragment des manuscrits de la mer Morte, une autre portant sur un original de la Bible de Gutenberg. Il avait fait office de négociateur dans les deux affaires. Dans les années 1990, sa réputation avait été entachée quand un collectionneur privé accusa Sookhart de contrefaçon. Un test au carbone 14 révéla que sa datation d'une feuille du codex d'Alep (qui aurait appartenu à la partie perdue de la Torah) était erronée, et que le document était bien moins ancien. Internet est une mine d'or !

Je lui tendis une copie de ma page bio. Il en profita pour se caresser encore une fois les poils des bras avant de récupérer les lunettes sur son bureau.

— Non, non, c'est totalement faux, déclara-t-il quand il eut terminé sa lecture. Les tribus d'Israël n'ont pas attaqué les Amalécites. Ce sont eux qui ont attaqué les Israélites.

Il ouvrit sa Bible du roi Jacques, humecta son pouce et son index pour tourner les pages, et la parcourut à une vitesse supragooglique jusqu'au passage recherché :

— « Souviens-toi de ce que Amalec t'a fait en chemin, lorsque vous êtes sortis d'Égypte, comment il est venu à ta rencontre pour attaquer ton arrière-garde, tous ceux qui se traînaient en dernier, alors que tu étais fatigué, épuisé, et cela parce qu'il ne craignait pas Dieu. »

— Ma bio dit qu'ils ont voulu se convertir.

— Se convertir au judaïsme ? Ça m'étonnerait. Les Amalécites étaient des barbares sans dieu. De vulgaires voleurs de chameaux.

— Que leur est-il arrivé ?

— À eux comme à tous ces sauvages, vous voulez dire ? (Il recommença à faire courir ses doigts dans ses poils.) Les Hittites, les Hivites, les Amorrites, les Périzzites, les Édomites, les Jébuséens, les Moabites. Ont-ils été assimilés par les tribus dominantes ? Ont-ils donné naissance aux Indo-Européens ? Ou ont-ils simplement péri ? Allez savoir ?

— Mais il en reste quatre cents à la fin du récit.

— C'est ce qui est écrit, répondit-il en désignant ma page bio, mais cela ne concorde pas avec ce qui est dit dans la Bible, loin s'en faut.

— Et que dit la Bible ?

— Que ces quatre cents hommes ont été effacés de l'Histoire.

— Effacés ?

Il esquissa un sourire malicieux.

— Exterminés, massacrés. À la demande de Dieu, évidemment.

Il humecta à nouveau ses doigts et chercha un autre passage dans sa Bible.

— « Certains membres de la tribu de Siméon... gagnèrent la région montagneuse de Séïr... Ils tuèrent les survivants amalécites qui s'étaient enfuis là-bas. » (Il se rencogna dans son fauteuil.) Le premier génocide connu de l'histoire.

J'affichai sur mon ego-Machine « mon » commentaire » sur le site du *Times* et le lui lus.

— « Un peuple renaissant des cendres des Amalécites qui avaient été autrefois exterminés », répéta-t-il lentement.

Il me regarda pensivement en caressant ses boucles blanches.

— Auquel cas, une question s'impose : quel pourrait être ce peuple ?

* * *

Quand j'étais amoureux de Sam Santacroce, je me suis intéressé au catholicisme. J'avais découvert ainsi que le mot « papiste » était une insulte et que les catholiques, à leur arrivée aux États-Unis, avaient été ostracisés. Ce n'était pas un pays « papiste », et les colons, protestants dans leur grande majorité, doutaient du patriotisme des catholiques parce que les membres de l'Église romaine, par définition, se disaient fidèles à Rome. Les protestants s'employèrent à chasser les catholiques, mais voyant que leurs efforts étaient vains, ils décidèrent de les enclaver dans le nouvel État du Maryland (si mes souvenirs étaient bons). Je n'en revenais pas. Je n'imaginais pas qu'il pût y avoir une telle hostilité entre chrétiens, dont l'icône centrale, quand elle n'était pas clouée sur une croix, se trouvait au milieu des brebis et des enfants. Mais c'était comme ça. Les chrétiens se méfiaient les uns des autres, et les deux groupes se détestaient, et parce que les Santacroce étaient catholiques, parce qu'ils étaient à mes yeux la bonté et l'honnêteté même, avec leur chasse aux œufs de Pâques, leurs voitures européennes rutilantes, et leur affliction quand ils évoquaient le souvenir de tous leurs chiens défunts – en d'autres termes, parce qu'ils incarnaient l'idéal américain –, je me rangeais dans le camp des papistes.

Un soir de fête, après que Sam et moi on se fut remis ensemble, j'étais allé trouver Bob Santacroce. À cette époque j'étais plus enclin à voir les défauts des Santacroce mais toujours tenté par l'idée de ne faire qu'un dans mon corps et mon esprit, d'être touché par la grâce de ma belle-famille. Alors que tout le monde dansait autour de nous, j'avais déclaré à Bob : « Je n'en reviens pas de la façon ignominieuse dont les catholiques ont été traités pendant des années. » Je lui racontai certains épisodes historiques que j'avais appris quand ma Santacromania était à son zénith. Je citai l'exécution de Thomas More, Rome qu'on traitait de « putain de Babylone », le bannissement des catholiques de la vie politique parce qu'ils ne pouvaient signer les serments d'allégeance à la patrie. « Et je ne parle pas des émeutes nativistes de Philadelphie en 1844 ! » ajoutai-je. Et j'aurais pu aussi mentionner que John F. Kennedy, premier et unique président américain de confession catholique, avait été contraint de déclarer qu'il ne serait pas sous la tutelle du pape, pour rassurer ses électeurs. Bob Santacroce était un beau bébé, avec des cheveux châtains et un regard fuyant. Pour des raisons obscures, mais en toute gentillesse m'avait-il assuré, il m'appelait Hillary. « Ouais », m'avait-il répondu en conclusion de mon laïus vibrant. Voyant que je restais devant lui, il m'avait soudain regardé, une lueur s'allumant dans ses yeux : « Au fait, vous êtes bien installé dans l'appartement ? »

Sans nulle équivoque possible, Sam et moi vivions ensemble, mais pour sauver les apparences, les Santacroce me louaient un appartement – qui restait totalement vide. Chaque fois qu'ils nous rendaient visite, ou que venaient des amis de Sam dont les parents étaient enclins aux commérages, j'étais prié de faire un petit tour « chez moi ». Parfois je devais y passer la nuit entière si les parents de Sam s'attardaient, pour qu'ils n'aient pas à supporter ma présence chez leur fille à des heures indues. J'avais accepté de jouer le jeu – moi, l'athée ! – pour faire plaisir à ma dulcinée, et aussi parce que j'avais alors une certaine tolérance pour les faux-semblants. Sans mensonges, sans une dose d'hypocrisie, apprenais-je aux forceps, on ne pouvait accéder à cet *american way of life* dont je rêvais tant. La perfection était à ce prix. Et ces petites compromissions ne sauraient gâcher la beauté de l'ensemble.

— À merveille, répondis-je à Bob. C'est vraiment gentil de votre part de m'avoir acheté un lit.

— On s'est dit que vous ne deviez pas avoir beaucoup d'argent devant vous, à cause des livres, des manuels, et de tout le reste.

— C'est vrai. Je suis souvent fauché.

— Vous n'alliez pas continuer à dormir par terre.

— Non. Ce n'était pas drôle.

— Alors tout est pour le mieux, Hillary. Maintenant, je vais me chercher un nouveau martini.

Plus tard, durant la fête, je l'avais écouté évoquer avec d'anciens camarades de fac comment ils trichaient aux examens et falsifiaient les relevés de notes.

Comment un homme aussi enfermé dans sa bulle de félicité, détaché des vicissitudes du monde, pouvait-il se soucier du sort des catholiques de l'ancien temps ? C'était idiot de ma part. Il se contrefichait des courants antipapistes. Cela ne l'avait pas empêché d'avoir des amis ni de s'enrichir. M'offusquer de ces injustices d'antan, être révolté que les Santacroce – des gens si gentils et si bons – puissent être la cible de tant de haine, était une façon de leur montrer mon affection. Mais évidemment cette intention restait impénétrable à un Bob Santacroce. Et pour ne rien arranger, je n'avais aucun sens du timing. Et oui, je disais trop souvent n'importe quoi. Bob Santacroce était un type simple, un prédateur qui saisissait la moindre occasion de faire du profit. Il aimait l'argent et cela faisait son bonheur. Et il s'était déjà enfilé quatre martinis. Si j'avais su parler baseball, j'aurais été pour lui le gendre idéal.

Aussi, quand je rencontrai les Plotz, j'étais bien décidé à leur parler sport, météo, frasques des people, bagnoles, scandales politiques, prix de l'essence et putters de golf, rien que des sujets sans conséquence. J'avais fait vœu de retenue avec Connie, et il s'appliquait également à sa famille. Pas question, cette fois, de me comporter avec eux comme un crétin. Pourquoi me mettais-je cette pression ? J'avais trente-six ans, de l'instruction et un cabinet dentaire florissant. Qu'avais-je à prouver ? Avant moi, Connie leur avait ramené une brochette de musiciens crasseux et de poètes ratés qui, comme je l'avais appris incidemment, avaient une belle descente et restaient vautrés sur le canapé. Au moins, moi, je gagnais de l'argent. Pour être accepté chez les Plotz, il me suffisait d'être souriant et respectueux. Si je ne dérogeais pas à ces deux règles toutes simples, un jour, peut-être, m'aimeraient-ils.

Mais les Plotz n'étaient pas du genre à parler chiffons comme les Santacroce à leurs sauteries. Quand les Plotz se rassemblaient, tout le monde se coupait la parole et s'enflammait. On ne parlait pas de la pluie et du beau temps. Les sujets étaient la politique, à la fois la nôtre et celle d'Israël, et chacun avait une opinion bien tranchée.

Et le ton montait inexorablement. Tout était une question de vie ou de mort. Même parler de livres, de films ou recettes de cuisine devenait une question existentielle. Leurs ancêtres, colporteurs ou petits commerçants dans le Lower East Side, s'étaient serré la ceinture pour payer les études de leurs enfants ; alors, pour ces gens, rien n'était jamais acquis. Ils ne pouvaient se permettre d'être frivoles. J'aimais ça. En ce sens, je les respectais plus que les Santacroce. Ainsi, tout en étant enclin à la retenue, de par mon âge, ma réussite professionnelle et les enseignements que j'avais tirés de mes précédents échecs, je me trouvais sous le charme de ce clan irrésistible, avec leurs discussions passionnées, leur solidarité d'airain. C'était la première fois que je côtoyais une famille juive américaine.

Chez l'athée, le plus triste ce n'est pas la perte de la foi et, par suite, des réconforts qu'elle procure – et ce n'est pas un epsilon négligeable, je vous le dis ! Non, le plus terrible, c'est la perte d'un vocabulaire essentiel à l'humanité. La grâce, la compassion, la transcendance… bien sûr, je pouvais ressentir tout ça avec au moins autant de force qu'un vrai croyant (même si nos avis auraient divergé s'il avait fallu expliquer leur essence ultime) ; mais voilà, n'ayant pas d'autres mots pour décrire ces notions, je devais emprunter le lexique d'une doctrine poussiéreuse et morte. Voilà pourquoi, lorsque j'étais tombé amoureux de Connie et avais fait la connaissance des Plotz, alors que je n'utilisais jamais ce mot, lui seul m'était venu à l'esprit : je m'étais senti « béni ».

Même si je faisais très attention à mon comportement, j'ai quand même dérapé une ou deux fois. J'ai déjà parlé de ma débauche de flatteries au mariage de la sœur de Connie et de la hora frénétique que j'avais dansée. Il y avait eu aussi la fois où, sur un coup de tête, alors que Connie ne pouvait m'entendre, j'avais proposé à Ira et Anne, son oncle et sa tante, de m'occuper de leur dentition à vie, gratuitement.

— Venez quand vous voulez, avais-je déclamé en tendant ma carte à Ira. Même sans rendez-vous.

Ira avait retourné ma carte de visite, pour regarder fixement le verso vierge, avant de la tendre à son épouse.

— J'ai déjà un dentiste, répondit Ira. Pourquoi m'en faudrait-il deux ?

— Ce garçon essaie juste d'être gentil, Ira, intervint Anne, qui chassa la remarque de son mari d'un geste et me remercia de mon offre. Mais c'est vrai, ajouta-t-elle. Nous avons le même dentiste depuis vingt ans. Le Dr Lux. Vous le connaissez ?

Je secouai la tête.

— Cela n'a rien d'étonnant, il est dans le New Jersey. Il n'y a pas meilleur que le Dr Lux. On n'en fait plus des comme ça.

— Eh bien, considérez mon offre comme un plan B. En cas d'urgence.

— Si j'ai une urgence, répliqua Ira, c'est Lux que j'appellerai.

Anne roula des yeux et reprit :

— En fait, il veut vous dire merci.

À cette époque, j'avais commencé à étudier le judaïsme. J'allais à la bibliothèque et lisais tout ce que je pouvais. Mais rien sur les Romains (trop loin) et rien non plus sur les nazis (trop connu). Je m'intéressais davantage à des événements plus mineurs : un groupe de Juifs accusés à tort de quelque peccadille qui avaient été tués et spoliés de tous leurs biens (biens qui avaient été immédiatement transformés en monnaie sonnante et trébuchante par le clergé local) ; cinquante Israélites brûlés vifs dans un cimetière, leurs cris d'agonie détaillés avec une satisfaction clinique dans le journal d'un chrétien ; des enfants arrachés des flammes et baptisés de force sous les yeux de leurs parents achevant de se consumer sur le bûcher. À la lumière de l'histoire juive, le monde ne pouvait paraître plus malade, plus vil et furieux. Un monde au-delà de toute rédemption. Et je voulais partager ça avec eux, leur dire ma compassion. Bien sûr, c'était ridicule, aussi ridicule que la fois où j'avais tenté de me rapprocher de Bob Santacroce en lui parlant des anticatholiques – des gars, soit dit en passant, qui, comparés à ce qu'avaient fait les antisémites, étaient des enfants de chœur. Et plus qu'à quiconque, je voulais le dire à l'oncle Stuart. Je ne sais pas pourquoi. Sa stature hiératique, peut-être. Il donnait l'impression de n'avoir quasiment pas besoin de manger, qu'il se nourrissait de chair transcendantale, qu'il trouvait sa pitance dans des sphères supérieures, dans la Torah et le silence. Mais je me retenais. L'oncle de Connie n'avait nul besoin d'entendre mes excuses concernant les injustices de l'histoire, des injustices dont, il fallait bien le reconnaître, je n'étais nullement responsable. Et je ne voulais pas qu'il s'imagine que j'essayais de m'excuser ou que j'avais de la pitié pour lui et tous ses aïeux. Je voulais juste lui dire que j'étais conscient, que je savais et n'oubliais pas. Mais que savais-je au juste ? Même si j'avais tout su des Juifs – ce qui m'était impossible –, tout de leur histoire, tout de leur souffrance, tout de leur théologie, la belle affaire ! D'accord, je pouvais aller trouver l'oncle Stuart et lui dire « je me suis documenté sur les croisades », ou « je me suis documenté sur les pogroms », ou « je me suis documenté sur les conversions de force ». Mais voulais-je réellement parler des croisades, des pogroms, des conversions ? Ou était-ce moi le véritable sujet ? Comme avec Bob Santacroce, lors de ma tentative malheureuse de rapprochement, en vérité, je voulais dire quelque chose de moi. Mais, à l'inverse de Bob Santacroce, Stuart Plotz ne s'en ficherait pas. Il ne fallait pas que je parle de ces choses avec trop de distance, sinon tout ce que l'oncle Stuart entendrait, ce serait « les croisades, beurk !

les pogroms, beurk ! les conversions, beurk ! », comme si j'énumérais un hit-parade d'anciennes infamies ; et c'était facile de condamner tout ça aujourd'hui avec le recul. En même temps, j'avais décidé de brider mes accès passionnés, et l'histoire de l'antisémitisme, l'expulsion des Juifs de France, d'Espagne et d'Angleterre, la mort de millions de gens dans l'Holocauste, la monstruosité de tout ça incitait à la retenue. C'était même un prérequis indispensable.

Finalement, un soir, durant l'anniversaire de Theo, un cousin de Connie, je commis ma bévue.

Je n'avais pas été athée de tout temps. Avant la mort de mon père, mes parents étaient des protestants peu pratiquants, pour ne pas dire pas du tout. Nous n'allions à l'église que quelquefois dans l'année, comme ça, en dilettantes, sauf une fois, quand j'avais huit ans, nous y sommes allés durant huit semaines consécutives – et aussi à l'École du dimanche et aux goûters du mercredi. C'était une idée de mon père, sans doute une tentative désespérée pour ne pas nous emmener tous dans le mur. Il avait dû se dire que Dieu était la réponse, qu'il pouvait guérir de tout, y compris de sa manie de ramener à la maison tous les fers à repasser que vendait Sears, puis de sangloter au-dessus de l'évier tandis que notre mère les rapportait au magasin. (Et moi, je le regardais à distance, autant troublé par le comportement des adultes que par le fait de le voir pleurer.) Après sa mort, ma mère, perdue, cherchant la force de surmonter l'inconcevable, fit le tour des églises – il y eut la baptiste, la luthérienne, l'épiscopale, celle de l'Assemblée de Dieu, celle des Disciples du Christ, des églises modérées et des évangéliques, des églises prêchant la damnation et d'autres prêchant la donation… trois petits tours et puis s'en vont. Retour à la maison, station sur le canapé, pour le purgatoire à l'américaine : regarder la télévision.

Durant cette période toutefois, j'appris, par ces bigotes qui se penchaient vers moi, les mains jointes, par ces hommes en noir toujours à empiler des chaises ou ces vieux diacres qui voulaient me prendre sur leurs genoux, que Dieu était vivant, partout présent et veillait sur moi. Dieu était tout-puissant, et doux, et s'occupait de toutes les vilaines choses. Il nous avait envoyé son fils, Jésus-Christ, mourir pour nos péchés, et j'aurais tout Son amour si je le voulais. Si j'aimais Jésus de tout mon cœur, Il me rendrait mon papa dans un endroit merveilleux appelé le Paradis. Les blessures de mon père seraient guéries et ses péchés pardonnés. Il ne connaîtrait plus jamais la tristesse, ma mère l'aimerait et ne pleurerait jamais plus, et dans l'au-delà, nous serions réunis à jamais tous les trois. Je voulais tant y croire qu'à la fin, pendant un temps, je le crus.

C'est à cette époque que j'entendis parler de Martin Luther. À l'École du dimanche, on nous disait que Luther était un héros, l'homme qui s'était dressé contre le pape et avait rendu la Bible au peuple. Même si j'avais eu une moins bonne opinion de lui durant ma phase Santacroce, je finis par mesurer que le véritable legs de Luther à l'humanité, c'était l'Amérique elle-même, avec toutes ses composantes protestantes. En revanche, concernant le judaïsme, Luther avait été un gros con. Luther pensait qu'après avoir sauvé les Écritures de la perversion papale et libéré enfin la toute-puissance du Verbe, les Juifs se convertiraient en masse. Il ne doutait de rien, le Teuton ! Les Juifs ne s'étaient pas convertis du vivant du Christ, ni sous le joug des Romains et lors du sac de Jérusalem, ni pendant le tumulte des croisades, et pas davantage quand les royaumes d'Europe les avaient dépossédés de leurs biens et condamnés, eux et leurs enfants, à l'exil et la mort… mais Luther se disait qu'en leur montrant sa nouvelle Bible, cela ferait le job ! Vexé par la résistance des Juifs, Luther vit tout rouge. Il s'installa à sa table et rédigea : *Des Juifs et de leurs mensonges*, un titre reflétant ses nouveaux sentiments envers cette communauté.

Je brûlais de demander à l'oncle Stuart s'il connaissait les propos haineux et irresponsables qu'avait prodigués Luther à l'encontre des Israélites, s'il savait que ses écrits avaient été le ciment de cinq siècles d'antisémitisme et avaient pavé le chemin à l'Holocauste. Je voulais savoir ce qu'il pensait de Luther et de sa vanité aryenne. Mais l'oncle Stuart m'impressionnait trop à l'époque – et c'était avant qu'il ne vienne s'asseoir à côté de moi au mariage de la sœur de Connie pour me raconter sa blague. Mais je ne pouvais pas ne rien dire, pas après ce que j'avais découvert sur Martin Luther, pas maintenant que je participais à une fête chez les Plotz. Ils étaient là « les Juifs et leurs mensonges ». C'étaient eux ces « vers venimeux et vénéneux » selon les propres termes de Luther, tous rassemblés ici pour célébrer l'anniversaire de Theo : Gloria Plotz, la grand-mère de Connie, aveugle (dégénérescence maculaire) mais regardant tout sourire sa petite-fille ; le cousin Joel, avec son rire tonitruant ; le bébé endormi dans les bras de sa sœur Deborah ; et son oncle Ira, qui mangeait un cookie dans un coin. « Nous sommes fautifs de ne pas les tuer », avait conclu Luther en parlant de ces gens : tantes, oncles, cousins, cousines, ceux qui avaient apporté des présents, ceux qui buvaient du punch. Alors n'y tenant plus, je m'approchai d'Ira.

— J'ai lu ce qu'a écrit Martin Luther, lui annonçai-je. (Il me regarda.) Vous saviez qu'il a rédigé un pamphlet intitulé *Des Juifs et de leurs mensonges* ?

Il redressa les sourcils et les garda haussés en continuant à mâchonner son gâteau.

— Je l'ai lu, poursuivis-je.

— Pourquoi ?

— Comment ça « pourquoi » ?

— Ben oui, pourquoi ? répéta-t-il en avalant son reste de cookie.

— Parce que je n'avais encore jamais lu ce qu'il avait écrit.

Il essuya sa barbe avec une serviette en papier et me regarda en silence.

— C'était un antisémite virulent, ajoutai-je.

Il y eut un silence.

— Et… ?

— Et il a dit des choses terribles. Regardez ça. J'ai noté quelques passages.

Je sortis les petites feuilles que donnait la bibliothèque, sur lesquelles j'avais recopié quelques morceaux choisis de la prose de Luther. Je les tendis à Ira.

— *À chaque fois que vous regardez ou pensez à un Juif,* lut Ira, *vous devez vous dire : attention, cette bouche que je vois là a, tous les samedis, maudit, exécré et craché sur mon Seigneur Jésus-Christ qui m'a sauvé en donnant son précieux sang ; et cette bouche a aussi prié et maudit…* (Il s'interrompit et me regarda de nouveau.) Pourquoi avez-vous noté ça ?

Parce que je ne supportais pas que de telles choses puissent avoir été écrites, et soient encore accessibles au grand public. Mais ces phrases immondes, elles étaient justement écrites de ma main sur des bouts de papiers fournis par la bibliothèque ! Je les avais sur moi et je les montrais aux gens pendant des fêtes d'anniversaire ! Soudain, je vis avec les yeux d'Ira – c'était une abomination.

— Vous vous trimballez avec ça dans les poches ?

— Pas tout le temps.

— Ce sont de belles citations, me dit-il en me rendant mes papiers.

En se détournant, il eut un infime froncement de sourcils. Ce qu'il pensait de moi était explicite.

J'aurais pu dire ou faire n'importe quoi à l'époque. Alors, oui, il était possible, songeai-je plus tard, les yeux écarquillés de terreur à trois heures du matin, que j'eusse raconté cette blague à Michael Plotz, et peut-être bien alors qu'il venait d'enterrer sa mère.

* * *

Après avoir vu Sookhart ce matin-là, j'étais allé acheter des cigarettes. Pendant que je faisais la queue, la couverture d'un magazine people avait attiré mon regard : « Daughn et Taylor de nouveau ensemble ? » écrit en gros caractères. L'image m'était revenue à l'esprit plus tard dans la journée, pendant que je soignais un patient. J'ignorais que Daughn et Taylor avaient été ensemble, encore plus qu'ils avaient rompu. Et aujourd'hui, apparemment, ils s'étaient rabibochés ? Plus troublant encore : je ne savais pas du tout qui étaient Daughn et Taylor. Daughn et Taylor… Daughn et Taylor… C'était qui ces deux-là ? À l'évidence, j'étais censé les connaître, vu que leur hypothétique réconciliation faisant la Une d'un des plus célèbres magazines du pays. Mais je ne les connaissais pas. Et ce simple fait me montrait à quel point j'étais à nouveau dans ma bulle. Pendant un temps, je me trouvais en phase avec le monde, et une couv' telle que « Daughn et Taylor de nouveau ensemble ? » venait m'annoncer mon retour au statut de reclus. Pourquoi m'isolais-je ainsi ? D'accord, j'étais un vieux. Et je ne regardais pas les talk-shows, les films, ou les concerts où pouvaient apparaître ce genre de personnes. Et je n'avais pas le temps de chercher sur le net des vidéos X pirates sur des people. Et même si je me contrefichais de ces deux-là comme de ma première chemise, je me sentais hors-jeu. Il fallait que je sache qui étaient Daughn et Taylor. Ou, à défaut, qui était le garçon – Daughn ou Taylor ? Avec des prénoms pareils, comment savoir. On en était réduits à des suppositions. Je me disais que Daughn devait être le garçon, à moins que ce ne soit une graphie fantaisiste de « Dawn ». Auquel cas Daughn serait la femme et Taylor l'homme. À moins que… (cela me vint d'un coup) à moins qu'il ne s'agisse de deux hommes, ou de deux femmes ? À notre époque, les couples appelés par leurs prénoms par les paparazzis n'étaient pas exclusivement mixtes. Il pouvait s'agir de couple *monosexe*, comme Ellen et Portia. Ellen et Portia, elles, je les connaissais. Brad et Angelina, je les connaissais. Et aussi, avant Brad et Angelina, Brad et Jen, et avant encore, Brad et Gwyneth. Tout comme avant Tom et Katie, je connaissais Tom et Nicole, et avant Tom et Nicole, je connaissais Tom et Mimi. Je connaissais aussi Bruce et Demi, Johnny et Kate, et Ben et Jennifer. Combien de couples de célébrités avais-je ainsi connus et qui, depuis, étaient devenus *has been* ! Pour les gens qui suivaient les péripéties conjugales de Daughn et Taylor, Bruce et Demi étaient des antiquités des années 1980. Les années 1980, c'était il y a trente ans. Et pour les *followers* de Daughn et Taylor, les années 1980, c'était comme les années 1950 pour moi. Les années disco, du jour au lendemain, étaient devenues aussi ringardes que les années twist ! Incroyable. Pour les fans de Daughn et Taylor, je devais porter une toque à la Davy Crockett et me planquer encore sous mon bureau de peur d'une attaque des Soviétiques ! Bientôt les années 2010 deviendront à leur tour les années 1980, et personne ne se souviendra de Daughn et Taylor, et après encore, on sera tous morts. Il fallait donc que je sache qui étaient Daughn et Taylor. Tout de suite ! Et au diable mon patient. (J'étais occupé à suturer sa gencive mandibulaire à la suite d'une greffe.) Je relevai les yeux vers Abby. Abby devait savoir qui étaient Daughn et Taylor. Il suffisait de le lui demander. Mais c'était inenvisageable – pas parce qu'elle serait trop intimidée pour me répondre. Mais parce qu'elle allait me juger. Comment pouvais-je ne pas connaître Daughn et Taylor ? Tout le monde savait qui étaient Daughn et Taylor. Je l'entendais déjà se dire : « Il ne connaît pas Daughn et Taylor ? Il est tellement replié sur lui-même. Et tellement vieux. Et déjà plus de ce monde. Que c'est pathétique ! » Pas question de demander à Abby. J'allais rester tranquillement ici, sans rien dire, à finir ces sutures, et sentir peser sur moi le poids des années pendant encore un quart d'heure avant que je puisse récupérer mon ego-Machine, me reconnecter au monde et…

— Docteur O'Rourke ?

C'était Connie. Avec son iPad.

— Quand vous aurez une minute…

— Connie, ça me rend fou. Qui c'est ça, Daughn et Taylor ?

Elle me regarda comme si j'avais bu une bouteille d'eau de javel.

— Vous ne connaissez pas Daughn et Taylor, docteur ?

— Oui et non.

Elle m'éclaira. Ils étaient rien ou presque !

Je terminai mes points sur le greffon et la rejoignis dans le couloir.

— Je viens de recevoir une invit' à être ami, m'annonça-t-elle.

— Sur Facebook, tu veux dire ?

— Oui, sur Facebook.

— Pourquoi tu me racontes ça ? Que veux-tu que ça me fasse ? Tu veux un conseil ? Les amis sont précieux. Irremplaçables. Ils sont souvent plus fidèles que la famille. Mais la prochaine fois que tu éplucheras tes contacts sur ton téléphone, demande-toi combien d'entre eux sont réellement des amis. Tu en trouveras un, deux à la limite. Et si tu y regardes à deux fois, tu t'apercevras que ça fait des lustres que tu ne leur as pas parlé à ces deux-là, et qu'aujourd'hui, selon toute vraisemblance, tu t'es éloignée d'eux et que vous n'avez plus rien à vous dire. Alors, si tu veux mon avis, refuse l'invitation. Ça vient de qui ?

Elle me montra l'iPad.

— De toi.

* * *

La photo sur Facebook provenait encore une fois d'une caméra de surveillance. Un téléobjectif avait passé son œil avide par la fenêtre de la salle d'examen numéro Trois, alors que je m'occupais d'un patient.

Il y avait mon nom : Dr Paul C. O'Rourke, Chirurgien-Dentiste, Manhattan, NY.

Dans la case « Activités et Intérêts », il était écrit « Les Red Sox de Boston ».

Les Red Sox, une activité ? Un intérêt ? Pas une dévotion totale ? Un vœu solennel ? Une ode à un défunt ? Pas un besoin obsessionnel ? – Les Sox, un simple hobby ? Je serais simplement curieux de savoir quand ils jouent, si c'est à domicile ou à l'extérieur, s'ils gagnent ou perdent – des choses comme ça ? Et peut-être lire leurs résultats dans le journal le lendemain ? Comme des millions d'autres personnes en somme ? Il aurait fallu inventer une autre case : « Risque d'infarctus », « Addictions et déchéances », « Question de vie et de mort ». Et pas juste « Activités et intérêts » ? Voilà comment c'était présenté. Dans ce dépouillement terrifiant. Voilà à quoi cela se réduisait – trente ans de larmes, trente ans de joies et de souffrance. À une activité et à un intérêt !

Ce n'est pas seulement cette simplification outrancière qui me rendait furieux. N'avais-je pas d'autres intérêts dans la vie ? Et le banjo ? Et la crosse en salle ? Et l'espagnol ? Avant de ranger mes clubs, j'avais fait venir un ferronnier pour retirer un mètre de rambarde sur mon balcon pour que je puisse taper des balles par-dessus la Promenade ;

les nuits d'insomnie, ça pleuvait sur l'East River jusqu'à ce que le bateau des gardes-côtes, avec leur projecteur de DCA, ne vienne interrompre mes swings. Où était « le golf en rivière » dans la rubrique « Activités et intérêts » ?

À l'été 2011, Facebook n'avait qu'un seul numéro vert pour recevoir les doléances ou les récriminations des utilisateurs, abonnés comme non abonnés. On était accueilli par ce message de bienvenue : « Merci d'avoir contacté Facebook. Malheureusement, nous ne sommes pas en mesure, à ce jour, d'offrir une assistance par téléphone. »

J'ai appuyé sur plein de boutons dans l'espoir de tomber sur une extension, sur un humain, mais en vain.

Aucune invention sur terre, que ce soit la presse, le télégraphe, la poste ou le téléphone, n'avait autant amélioré la communication humaine qu'Internet. Mais comment un individu lambda, une voix inaudible et insignifiante, pouvait-il communiquer avec Internet. À qui pouvait-on s'adresser pour rapporter une erreur ? Obtenir réparation ?

— Pourquoi tu appelles ? demanda Connie. Pourquoi contacter Facebook ?

— Ils ont forcément une sorte de service clients ?

— Ils n'ont pas de « clients ».

— Une hotline alors ? Un service réclamations ? On peut bien appeler ses amis, alors pourquoi pas les GO de Facebook ?

— Allons voir en ligne ce qu'ils suggèrent.

— Ce site est un scandale ! « Activités et intérêts » ! Ce sont des réducteurs d'âmes, des Jivaros de la personnalité !

— Doucement.

Je criais en Dolby Surround. Elle désigna du menton la salle d'attente.

— Calme-toi.

— Me calmer ? murmurai-je.

Elle observa l'écran un long moment.

— C'est quoi un Ulm ? articula-t-elle.

— Un quoi ?

— Un Ulm. Il est écrit ici que tu es un Ulm.

Je regardai à nouveau l'iPad. J'était tellement outré par cette rubrique « Activités et intérêts » que j'avais raté ce que mon double avait mis dans la case « religion » : Ulm.

— C'est comme ça que m'a appelé Frushtick !

— Qui ça ?

— Mon patient ! Le type qui a mis en ligne le site.

— Celui qui partait pour Israël ?

— Il a dit qu'il était un Ulm. Et que j'en étais un aussi. Ça me revient maintenant.

— Et c'est quoi « être un Ulm » ?

— Aucune idée, mais ils vont croire que j'en suis un.

— Qui ça ?

— N'importe qui. Tout le monde. Je ne maîtrise plus rien, Connie ! Je suis pris en otage. Regarde ça ! Ils m'ont volé ma vie !

— Juste sur la toile.

Ma vie réelle et ma vie online ; y avait-il une différence ?

— On ne peut pas s'effacer, dis-je.

— S'effacer ?

— J'ai essayé, mais c'est impossible. On ne peut pas se rétracter ou je ne sais quoi. Plus maintenant. Je suis coincé là-dedans, soupirai-je en contemplant ma page Facebook. Ma vie, maintenant, elle est là.

* * *

Je prévins Talsman, qui m'orienta vers une avocate spécialiste en cybercriminalité.

Puis j'écrivis à Séïr Design, pour leur dire ma colère, les menacer, exposer les représailles que j'envisageais, et aussi pour les appeler à la raison et à la compassion humaine.

Je ne sais pas ce que je vous ai fait, mais ce doit être très grave, puisque vous avez décidé de ruiner ma vie.

Je reçus rapidement cette réponse, la deuxième, aussi lapidaire que la première :

Que savez-vous réellement de votre vie ?

J'appelai Sookhart. Il connaissait Ulm, en Allemagne, lieu de naissance d'Albert Einstein. Mais le nom d'un peuple ancien, descendant des Amalécites ? Il en doutait fort.

— Une autre tribu sémite, datant des temps bibliques et ayant survécu… Cela semble tiré par les cheveux.

Je lui demandai s'il avait déniché des informations sur ce livre saint, les Cantavétiques.

— J'ai jeté un coup d'œil. Je n'ai rien trouvé sur Internet et n'en ai jamais entendu parler. J'ai effectué quelques recherches, sans grand résultat. Mais je vous l'accorde, ajouta-t-il, cela semble presque réel.

* * *

Plus tard dans la journée, je fis la connaissance d'un nouveau patient. Sitôt que je fus assis à côté de lui, il m'informa de son aversion pour la douleur. Bien sûr, personne n'aime souffrir, disait-il, mais son intolérance était plus aiguë que celle du commun des mortels. Pour cette raison, il n'allait jamais chez le dentiste. Même les bidules en plastique qu'on lui mettait dans la bouche pour les radios lui étaient déjà insupportables et jamais il ne laissait quiconque lui nettoyer ou lui détartrer les dents par peur d'avoir mal. Tout ce qu'il voulait aujourd'hui, c'était ouvrir la bouche pour que je regarde à l'intérieur et lui assure qu'il n'avait pas de cancer. Quelques mois plus tôt, il s'était réveillé avec une douleur, comme un abcès ou un aphte ; il pensait que cela allait disparaître comme c'était venu, mais c'était resté. Cela avait même grandi. Au fil des semaines, sa langue s'était mise à enfler. Quand je lui demandai depuis quand il avait constaté le gonflement, il me répondit six ou sept semaines. « D'accord, dis-je, jetons un coup d'œil ». Mais il n'ouvrit pas la bouche. Jamais je n'avais vu quelqu'un garder la bouche fermée après que j'ai dit « D'accord, jetons un coup d'œil ». Elle n'était pas simplement fermée, mais verrouillée et ses lèvres étaient toutes froncées. On aurait dit un boxeur en sueur et privé de sexe depuis trop longtemps, au milieu du ring, se préparant au combat.

— J'espère que vous m'avez bien compris, lâcha-t-il. Je ne viens pas faire un examen. Je me fiche de savoir si j'ai de la plaque dentaire ou une gingivite. Je sais que ce ne doit pas être beau à voir là-dedans. Vous allez vouloir me faire des trucs. Je m'en fiche. Il faut que ce soit bien clair entre nous. Je ne tolérerai aucune douleur, même la plus infime. Et ne me parlez pas d'anesthésie. Quand l'anesthésie cesse de faire effet, la douleur vient, et, encore une fois, je ne supporte pas la douleur. C'est bien compris ?

Je rendis à Abby mon crochet de berger et levai les mains en l'air comme si je venais de lâcher un pistolet.

— Dites-le à haute voix, insista-t-il. Dites que vous avez bien compris ce que j'ai dit.

— C'est clair comme de l'eau de roche.

Il ouvrit la bouche. Au mieux, il lui restait six mois à vivre.

* * *

Après avoir envoyé ce gars chez un oncologue et traité mon dernier patient de la journée, je me mis à faire du ménage. Le silence était revenu dans le cabinet, les machines avaient fini de bourdonner. La télévision avait été éteinte, et mes trois employées vaquaient à leurs petites affaires. Le rangement, d'ordinaire, c'était le travail d'Abby, mais j'avais envie d'aider ce soir-là. Je désinfectai les fauteuils, époussetai les lampes. Je débarrassai les plans de travail et les récurai. Les éviers aussi. Je vidai les poubelles des salles d'examen. Au moment d'attraper la corbeille à l'accueil, une pile de chemises attira mon attention. D'anciens dossiers médicaux. Ils n'avaient pas été rangés, ou alors il y a longtemps et, se retrouvant éjectés par l'arrivée de nouveaux patients, ils attendaient d'être archivés. J'en pris un au hasard : McCormack, Maudie. Dernier rendez-vous : 19/04/04. Je le balançai dans mon sac poubelle. Comme toute la pile. Puis je pris une autre chemise sur l'étagère : Kastner, Ryan. Dernier rendez-vous : 08/09/05. Poubelle. Je sortis alors d'autres dossiers et les jetai un à un. Betsy Convoy débarqua, les yeux écarquillés. « Qu'est-ce que vous faites ? » Je l'ignorai. Elle fit un pas vers moi. « Quelle mouche vous pique ? » Je pris un autre sac poubelle pour accueillir une nouvelle sélection de dossiers. Betsy piocha au hasard une chemise dans le premier sac et l'ouvrit. « Vous ne pouvez pas jeter ça, annonça-t-elle en étudiant son contenu. Vous avez vu la date du dernier rendez-vous ? » Je poursuivais, imperturbable, mon œuvre d'assainissement. « Nous sommes tenus de conserver les dossiers des patients pendant au minimum six ans, selon l'article 29.2. Ce dossier n'a que quatre ans. » « Et pourtant, je le jette », répondis-je. « Mais vous ne pouvez pas. L'ADA dit que… » Elle me sortit tout un tas de trucs qu'affirmait l'American Dental Association. Mais RAB de l'ADA ! Soudain, je me fichais des règles, des lois, du suivi des soins, de l'éthique. « Ces gens ont besoin d'un nouveau départ. Voilà ce que je leur offre. » « Un nouveau départ ? Vous avez perdu l'esprit ? » Pour toute réponse, je balançai dans le sac d'autres chemises. Connie s'approcha en silence.

Betsy ouvrait un à un tous les dossiers pour vérifier s'ils étaient « périmés » ou non, alors que je les jetais à pleines brassées. « Celui-ci date de 2008. Vous ne pouvez pas le mettre à la poubelle. Professionnellement, vous avez l'obligation de… » Et elle y alla de son sermon. « 2008, c'est carrément une autre ère ! Ces abrutis ne reviendront jamais. » « Qu'en savez-vous ? Rien ! Rien du tout ! » Malgré ses hauts cris, j'en balançai encore. Abby avait rejoint Connie, et elles nous observaient comme deux enfants regardant leurs parents se disputer. « Ils ne reviendront pas. Ils ne reviennent jamais. Jamais ! » « C'est faux. Complètement faux ! Nous avons, au contraire, un taux de fidélité hors pair ! » Elle poursuivit son argumentation, voulant me démontrer que sur ce point, j'étais bien meilleur que les autres dentistes avec lesquels elle avait travaillé, et que je devrais en être fier. J'en profitai pour jeter d'autres dossiers. « Qu'ils reviennent ou non, que voulez-vous que cela me fasse ? Quelle importance ? » Par bravade, j'attrapai vingt chemises d'un coup et les lançai dans la poubelle. « Ça suffit ! » cria-t-elle. « Toute cette paperasse nous encombre ! » répliquai-je. « Arrêtez, Paul, je vous en prie. Arrêtez. » Je jetai un dernier dossier et m'en retournai chez moi.

5.

Kari Gutrich, l'experte en cybercriminalité que m'avait recommandée Talsman, répondit à mon appel le mercredi suivant. Elle m'annonça que je pourrai porter plainte pour dommages et intérêts quand les dégâts seront faits, mais quant à les empêcher, c'était pratiquement impossible. Tout allait trop vite sur Internet.

— Quel organisme d'État, quelle agence gouvernementale pourrait-on alerter ? lança-t-elle.

— La police ? Les tribunaux ?

Elle rit, avec un peu trop d'entrain à mon goût.

— C'est bon quand on est dehors, ça. Mais là, vous êtes dedans !

— Dans quoi ?

La police, les tribunaux… c'est ce qui venait à l'esprit du commun des mortels quand il s'agissait de technologie et de droit, m'expliqua-t-elle. Les législations futures imposeraient sans doute des contrôles plus stricts concernant les usurpations d'identité, les diffamations et autres atteintes à notre image sur la toile, mais pour l'heure les lois étaient floues, et ne savaient pas répondre à ces problèmes. Et on ne pouvait saisir les tribunaux juste parce qu'on était agacé.

— Agacé ? Ils ont créé un site pour mon cabinet, une page Facebook à mon nom, mis en ligne des photos de moi, des photos volées, et maintenant ils utilisent mon nom pour faire des commentaires sur Internet, en laissant entendre que je suis un membre d'une sorte de secte, et le seul argument légal que j'aurais, ce serait l'agacement ?

— Vous savez qui vous fait ça ?

— Je sais qui a enregistré le site.

Je lui donnai le nom : Al Frushtick.

— On peut sans doute parvenir à faire fermer ce site, mais ça s'arrête là, juridiquement et, plus important, physiquement.

C'était à se taper la tête contre les murs.

— On ne peut pas les poursuivre pour diffamation ?

— Quels torts vous ont-ils causés ? On l'ignore encore.

Elle me conseilla de ne rien faire, absolument rien. Si par mégarde je bougeais le petit doigt, je risquais d'attirer encore plus l'attention sur mon double numérique, le fameux « effet Streisand ». Si on apprenait que je tentais officiellement de faire supprimer quelque chose sur la toile, alors tout le monde irait voir ce que c'est, et les ragots iraient bon train et ce serait la spirale infernale.

— Streisand ? Comme Barbra ?

— Nous avons rédigé un fascicule compilant la conduite à suivre en pareil cas. Donnez-moi votre adresse mail et je vous l'envoie.

— Vous ne pouvez pas le faxer ?

— Ne réagissez pas, me répéta-t-elle, même si ça vous démange, laissez les choses suivre leur cours. Ultérieurement, nous ferons un point pour établir le meilleur angle d'attaque.

Elle devait regarder l'écran de son ordinateur tout en me parlant :

— Ce n'est vraiment pas vous qui avez fait ce site ? demanda-t-elle.

— Non. Bien sûr que non.

Sans doute voulut-elle me remonter le moral :

— Il est plutôt bien fait, c'est déjà ça.

* * *

Je me tenais devant la porte de la salle Trois, et écrivais une réponse à Séïr Design sur mon ego-Machine : « Pourquoi me demandez-vous ce que je sais de ma vie, Al ? »

> Et en quoi ça vous regarde ? Vous avez montré vos limites en disant que pour moi, les Red Sox de Boston sont une « activité et un intérêt ». À mon avis, vous n'êtes pas un homme. Mais un programme, dont la fonction est de me pourrir la vie. Il n'y a qu'une base de données stupide qui puisse savoir que mon deuxième nom commence par un C.

Al ou le programme répondit aussitôt :

> *Je ne m'appelle pas Al, Paul. Ce que je sais sur vous est bien plus vaste que les infos d'une bande de données. Je ne suis pas un programme informatique, mais une personne avec un cœur qui bat, qui vous tend le bras pour vous dire que je m'inquiète pour vous. Je suis votre âme sœur.*

J'écrivis :

> Betsy ?

J'effaçai ça et tapai à la place :

> Que savez-vous de moi ou croyez savoir de moi ?

Ne recevant pas de réponse, je perdis patience :

> Suis-je un pantouflard ou un fêtard ? Suis-je plutôt chat ou plutôt chien ? Est-ce que je tiens un journal intime ? Est-ce que je regarde les oiseaux ? Collectionne des timbres ? Est-ce que j'organise mes week-ends à l'avance, avec un planning surchargé, ou est-ce que je reste assis et regarde le temps et les opportunités passer ? Vous n'en savez rien. Et vous savez pourquoi ? Parce que je peux tout changer à ma volonté et ruiner vos savantes supputations. On ne peut me limiter à ce que j'achète en ligne, personne et encore moins vos algorithmes simplificateurs ! Regardez-moi détruire la petite case où vous m'avez mis. Je suis un homme, pas un animal en café.

Satané correcteur automatique ! Je rectifiai aussitôt :

> Lire : « cage »

On me répondit :

> *Voilà ce que je sais de votre vie. Vous êtes pantouflard parce que votre profession vous y contraint. Vous êtes hermétique à la nature, incapable d'être en connexion avec elle. Vous l'avez remplacée par l'Internet et la télévision, qui arrivent tous deux directement chez vous ; ils satisfont vos besoins de distraction tout en anesthésiant votre appétence de spiritualité. Vous n'avez pas d'enfants parce que vous vous sentez perdu et déraciné, et que vous ne voulez pas transmettre ça à un enfant. Vous êtes trop enfermé dans votre tête, à tenter de démêler des mystères. Parfois, la tâche vous paraît insurmontable et ça vous plonge dans le désespoir. Toutefois, il n'y a rien de mal à être introspectif. Dans votre tête, avec vos pensées, vous avez une vie riche, pleine d'angoisses et de regrets, certes, mais aussi emplie*

de tendresse, de fantaisie, et d'empathie pour les autres, une empathie secrète. C'est un flot d'émotions qui vous traverse à toute heure de la journée, et peut-être personne ne le sait parce que personne ne peut lire vos pensées – et c'est bien regrettable. Car s'ils savaient, s'ils savaient, ils s'exclameraient, il est vivant ! Vivant ! Qu'y aurait-il alors de plus beau et de plus précieux ?

C'est vous qui le dites.

— Docteur O'Rourke ? répéta-t-elle. (Elle m'appelait sans doute depuis un bon moment.) Paul ?

C'était Connie. Je cachai le téléphone contre ma cuisse.

— Il y a un problème ? s'enquit-elle.

Je secouai la tête.

— Tout va bien.

J'attendis qu'elle soit partie. Puis j'écrivis :

Comment savez-vous tout ça ?

Il répondit :

Je vous l'ai dit. Je suis votre âme sœur.

* * *

On pourrait croire qu'un dentiste ne connaît pas ses patients parce qu'ils viennent trop peu souvent au cabinet, et pendant trop peu de temps, et pourtant… Quand quelqu'un est scrupuleux avec sa santé buccodentaire, se rend à tous les examens de contrôle, sans compter les visites pour les petits bobos, les accidents ou les soins esthétiques, des rapports chaleureux peuvent aisément se développer entre lui et le praticien. Certains patients me remercient après avoir pourtant enduré des traitements plus que désagréables ; ils me sont réellement reconnaissants de m'être occupé d'eux. Et quand ils reviennent, je leur demande des nouvelles, de leur métier, de leur famille, avant de me mettre au travail. Comme un dentiste à la campagne où chacun connaît tout le monde.

Ce matin, je devais m'occuper de Bernadette Marder. Elle était ma patiente depuis près de dix ans, mais j'eus de la peine à la reconnaître. Elle paraissait très vieille d'un coup.

Lorsque je l'ai vue dans cet état de décrépitude, cela m'a rappelé une vieille blague d'internat. Une femme prend rendez-vous chez un nouveau dentiste et découvre qu'il porte le même nom qu'un de ses camarades de lycée. Elle se demande si ce dentiste n'était pas le garçon pour qui elle avait le béguin quand elle avait quinze ans. Mais lorsqu'elle passe les portes du cabinet, il est si vieux que le fantasme s'évanouit aussitôt. Une fois les soins terminés, elle lui demande quand même quel lycée il a fréquenté dans sa jeunesse… et évidemment, c'est bien lui ! « À quel âge êtes-vous sorti du lycée ? » s'enquit-elle, de plus en plus émoustillée. Et c'était bien la même année qu'elle. « Mais vous étiez dans ma classe ! » Alors le dentiste vrilla ses yeux dans ceux de la vieille femme et lui dit : « Qu'est-ce que vous enseigniez comme matière ? »

Ma patiente, Bernadette Marder, paraissait si vieille, si prématurément fripée depuis notre dernière rencontre, qu'on avait l'impression qu'en six mois, vingt ans de stress et de souffrances lui étaient tombés dessus. En cent quatre-vingts jours, elle était passée de quarante ans à soixante-cinq. Ses cheveux s'étaient raréfiés et étaient devenus tout fins et cassants, comme de l'herbe morte. Un sillon rose et squameux les séparait en deux flaques ternes. Un faisceau de rides, rayonnant de sa bouche livide, s'était creusé et fossilisé, et tout son visage semblait affaissé. Et pourtant, il s'agissait bien de ma Bernardette (merci mes petites fiches !) et non d'une première rencontre avec une vieille dame, et quand je lui avais demandé comment elle allait, elle m'avait répondu que jamais elle n'avait été plus heureuse. Elle venait de se marier, et avait de nouvelles responsabilités dans son travail, avec en sus une augmentation de salaire. Je n'y comprenais rien. Heureuse comme jamais, amoureuse, gagnant plein d'argent, et pourtant une tête de zombie ! Invisible au jour le jour, l'œuvre du temps demeurait implacable. Parce que je voyais mes patients au mieux tous les six mois, j'étais bien placé pour témoigner de ses ravages. C'était la vérité inexorable de notre séjour sur terre, et ce qui était à l'œuvre chez Bernadette l'était aussi chez chacun d'entre nous – Abby, Betsy, Connie et moi – même si les effets demeuraient encore discrets, indiscernables et que nous étions loin de nous désigner chacun du doigt en poussant des cris d'horreur. Non, on continuait à vivre, comme Bernadette, savourant le présent qui nous était offert jour après jour, malgré sa déliquescence perpétuelle, sans jamais demander une évaluation objective, et encore moins de pitié pour notre sort, sans jamais changer radicalement notre regard sur le monde.

En voyant Bernadette dans le fauteuil, maigrichonne, ratatinée, décharnée et heureuse, il fallait que je lui dise quelque chose. Mais quoi au juste ? Pour quel bien ? Que pouvait-elle y faire ? Elle s'était consumée d'une certaine manière, sous mes propres yeux, et personne, sans doute de crainte de l'offenser, ne l'avait alertée. En tant que professionnel du corps médical, je ne pouvais me taire. Mais comment le formuler ? Même si mes intentions étaient louables, je ne pouvais que la blesser et perdre une cliente. Devais-je sacrifier mes honoraires pour l'énoncé de la vérité, à savoir que Bernadette avait vieilli beaucoup plus vite que nous tous ? Non. Il fallait garder le silence.

Mais un homme de bonne volonté pouvait-il faire ça ? « Bernardette », commençai-je... Sa petite tête dans le fauteuil se tourna vers moi. *Vous avez vieilli, Bernadette.* Non, je ne pouvais pas dire ça ! *Bernadette, vos plus belles années sont derrière vous, c'est à présent la descente.* Non, pas ça non plus ! *Vous êtes en train de mourir, Bernadette ! C'est la fin !* Non ! *Vous pourrissez sur pied !* Non, non et non ! Elle me regardait avec ses grands yeux creux. Il fallait que je dise quelque chose.

— Bernadette, repris-je. Je vous dis ça juste parce que... (Je m'interrompis à nouveau avant de poursuivre :) Bernadette, est-ce que vous ou votre mari avez remarqué comme vous...

Une voix me coupa dans mon élan :

— Docteur O'Rourke ?

— Oh Connie !

— Si vous avez une minute...

Je regardai Bernadette tout béat.

— C'est Connie... Je dois aller voir ce qu'elle veut.

Mais en m'approchant, je vis qu'elle avait son iPad dans les mains. Mauvais augure.

— Que se passe-t-il encore ? soufflai-je.

— C'est Twitter.

Durant la semaine passée, messages, posts, commentaires en mon nom avaient continué d'apparaître sur des sites respectables tels que ESPN, Huffpost, National Geographic, mais également dans des pages plus sinistres du web, sur des chats et des forums sans modérateur avec le sexe et la mort comme fonds de commerce, et mon nom était de plus en plus associé à cette fange et voilà que je postais, deux semaines après l'apparition du site du cabinet dentaire O'Rourke, « mon » premier tweet. Il émanait du compte de @PaulCORourkeChirurgien-Dentiste et il disait :

L'erreur, et le malheur du monde, c'est de croire que le but premier de Dieu soit la foi universelle.

Connie et moi restâmes un moment interdits, les yeux fixés sur l'écran.

— En somme, tu dis qu'il ne faut pas croire en Dieu.

— Je ne dis rien du tout.

— Je sais que ce n'est pas toi, Paul. Inutile de me le rappeler à tout bout de champ.

— Je voulais juste que ce soit clair.

— Je sais que ce n'est pas toi. Tu n'as aucune raison d'être sur la défensive.

— Je ne suis pas sur la défensive. Je suis furieux.

— Mais sur la défensive, aussi.

Je relus le tweet. Elle avait raison. Je disais, du moins mon imposteur disait pour moi, qu'il ne fallait pas croire en Dieu. J'envoyai un nouvel e-mail devant Connie.

Twitter maintenant ? Pourquoi vous me faites ça ?

Je rendis l'iPad à Connie et elle relut à son tour le tweet.

— Tu sais à quoi ça me fait penser ? lança-t-elle avant de s'en aller.

— Non. À quoi ?

— À ce que pourrait dire un athée.

* * *

Je compris que j'aimais les Plotz quand j'ai commencé à être gêné d'être athée et que j'ai cessé de mettre ce trait de ma personnalité en avant. Rejeter Dieu me sembla soudain un affront à leur mode de vie, du moins celui que je croyais connaître : les prières du vendredi soir, les règles du shabbat, sans compter toutes les attentions et gestes accomplis durant la semaine à l'intention de leur seigneur. La foi, ils la vivaient au quotidien. Ils y prêtaient autant attention qu'à leur corps et leur âme. Bien sûr, les catholiques se signaient avant de pénétrer dans l'église, ils trempaient leurs doigts dans le bénitier, s'agenouillaient devant l'autel, mais ce n'était que des broutilles comparées à ce que devaient accomplir les Plotz. Les chants et les transes des protestants n'étaient que des génuflexions pour les Plotz. C'est pour cela que j'avais été très surpris d'apprendre, par Connie, que Ezzie, un autre tonton, était athée. Cela m'avait fichu un coup. J'observai le tonton en question. Il paraissait aussi dévot que les autres. « Il ne croit pas en Dieu ? » demandai-je. « Non. » « Pourquoi ? » « Parce que… j'en sais rien. Tu n'as qu'à lui poser la question. » Je ne risquais pas de le faire. « C'est à cause de l'Holocauste ? » Connie parut agacée. « Tous les Juifs athées ne sont pas tous devenus athées à cause de l'Holocauste. Nous n'avons pas une raison typiquement juive de devenir athée. Moi, par exemple ? » dit-elle en pointant son doigt sur elle. « Parfois on n'a pas la foi, c'est tout. » « Mais l'oncle Ezzie agit comme s'il l'avait, la foi, répliquai-je. Il baisse la tête. Il porte vos bidules. Il va à la synagogue. » « Cela n'a rien à voir. » « Ah bon ? » « C'est normal qu'il fasse tout ça. » « Pourquoi ? » « Parce que c'est important pour lui. C'est un Juif, donc c'est important. » « À cause de l'Holocauste ? » « Pourquoi tu ramènes toujours tout à l'Holocauste ? Tu crois que l'Holocauste est au centre de nos vies ? » « Non. » « Bien sûr, l'Holocauste n'est pas un détail. Mais cela fait longtemps. On ne se lève pas tous les matins en se disant ce que l'on doit faire ou ne pas faire au nom de l'Holocauste. » « Excuse-moi, c'est si nouveau pour moi. » « Ezzie est athée, reprit-elle. Pourquoi ? Je n'en sais rien. Et toi, pourquoi es-tu athée ? » « Parce que Dieu n'existe pas. » « Alors tu as ta réponse. Ezzie te dira sans doute la même chose. »

Mais pourquoi était-ce si important pour lui de continuer à accomplir les rituels ? Plus troublant encore : à participer aux cérémonies dont l'essence même était de glorifier l'existence de Dieu.

Glorifier Dieu ! Quelle drôle de façon d'être athée ! Quand on naissait chrétien, qu'on était élevé comme un chrétien et que, peu à peu, on s'échappait de cette jolie chimère pour en contempler l'absurdité philosophique et la duplicité morale, on cessait immédiatement de perpétuer les rituels – qui se réduisaient à pas grand-chose d'ailleurs : une petite prière le soir, quelques versets à marmonner, ou aller à la messe le dimanche. On s'asseyait à l'écart, seul avec sa foi morte, sûr de sa lucidité, oui, et de ses principes, mais aussi un peu désemparé, parce qu'on devait alors chercher en solitaire une source de causalité et de sens dans l'anarchie du monde séculier. Mais pas Ezzie. Ezzie, lui, débarquait le vendredi soir chez Rachel et Howard comme si de rien n'était et faisait tout comme il faut et s'en allait ensuite, ses batteries spirituelles rechargées à bloc, mais avec les deux pieds encore sur terre. Il voulait faire ces choses. Il avait une obligation, il était Juif, et ne serait-ce que par loyauté, il perpétuait une tradition qui avait eu son lot d'épreuves, ou alors, tout simplement, parce qu'il voulait ne pas couper les ponts avec sa famille, son enfance, ses aïeux, son peuple. Pour garder un lien ? J'ignorais si c'était l'explication, mais cela pouvait être une raison largement suffisante. De quoi rendre un athée comme moi envieux, envieux de tout ce dont Ezzie avait su se débarrasser intellectuellement, tout en parvenant à le garder cher à son cœur.

Avec Betsy Convoy, c'était différent. Avec elle, je jouais le cartésien arrogant. Je voulais lui mettre sous le nez toutes les inepties de sa Bible, lui montrer le monde sans Dieu tel qu'il est. Je saisissais la moindre occasion de l'attaquer bille en tête. « Mais qu'est-ce que vous en savez ? »

me disait-elle excédée. Je lui jetais au visage une salve d'arguments et elle répétait d'un ton légèrement différent : « Qu'est-ce que vous en savez ? » Je lui balançais d'autres évidences et elle continuait à me dire : « Qu'est-ce que vous en savez ? » Que sait-on ou pas au juste… comment définir cette notion du savoir ? Mais dans le feu du débat, on ne s'arrêtait pas à cette question de fond. Bien sûr, je ne pouvais certifier que je détenais la vérité absolue, alors elle me demandait ce que je savais (et elle faisait référence à un savoir supérieur, supérieur en tout cas à celui qui lui suffisait au quotidien), et de fait, cela laissait la porte ouverte au pire des contre-arguments : « Qu'est-ce que vous en savez ? »

Alors je déposais les armes :

— D'accord, Betsy. Je n'en sais rien.

Cette fois nous dînions dans un Olive Garden, une chaîne de restaurants italiens, dans un centre commercial du New Jersey. Elle buvait un verre de chardonnay, comme à son habitude, et moi je terminais ma quatrième bière. J'aimais bien aller à l'Olive Garden de temps en temps. Cela me rappelait mon enfance. Pareil pour le centre commercial. Je ne vais plus dans ces temples de la consommation pour acheter des choses, à l'inverse de Betsy Convoy. Où que ce soit, il n'y avait plus rien dans le pays que je n'aie déjà acheté. J'en avais fini des emplettes et de la fièvre acheteuse. Terminé la frustration. Terminé le désir, le manque, tout le temps, pour tout n'importe quoi. C'était abrutissant. Mais j'allais encore au centre commercial avec Betsy Convoy. Dans cet antre immense et bourdonnant, au-dessus des coursives et des allées, je me sentais chez moi, plus que partout ailleurs à Manhattan. Chaque fois que j'avais le cafard ou le mal du pays, quand les autres rêvaient de Long Island ou des quartiers chics de New York, moi je visitais les centres commerciaux du New Jersey, poussant parfois l'exploration jusqu'au gigantesque King of Prussia Mail au nord de Philadelphie, où j'arpentais ses labyrinthes avec ses hordes de consommateurs avides de bonnes affaires. Il n'y avait rien de plus rassérénant que de s'asseoir sur un de ces bancs de fer au milieu de cette ruche et regarder les gens aller et venir à Foot Locker, rien de plus agréable que de déambuler devant les étals de lunettes de soleil et de bijoux de pacotille, mais le nec plus ultra, c'était de me retrouver attablé sur la fausse terrasse d'un Olive Garden.

J'avais connu tant de choses dans ces lieux. C'était ici que tous les mois d'août, ma mère m'achetait mes vêtements d'école, ici, qu'à la période de Noël je couvais des yeux les jouets qu'on ne pouvait m'offrir, ici que je passais mes jours d'été, loin des disputes, loin de la télévision et de l'odeur des chiens. Le centre commercial était toujours une invite, et je m'y prélassais avec délice. Il était mon but en soi. Si j'avais quelques pièces sur moi, je les échangeais contre un Coca, une partie à un jeu d'arcade, ou contre une cigarette, fumée en catimini sur le parking. Et aujourd'hui, ce temple me ramenait à une époque où les désirs étaient faciles à satisfaire. Et je n'étais pas le seul dans ce cas ! Ils étaient tous là, avec leurs listes et leur mission du jour, porte-monnaie et chèque-cadeaux en main, allant et venant d'un magasin à l'autre, pris dans la transe. Un centre commercial n'avait pas son pareil pour vous donner l'illusion d'être vivant. Il suffisait de parcourir ses travées juste pour le plaisir des yeux, sans consommer, sans juger, uniquement pour observer avec bienveillance ce flot de clients qui n'avaient pas à décider ce qu'ils devaient ou non acheter et qui ne voulaient surtout pas avoir à faire ce choix, parce qu'il leur aurait fallu réfléchir et se demander ce dont ils avaient réellement besoin.

— Selon vous, Betsy, insistai-je tandis que nous nous attardions à notre table de l'Olive Garden, et corrigez-moi si je me trompe, selon vous donc, la seule façon d'aller au Ciel c'est de croire en Jésus-Christ ? Comme vous le savez, Connie est juive. Comme toute sa famille. Ce qui signifie, entre autres, que Jésus n'est pas leur Seigneur et Sauveur. Et il se trouve que j'aime beaucoup les Plotz. Je n'ai jamais rencontré une famille comme celle-là. Ils sont quatre cents tandis que chez moi, dans ma famille, on était trois, puis, *bing !*, plus que deux. N'empêche que, si je vous ai bien saisie, les Plotz devront brûler en enfer parce qu'ils n'acceptent pas l'essence divine de Jésus. C'est bien ça ?

Betsy Convoy but une gorgée de vin blanc, reposa son verre, se laissa aller au fond de sa chaise et me regarda en plissant les yeux.

— Ce n'est pas une question piège, lui assurai-je. Vous dites bien que Connie et toute sa famille seront jetées dans les eaux bouillantes de l'enfer parce qu'elles ne croient pas au Christ.

Elle se pencha vers moi.

— Qu'est-ce que vous en savez ? répéta-t-elle en préambule d'une réponse qui me glaça le sang : Qu'est-ce qui vous dit qu'à son dernier souffle Connie n'ouvrira pas son cœur à Jésus-Christ et ne se convertira pas ?

Pour information, je ne suis pas devenu athée pour me poser en Monsieur Je-sais-tout. Être athée, à mes yeux, ce n'est pas me placer au-dessus des croyants pour les inonder de mes lumières. Je suis devenu athée parce que Dieu n'existe pas. La solution personnelle de Betsy Convoy au « problème juif » me rappela soudain, dans ce restaurant italien de pacotille, que le seul dieu que j'aurais reconnu c'était celui qui aurait approuvé cet autocollant que j'avais vu un jour sur le pare-choc d'une vieille Saab garée dans le centre-ville de Boston : CE SONT LES CROYANTS QUI ONT FAIT DE MOI UN ATHÉE.

* * *

Enfin, une réponse :

« Pourquoi est-ce que je vous fais ça ? Parce que vous êtes perdu. »

« Perdu ? »

> À supposer que je sois perdu, en quoi cela vous regarde ? Vous ne me connaissez pas. Ce ne sont que des pirouettes rhétoriques. Vous faites semblant de me connaître. Vous ne dites que des évidences. Tout ce passage comme quoi je suis reclus dans ma tête, et que personne ne sait ce que je ressens – c'est un tel cliché. Ça pue l'escroquerie à plein nez ! Moi, je veux savoir ce que vous avez en tête. À moins que ce ne soit vous, Betsy ? C'est ça ? C'est vous ? Ou c'est toi, Connie ?
>
> *Je vous promets, Paul. Il ne s'agit pas d'une escroquerie. Je vous en prie, soyez patient. Je sais que ce doit être très déplaisant de voir quelqu'un sortir de nulle part et décrire vos failles avec tant de précision. Je ne pense pas que vous soyez un animal en cage – loin de là. Vous êtes un homme, dans toute sa mesure, totalement de notre époque, vous ne vous reconnaissez pas dans ce rêve américain de la réussite sociale et de son idéal matérialiste, totalement vide à vos yeux. Vous êtes, en fait, à la recherche d'un véritable sens à votre vie. Je le sais, Paul, j'étais à votre place, il n'y a pas si longtemps. En réalité, on peut dire que vous et moi sommes pareils et ne faisons qu'un.*

En lisant ce mail, j'eus un frisson. La sensation bizarre que ce type était avec moi, dans la pièce. Ou derrière un ordinateur, juste de l'autre côté du mur. J'examinai son adresse e-mail.

— Il m'écrit en utilisant mon propre nom, articulai-je.

— Qui est-ce ?

— Il a créé un e-mail sous mon identité. Cette personne… ou ce programme… peu importe… il se fait passer pour moi dans ma propre correspondance. C'est comme si je m'écrivais à moi-même.

Je relevai les yeux. Voilà ce que je venais de dire à Betsy.

— De qui parlez-vous ?

Même si Betsy Convoy n'avait pas été auprès de moi quand le mail de « Paul C. O'Rourke » était arrivé dans ma boîte, je sus à cet instant que ce ne pouvait être elle : elle me regardait avait tant d'inquiétude et de candeur.

— Je ne sais pas, Betsy. Je ne sais pas.

* * *

Quelques jours plus tard, Connie vint me demander :

— Tu n'as vraiment jamais envoyé de tweets ?

— Non, répétai-je. Je n'ai jamais posté sur Twitter.

— Quel nombre de caractères maximum pour un message ?

— Sur Twitter ?

— Oui, sur Twitter.

— Cent quarante.

— Tu en sais des choses.

— Je ne débarque pas de Mars, Connie. Tout le monde sait ça.

— Tu as regardé tes tweets ces deux derniers jours ?

— Kari Gutrich m'a dit de faire le mort.

— Kari Gutrich ?

— Kari Gutrich, mon avocate. L'experte en cybercriminalité de Talsman. Elle m'a conseillé de faire le mort, de ne pas bouger sinon ça allait aggraver les choses. Alors, c'est ce que je fais. Le mort.

— Tu vas donc laisser quelqu'un faire ce qu'il veut en ton nom ? Et pas même essayer de savoir qui c'est ?

— Elle m'a vraiment fichu les jetons. Et je ne veux pas que la situation empire.

— Ce n'est pas un coup d'œil qui va faire grand mal.

— Je ne sais pas. Je ne connais rien à Internet.

— Comment ça tu n'y connais rien ? Tu es tout le temps collé à ton téléphone.

— Pas du tout. C'est toi. Toi !

Elle eut un mouvement de recul, juste du cou, mais c'est tout son corps qui fit marche arrière.

— D'accord. Tout doux.

— On ne pouvait pas aller dîner où que ce soit sans que tu passes tout le repas avec ton putain de téléphone !

— Je sais, je sais. On a dressé la liste de tous mes défauts. Je consulte mes messages trop souvent. On peut continuer ?

Elle regarda l'iPad dans sa main. Je ne postais pas sur Twitter, j'y allais seulement pour lire les remarques acerbes du Boggs Wade Club et l'analyse statistique d'Owen.

— Je vais t'en citer quelques-uns au hasard, annonça-t-elle en parcourant mes tweets.

> De toutes les vanités humaines, aucune n'est plus illusoire que de croire en Dieu.

— Tu en penses quoi ?

— J'ai dit ça ?

— Oui. Et tu as dit aussi : « La liberté de culte aux États-Unis, ça paraît tout beau tout gentil, mais osez croire en rien, et vous voilà un criminel. »

— Il n'y a pas plus de cent quarante caractères, là ?

— Ça ne te saute pas aux yeux ?

— Qu'est-ce qui devrait me sauter aux yeux ?

— Cette personne sur Twitter « qui n'est pas toi »..., tu ne trouves pas qu'elle te ressemble beaucoup ?

— Tu penses que c'est moi ? Que c'est moi l'auteur de tout ça ?

— Simple remarque.

— Il n'y a jamais de « simple » remarque. Si tu dis ça, c'est que tu le penses. Ce n'est pas moi, Connie. Je dois faire le mort, je te répète !

— Tu as passé toute la matinée le nez sur ton téléphone.

— Pur hasard. Il se trouve qu'on a perdu contre Kansas City hier soir. Il était important pour nous autres de débriefer le match. Montre-moi les autres messages.

Elle me tendit l'iPad. Je lus :

> Le monde nous rejette avec mépris, nous chasse, nous sommes au bord de l'extinction.

— J'ai écrit ça aussi ?

Connie garda le silence.

> Si vous devez vous baigner, ne le faites pas plus de deux fois par semaine, et jamais en vous immergeant entièrement.

— Et celui-là ? Ça me ressemble ?

— Celui-là…

— C'est bien connu, je n'aime pas que les gens mettent la tête sous l'eau !

— C'est la moins vraisemblable, concéda-t-elle.

— Ce n'est pas moi, Connie, insistai-je en lui rendant la tablette.

Mais je ne pouvais lui reprocher ses doutes. Tous ces tweets étaient signés de mon nom.

* * *

Le seul Plotz qui profita de mon offre « soins dentaires gratuits » fut Jeff, un cousin éloigné de Connie. Du moins, c'est ce que je croyais quand je lui avais fait cette proposition. En fait, c'était un ancien voisin des Plotz. Mais il était proche de la famille – du moins ses parents l'étaient. Stuart Plotz et le père de Jeff, Chad, faisaient des affaires ensemble (ils avaient en commun une entreprise de fournitures de bureau ou une papeterie, quelque chose comme ça).

Jeff, ancien toxicomane, s'occupait des drogués dans un dispensaire. Comme prévu, l'état de sa bouche était déplorable. Ce n'était pas la pire *boca torcida* que j'aie vue, mais elle était loin d'être un bouquet de roses. Soigner un ancien toxico, d'un point de vue dentaire, n'est jamais une partie de plaisir. On ne peut lui donner de protoxyde d'azote, ni l'envoyer dans les bras de Morphée avec du Percocet ou du Vicodin. Jeff et moi nous sommes mis d'accord pour gérer la douleur exclusivement avec des analgésiques non opioïdes. Autrement dit, il grimaça pendant une heure, et son corps fut traversé de spasmes comme un zombie revenant à la vie. Je lui parlai tout du long pour l'apaiser. Je lui dis qui j'étais, qui j'étais vraiment – je pensais que ça pouvait l'intéresser puisque je sortais avec sa cousine (je sais, en fait, ce n'était pas sa cousine !). Je n'avais pu dire à aucun Plotz quel homme j'étais réellement. Ils étaient toujours très occupés, à se disputer, à argumenter, tous enfermés dans le grand enclos familial. Ils étaient toujours très polis, très accueillants avec moi, mais au fin fond ils se fichaient un peu du type que je pouvais être. Si je venais d'une famille semblable, moi non plus je n'aurais pas beaucoup de temps à consacrer aux pièces rapportées. Qu'est-ce que le nouveau venu aurait pu m'offrir que ne me donnaient déjà oncles, tantes et cousins, qui étaient toujours là pour m'encourager, me conseiller, me brimer et m'aimer, et souvent tout ça en même temps ?

Avec Jeff dans mon fauteuil, je tenais enfin mon auditoire, même s'il avait la bouche pleine de sang et me regardait les yeux écarquillés de douleur. D'abord et avant tout, lui disais-je, j'étais un fan des Red Sox de Boston. Ma relation avec les Red Sox était toutefois complexe et houleuse. Le plus beau jour de ma vie, ç'avait été un soir d'octobre 2004 quand Mueller avait poussé le match aux prolongations grâce à un coup sûr frappé au champ centre, et que, plus spectaculaire encore, David Ortiz avait claqué un *home run* à la fin de la douzième manche. Il avait ainsi mis un terme à l'hégémonie des Yankees sur le championnat de la Ligue américaine et initié la remontée la plus spectaculaire d'une équipe dans toute l'histoire du sport. Le point d'orgue ayant été la victoire contre les Cardinals de Saint Louis qui avait permis aux Red Sox de remporter la Série mondiale. La récompense après toutes ces années noires et de tourments, un bonheur sans nom, un cataclysme. Puis, courant 2005, expliquai-je à Jeff, la félicité que m'avait procurée l'exploit des Red Sox finit par s'étioler et un curieux malaise m'avait envahi. Je n'étais pas préparé aux changements inhérents à la victoire – tels que l'afflux de nouveaux supporters, dont aucun n'avait eu le cœur forgé, comme moi, aux flammes de quatre-vingt-six ans de défaites. C'étaient des opportunistes, des imposteurs. Avec cette nouvelle marée de fans, nous allions perdre la mémoire collective de notre traversée du désert, comme notre âme qu'il nous avait fallu tremper au bain des humiliations et des rendez-vous manqués. Je craignais que l'on prenne la victoire comme un acquis. Je ne voulais pas devenir comme les fans des Yankees, si arrogants et fiers de leur puissance. Cela me faisait bizarre, expliquai-je à Jeff, de me montrer réservé, voire critique, envers une équipe pour qui j'avais eu une dévotion inconditionnelle et sans limite durant toutes ces années de vaches maigres. Nous étions les perdants, les petits, nous ne connaissions que l'affliction et l'échec. Comment aurais-je pu me préparer à ça ? à cette révolution ? Exiger, du jour au lendemain, uniquement le meilleur ? Cette métamorphose avait quelque chose d'impudique et d'édénique ; ce devait être assez semblable à ce qu'avait éprouvé Adam après l'arrivée de Ève dans le Jardin : que pouvais-je bien souhaiter encore ? N'avais-je pas tout ? à présent ? Je voulais que les Red Sox gagnent les Séries mondiales plus que tout au monde, confiai-je à Jeff, à qui il manquait autant de dents qu'à une prostituée du port d'Amsterdam. Mais ça, c'était jusqu'à ce que les Sox écrasent les Yankees de si belle manière, puis les Cardinals... Maintenant, je voulais que tout redevienne comme avant, que cela n'ait pas eu lieu, comme ça je saurais encore qui j'étais, je retrouverais un sens à ma vie, parce que gagner les Séries mondiales serait et demeurerait mon plus grand désir.

Jeff ne répondit rien à cette confidence, ce qui n'avait rien d'étonnant vu les circonstances. Les soins étaient presque terminés. Je ne pouvais le laisser partir avec cette bouche meurtrie et douloureuse. Il ne se souviendrait pas que je l'avais soigné gratuitement, mais de l'heure de torture qu'il avait endurée dans mon cabinet. Et c'était ça qu'il allait raconter aux Plotz : le mal que je lui avais fait. Il fallait que je le fasse rire. Cela me semblait la bonne solution : il devait se souvenir qu'on avait bien ri tous les deux.

— Vous connaissez celle des deux Juifs allemands qui prévoient de tuer Hitler ? demandai-je.

Il me regarda. Il avait des iris gris-vert et le blanc de l'œil injecté de sang, relique d'une vie d'excès. J'interprétai ce regard comme une invite à poursuivre.

— Les deux gars savent de source sûre que Hitler va déjeuner dans un certain restaurant à midi tapant. À

11 h 45, ils se postent devant le restaurant en question et attendent, avec leurs pistolets dans la poche. Midi sonne, mais aucun signe d'Hitler. Midi cinq. Toujours personne. Midi dix. Midi quinze. Toujours rien. Alors le premier gars dit à l'autre : « Il devait être là à midi pile. Qu'est-ce qui se passe ? » « Je n'en sais rien, répond l'autre, mais j'espère qu'il ne lui est rien arrivé. »

Je crus discerner un sourire, mais c'était difficile à dire à cause de l'écarteur qu'il avait dans la bouche. Peu après, une larme perla de son œil ; sans doute était-ce un effet de la douleur. Abby, bien entendu, était restée de marbre, cachée derrière son masque, prête à me passer mes instruments.

Quand Jeff s'en alla, je me trouvais avec Connie à la réception.

— J'ai toujours détesté ce type, depuis toute petite, déclara-t-elle. Un connard de junkie.

Je n'en revenais pas.

— Tu le détestes ?

— Un sale con.

C'est à ce moment qu'elle m'avait appris qu'il était un voisin et non un cousin.

— Il nous traitait de sales Juifs.

J'étais de plus en plus perdu.

— Mais il n'est pas…

— Il n'est pas quoi ?

— Juif aussi ?

— Jeff ?

Elle eut un rire sinistre.

— Je croyais que son père et ton oncle étaient en affaires.

Elle me regarda avec des yeux ronds.

— Ils livraient les journaux quand ils étaient gosses.

Jeff n'avait aucun lien de parenté avec Connie, son père ne travaillait pas avec un Plotz, et il la traitait de sale Juive.

Et je venais d'offrir à cet antisémite pour mille dollars de soins dentaires.

Le pire, ce n'était pas l'argent ou le temps perdu, mais l'étendue de mon désespoir. Je retournai dans la salle où j'avais soigné Jeff en songeant à ma folie. Je voulais que les Plotz apprennent qui j'étais, ne serait-ce que par le bouche à oreille – un authentique supporter des Red Sox, un homme ayant le sens de l'humour, et généreux avec ça, qui soignait gratuitement les membres de leur famille. Mais qu'allaient-ils se dire à présent, moi qui ne savais pas distinguer un vrai Plotz des autres, qui offrais des soins gratuits à n'importe qui, alors que je ne connaissais finalement pas un seul d'entre eux, à l'exception de Connie ? La vérité me frappait de plein fouet : je n'avais jamais considéré les Plotz comme un ensemble d'individus chacun différents. Mais comme une famille de Juifs.

* * *

Le 1er août, je reçus un e-mail d'un certain Evan Horvath ; il me demandait des éclaircissements concernant mes posts sur Twitter. Je pouvais être quelque peu obscur dans mes tweets, ce qu'il ne me reprochait pas. C'était la nature même de Twitter, et mes messages étaient toujours intrigants. Mais cette fois, il voulait plus de substance.

Recevoir des mails de l'imposteur Paul C. O'Rourke était compréhensible puisque j'envoyais des messages à Séïr Design depuis mon compte YazFanOne. Mais comment cet Evan Horvath avait-il eu mon adresse mail de YazFanOne ? « Elle est sur votre site », écrivait-il. Je consultai la page du Cabinet dentaire O'Rourke, mais ne trouvai rien. Un frisson me parcourut. « Quel site web ? » lui demandai-je. « seirisrael.com », me répondit-il.

J'avais un autre site ! Et sur ce site, appelé seirisrael, quelqu'un avait posté mon adresse mail de YazFanOne, avec les photos d'une sorte de village, constitué de bâtisses poussiéreuses et blanchies par le soleil. On donnait son nom : Séïr, dans le désert israélien. Il y avait des légendes sous les clichés de ces constructions de parpaings : *Salle de réunion*, *Maison de la communauté*, *Ancienne hutte*. « Je regrette, écrivis-je à Evan, mais je ne sais pas de quoi vous parlez. » « Je veux simplement en savoir plus sur le sacrement des incrédules. » « "Le sacrement des incrédules" ? C'est quoi ça ? » répondis-je. « C'est justement la question que je vous pose. Ça existe vraiment ? » « Je n'en sais rien du tout », répondis-je.

« Qu'est-ce que la Fête du paradoxe ? » me demanda un certain Marcus Bregman.

Marianne Cathcart m'écrivit : « Diriez-vous que les rédacteurs K et P sont des prophètes ou que les Cantavétiques ont été écrits par Dieu ? Et s'ils ont été écrits par Dieu, comment concilier ça avec le fait de douter de Son existence ? »

« J'ai lu çà et là que Pete Mercer est un Ulm, disait un autre e-mail. S'agit-il du célèbre Pete Mercer ? »

Pete Mercer, d'après Forbes.com, était « le président d'un fonds d'investissement qui préférait se faire discret », la dix-septième fortune des États-Unis. Dans le mois qui suivit, sa société fit une déclaration (ce qui était surprenant quand on savait sa réticence à toute forme de communication) : « Pete Mercer de PM Capital a été victime d'un canular. Il nie catégoriquement être un "Ulm", et demande à ce que cessent immédiatement ces rumeurs éhontées sur le web. »

* * *

Connie prit très mal que je ne veuille pas d'enfants. Et elle pensait que cela avait un rapport avec elle. Après tout, quand on était tombés amoureux l'un de l'autre, moi aussi je voulais me marier et avoir une progéniture. L'idée même m'excitait plutôt. Il était donc normal qu'elle pense que ce revirement était à cause d'elle et non parce que peu à peu l'idée d'avoir des enfants me terrifiait. Au début, je gardai mes craintes pour moi, espérant que mes angoisses s'estomperaient, qu'il ne s'agissait que d'une peur panique typiquement masculine : l'homme devant tirer un trait sur sa jeunesse, sa liberté, ou je ne sais quelle connerie. Mais cela ne passa pas. Pas du tout. Et quand je lui avouai finalement que j'avais des doutes quant à être papa, elle tomba des nues et me reprocha de lui avoir fait perdre son temps. Les hommes avaient toute la vie devant eux mais pas les femmes. Je n'avais pas songé un seul instant à son horloge biologique. Je n'imaginais pas que mon désir d'enfant allait se dissoudre et que cette terreur allait tout phagocyter. Ce n'était pas l'angoisse de l'inconnu. Ni la peur du changement ou d'avoir de nouvelles responsabilités. J'étais simplement terrifié pour cet être qui n'était pas encore né. Pour la puissance inconcevable de cet amour. Et si je n'étais pas à la hauteur avec cet enfant ? Ni avec Connie ? Et si elle mourait et que je me retrouvais seul avec ce bébé ? Ou si je mourais et que je faillissais à mes devoirs envers tous les deux parce que je n'étais plus là ?

Cela me brisait le cœur. Cela pouvait paraître bizarre, invraisemblable, parce que le refus venait de moi, et pourtant cela me brisait le cœur. Tout ce qu'il me suffisait de faire pour garder Connie, pour l'avoir toujours dans ma vie, c'était de fonder une famille avec elle. Fonder une famille avec Connie… je deviendrais alors, que cela plaise ou non à toute sa tribu, un Plotz. Et c'est ce que je voulais, non ? Être un Plotz. Plus que tout au monde, plus encore que je n'avais voulu devenir un Santacroce. Tout pour être un Plotz. Tout. Sauf faire un autre O'Rourke.

* * *

« Votre nom est O'Rourke, Paul O'Rourke... » ainsi commençait le nouvel e-mail.

> *Qu'est-ce que cela signifie pour vous ? Êtes-vous un bon Irlandais qui chante « Danny Boy » dans votre pub préféré, épaule contre épaule avec d'autres pseudo-Irlandais qui n'ont jamais quitté New York ? Ou trouvez-vous les fêtes de la Saint-Patrick ridicules, comme l'idée de faire de la bière verte ? Ce sont là des questions vitales, Paul, qui ont trait à vos racines, à vos origines religieuses, à votre place au sein du monde. Avez-vous l'impression que quelque chose vous manque ? Cela vous empêche-t-il de dormir ?*
>
> *Si vous vous sentez déconnecté, pas à votre place, je suis ici pour vous dire qu'il y a une bonne raison à ça. Et ce n'est pas parce que vous êtes par nature « grincheux » ou « taciturne », ou je ne sais ce que disent les gens de votre entourage. Votre côté revêche a une explication : vous n'êtes pas là où vous devez être. Plus vous vous sentez déplacé, plus profond est le déracinement, plus vous êtes difficile à vivre. C'est un effet bien connu. Et c'est bien ce qui se passe pour vous, n'est-ce pas ? Mais peut-être fais-je fausse route ? Auquel cas, je vous présente mes excuses. Peut-être avez-vous trouvé une autre voie pour être heureux, malgré tout ?*
>
> *Cordialement*
> *Paul*

* * *

Quelques jours plus tard, je me mis à réfléchir à cet échange d'e-mails que j'avais avec moi-même. Qu'en aurait pensé Connie. « Tu es sûr que ce n'est pas avec toi que tu discutes ? » l'entendais-je déjà me dire. Déjà qu'elle était persuadée que le Paul O'Rourke de Twitter c'était moi. Pourquoi ne pas tirer la même conclusion quant à ma correspondance électronique ?

— C'est bon, Tommy, dis-je à mon patient, tout en songeant à ces courriels.

D'ordinaire, quand je disais à un patient « c'est bon », cela signifiait « vous pouvez vous redresser et cracher » ou « vous pouvez cracher si vous voulez », ou je ne sais quelle invite à se vider la bouche, mais cette fois, j'ajoutai : « Maintenant, il va me falloir un échantillon de vos selles. » Un échantillon de vos selles ! Pourquoi avais-je sorti ça ? Depuis quand un dentiste avait-il besoin d'un échantillon d'excréments ? Cela s'était imposé à moi, comme une apparition divine, et c'était sorti tout seul. « Un échantillon de vos selles. » C'est bien la dernière chose que j'avais en tête, un prélèvement fécal, mais c'était apparemment ce que j'avais à dire, pour des raisons qui dépassaient mon entendement. Je pensais à cette correspondance avec moi-même et à ce que pourrait en penser Connie si elle était tombée dessus et puis, *bam !* j'avais lâché ça. Comment rattraper le coup, maintenant ? Je levai les yeux vers Abby. Derrière son masque, ses sourcils s'étaient redressés comme deux ailes de chauve-souris, comme chaque fois que je disais quelque chose de stupide ou d'incompréhensible. Je reportai mon attention sur mon patient. Il me regardait muet et inquiet. Pourquoi avais-je dit ça ? questionnaient ses pupilles. En quoi l'état de sa bouche nécessitait-il un prélèvement fécal ? Qu'avais-je vu ? Et pour quoi faire ? Qu'est-ce que je comptais trouver dans ses selles ? Il fallait que je le rassure, même si j'étais aussi saisi que lui. La seule façon de m'en sortir, pensai-je, c'était de partir d'un grand rire, et prétendre que c'était exactement ce que je voulais dire, parce que j'avais un humour assez tordu. Je devais lui faire croire que je passais mes journées à faire des farces scatos à mes patients. C'est donc ce que je fis. Je me mis à rire et lui tapotai le genou. Mais non, ce n'était qu'une blague ! Il pouvait se redresser et cracher. Puis, toujours pouffant, je fis mine de m'intéresser à mes instruments sur le plateau, pour éviter les regards, en particulier celui d'Abby, parce qu'évidemment elle savait que je n'avais rien d'un farceur. J'étais quasiment prostré sur mes outils quand Connie débarqua dans la salle.

— Docteur O'Rourke ?

Je relevai la tête.

— Quand vous aurez une minute, dit-elle.

La présence de Connie avec son iPad à la main ces temps-ci n'augurait rien de bon. Elle s'apprêtait encore à me montrer Dieu sait quoi ! Mais à cet instant, mon soulagement fut plus grand encore que la fois où elle m'avait évité de dire à Bernardette Marder qu'elle avait pris un coup de vieux. J'allais pouvoir mettre un peu de distance entre moi et l'allusion aux selles de Tommy.

— C'est pour quoi cette fois ?

Elle me tendit sa tablette. Encore Twitter :

> Il y a des répressions, bien que très anciennes, qui, par leurs amplitudes, ne surprendront personne quand elles seront révélées.

Je relevai le nez de l'écran.

— Si tu me demandes de quelles répressions il s'agit, Connie, je n'en ai aucune idée. Crois-moi. Un massacre ? Un coup d'État ? Je n'en sais rien.

— Je ne te parle pas de ce tweet. Mais de celui-là :

> Imaginez un peuple tellement opprimé au fil des siècles qu'ils envient le sort des Juifs.

— Oh…

— Un peuple qui envie le sort des Juifs ? répéta-t-elle incrédule.

Elle me regarda, attendant des explications de ma part.

— Combien de fois faut-il que je te le dise ? Ce n'est pas moi qui ai écrit ça. Je n'en suis pas l'auteur.

— De quel peuple parlent-ils ?

— Je ne sais pas.

— Pourquoi cette allusion aux Juifs ?

— Je ne sais pas.

— Un peuple dont le sort serait pire que le nôtre ?

— Je n'en sais rien. Rien de rien.

Elle s'en alla. Quelques minutes plus tard, je la rejoignis à la réception.

— Promets-moi de ne pas en parler à ton oncle ? demandai-je.

— Mon oncle ?

— Parce qu'il ne comprendrait pas.

— Quel oncle ?

— Stuart. À personne de ta famille, en fait. Mais surtout pas à Stuart. Il n'apprécierait pas du tout.

— Qu'est-ce qu'il n'apprécierait pas, au juste ?

— Ce tweet. Celui que tu viens de me montrer. Ce peuple qui aurait eu une histoire plus dramatique encore que les Juifs. Je pense qu'il le prendrait mal.

— Et alors ? Si ce n'est pas toi l'auteur, tu n'en as rien à faire qu'il le prenne mal ou pas.

— Mais ce tweet est signé de mon nom. Que crois-tu qu'il va se dire quand il verra ça ?

— Que c'est toi qui l'as écrit.

— Exactement.

— Le problème il est là. D'abord, tu t'es intéressé à l'histoire juive d'une façon obsessionnelle, et maintenant, sur Twitter, quelqu'un fait des comparaisons en ton nom entre sa prétendue histoire et celle des Juifs.

— D'abord mon intérêt pour l'histoire juive n'a jamais été obsessionnel. Et il n'y a pas de relation de cause à effet entre les deux. Parce que ça fait un bail que je n'ai rien lu sur le judaïsme.

— Une pure coïncidence alors ?

— Exactement. Je n'y suis pour rien. Tout ça m'échappe.

— Mais tu me demandes de ne rien dire à l'oncle Stuart, alors que cette idée ne m'a même pas effleuré l'esprit. Il y a de quoi s'interroger, Paul.

— Tu sais, quand nous sommes au travail, je préférerais vraiment que tu m'appelles Docteur O'Rourke.

— Ne change pas de sujet.

— Je ne change pas de sujet. Je réagis simplement à ce que tu dis.

— Pourquoi tu ne veux pas que Stuart ait connaissance de ce tweet ?

— Parce que ton oncle me considère déjà comme un antisémite. Il ne va pas croire que quelqu'un a usurpé mon identité, mais se dire que j'ai encore pété les boulons.

— Péter les boulons, toi ? Jamais !

Je retournai m'occuper de Tommy.

* * *

« C'est quoi un Ulm ? » écrivis-je.

> Et cessez, s'il vous plaît, de poster des tweets sous mon nom. Connie commence à se dire que c'est peut-être bien moi l'auteur.

> *Connie ? Qui est Connie ?*

« Connie, ma secrétaire de direction », répliquai-je. Et j'ajoutai aussitôt :

Vous savez très bien qui est Connie. Personne n'aurait eu l'idée de lui donner ce titre de « secrétaire de direction » avant que vous débarquiez et fassiez ce site web. Elle n'a rien d'une secrétaire de direction. Tout ce qu'elle fait c'est donner les cartons de rendez-vous aux patients après avoir mis leur nom dans les cases du planning.

Pourquoi avais-je envoyé ça ? Aussitôt, je renvoyai un troisième mail :

Ce n'est pas vrai. Dernièrement, j'ai passé un moment dans la salle d'attente et je l'ai regardée travailler. En fait, elle accomplit toutes sortes de tâches. À un moment, je l'ai vue faire dix choses à la fois. Et ce jour-là, je me suis rendu compte que c'était grâce à elle si le cabinet tournait aussi bien.

Je regrettai aussitôt d'avoir cliqué sur ENVOI. Qu'est-ce qui me prenait ? Je ne lui devais aucune explication.

Vous le lui avez dit ?

Non.

Mais pourquoi lui répondais-je ?

Vous ne pensez pas que vous devriez le lui dire ?

Probablement.

Alors pourquoi ne le faites-vous pas ? Vous avez levé les yeux et vu. C'est une grande réussite, Paul. Être conscient du monde au jour le jour est notre plus grand défi. Mais il n'en sortira rien si vous ne le lui dites pas. On peut pardonner à quelqu'un qui ne dit rien par ignorance, mais il est inexcusable de rester silencieux alors qu'on sait.

Connie entra dans la pièce alors que je lisais ces mots. Avec le plus grand détachement possible, je rangeai mon ego-Machine dans ma poche.

— À qui envoyais-tu un e-mail ?

— À personne. Je lisais juste les derniers posts sur le match d'hier.

Je sortis mon ego-Machine et fis semblant de poursuivre ma lecture des commentaires. Elle resta plantée devant moi.

— Ils n'ont pas joué hier soir, articula-t-elle.

Je relevai les yeux.

— Qui ça ?

— Les Red Sox. Ils n'avaient pas de match hier.

— Je ne parle pas des Sox. Il s'agit d'une autre équipe.

— Laquelle ?

— Qu'est-ce que ça peut faire ? Les Yankees, si tu veux tout savoir.

— Le match des Yankees a été interrompu par la pluie. À la cinquième.

— N'empêche qu'il y a des commentaires sur les cinq premières manches, répliquai-je en secouant la tête pour lui montrer qu'elle ne connaissait rien aux us et coutumes des supporters.

— Ce n'est pas vrai. Le match des Yankees n'a pas été arrêté par la pluie. Ils jouaient à Chicago et ils ont gagné dix-huit à sept.

Je quittai la pièce. Et je revins.

— Au fait, repris-je, je ne t'ai jamais dit combien j'apprécie le travail que tu accomplis ici. La compta, la réception des colis. Et ces fleurs que tu mets sur le comptoir. Ça égaie tout le cabinet.

Elle plissa les yeux, tentant de sonder mon esprit.

— Depuis quand fais-tu attention aux fleurs ?

* * *

« C'est fini », écrivis-je.

Je ne vous parlerai plus.

* * *

Mon site Internet changea le lendemain. Il incluait désormais les cantations 30-34 des Cantavétiques. Ils poursuivaient le récit des Amalécites, quand les quatre cents survivants s'étaient réfugiés sur le mont Séïr.

« Et le Roi David poursuivit les Derniers jusqu'au mont Séïr », disait ma page bio, « et ils les massacrèrent tous, tous les enfants des tribus d'Amalec, les quatre cents survivants, à l'exception d'Agag, roi du peuple d'Amalec et de tous ses descendants, car il se cacha derrière un cyprès pour pouvoir témoigner de tout ce que Israël avait fait aux Amalécites, d'Hassasson au Séïr. Et Agag pleura pour les fils d'Amalec, dont le sang abreuvait les lits de pierres sèches, bruissait autour de lui comme les saules d'une rivière, et s'écoulait comme la pluie du ciel. »

Et cela continuait. Agag pleura toutes les larmes de son corps, et quand il n'eut plus de larmes, il maudit le Dieu des Israélites, qu'il avait tenté de s'allier à Hazor en suivant à la lettre tous les rites et les commandements que son espion avait pu glaner dans le camp israélite. « Qu'as-tu fait, toi le Dieu d'Israël ? » criait-il au milieu des cadavres et des restes sangluinolents des chameaux. On se représentait un carnage pire encore que la bataille d'Antietam, une mer de corps, de torses, de têtes maculées de sang coagulant lentement sous le soleil, et au milieu l'unique survivant d'un peuple massacré, à genoux, maudissant un dieu qu'il pensait pouvoir être le Dieu, le seul et unique. « Ne se sont-ils pas tous inclinés devant toi ? Ne t'ont-ils pas servi et honoré, n'ont-ils pas cherché la miséricorde dans ton œil ? » demande-t-il. « Et n'ont-ils pas suivi tous tes commandements et toutes tes lois, et cessé de manger du porc et du lapin ? Ne se sont-ils pas circoncis de leurs propres mains, n'ont-ils pas mis des vêtements propres ? Et n'ai-je pas aimé ta fille et appris l'hébreu pour toi ? »

C'est alors qu'apparut devant lui, « porté sur un nuage de sang » (ce qui est assez difficile à visualiser, mais bon, c'est symbolique !) Dieu en personne, le Premier et le Dernier. « Que la nuit s'étende en ce lieu », lui dit Dieu, « mais ne sois pas effrayé. » C'était vite dit. Agag se réfugia au sommet du charnier, en se demandant si c'était réellement Dieu qu'il voyait (un questionnement plutôt inhabituel dans ce type de récit, où le prophète d'ordinaire sait, au premier souffle de vent sur sa joue, qui lui parle). Au vu de tout le merdier qu'il venait de vivre, c'est vrai qu'il aurait pu être victime d'une hallucination – ce qui aurait constitué le premier cas référencé de SSPT. Mais ses doutes firent long feu, car Dieu semblait plutôt sûr de son coup : « Je suis le Seigneur ton Dieu », dit-Il. « Celui qui a gardé le silence jusqu'à ce jour. » Ce silence, expliquait-Il, était purement pragmatique : Il ne voyait pas l'intérêt d'ajouter Son nom au tableau de toutes les autres divinités – le Dieu des Israélites, le Dieu des Égyptiens, le Dieu des Philistins, etc., qui sévissaient dans le pays de Canaan avec son lot de sang versé. Pour reprendre Ses propres termes, Il ne voulait pas « initier de nouvelles guerres entre les diverses factions afin de prouver qui était là en premier ». Pourquoi n'avait-il pas balayé ces dieux des mémoires et fait régner la paix sur terre ? Mystère et boule de gomme. Mais Il martelait que Lui, en vérité, était le seul et vrai Dieu, et qu'Il était là pour soustraire Agag à toutes ces querelles. « Maintenant, viens », dit-Il. Avec toi je vais établir mon alliance. Car je vais faire de toi une grande nation. Mais tu devras mener ton peuple loin de ces maîtres de guerre, et ne jamais t'en faire des ennemis en mon nom. Et si tu te souviens de mon alliance, alors tu seras sauvé. Mais si tu fais de moi un Dieu, si tu me voues un culte, et si tu envoies psaltérions et tambourins pour porter ma parole, et fais la guerre, alors tu seras consumé par le feu. Car à l'homme je demeure inconnu. » Il s'ensuivit une série d'objections de la part d'Agag, genre : je ne suis pas digne d'être prophète, je suis un piètre orateur, le peuple va se moquer de moi, et tout le tralala… – mais finalement, il reprit ses esprits et descendit les pentes du mont Séïr. C'était fait. Il était devenu Safek, le premier Ulm.

* * *

« Vous constatez donc que, par essence, écrivit-il, un Ulm est quelqu'un qui doute de Dieu. »

« C'est complètement crétin », répondis-je.

Totalement illogique ! Comment peut-on douter d'un Dieu qui se matérialise devant soi ?

Vous n'utilisez pas la bonne partie de votre cerveau, Paul – il faut se tourner vers la part atrophiée, celle qui a faim.

Mais c'est justement ce que je fais. Je me sers de mon cerveau ! C'est ce que j'ai fait toute ma vie. Et tout ça me paraît aussi stupide que toutes les conneries des autres religions.

Toutes les religions sont en butte à l'illogisme. Le bouddhiste découvre le Nirvana en s'apercevant que le soi n'existe pas, mais c'est le soi qui doit découvrir sa non-existence. L'hindou parcourt l'univers en scandant neti, neti – ni ceci, ni ceci – et quand toute chose a été rejetée, là est Dieu. Le Juif croit que Dieu l'a fait à son image, mais l'homme est pétri par le mal. Le chrétien croit que Dieu est aussi un homme de chair et de sang. Partout l'illogisme à l'épreuve de la foi ! Sans ce combat, ce serait un déjeuner sur l'herbe.

Je préfère le pique-nique.

Ce serait dommage. Je vous le dis, Paul, les bienfaits du doute ne nous dispensent pas du fardeau de la foi. Nous devons assumer nos contradictions, comme ceux qui croient en Dieu assument les leurs. À cette différence : le doute est le chemin vers Dieu le plus éclairé qui se soit jamais offert à l'homme. Le monothéisme, par comparaison, c'est un sacrifice vaudou. Ce sont les Ulms, pas les Juifs, qui sont le véritable Peuple élu.

Quelques heures plus tard ; j'écrivais :

Vous êtes obligé de douter ? Je veux dire, un véritable doute, au sens strict du terme ?

Oui, stricto sensu.

Les semaines suivantes passèrent dans un tourbillon. J'étais incapable de savoir quand, par exemple, la page Wikipedia sur les Ulms était apparue. Je ne me souviens même plus de ce qu'il y avait dessus, si ce n'est qu'elle reprenait en partie « mon » commentaire sur le site du *New York Times*, en particulier qu'il n'y aurait pas de saint Paul des Ulms pour arpenter les chemins de l'Empire romain. Trekkieandtwinkies, un de ces types qui s'autoproclamaient régulateur de Wikipedia, demanda rapidement le retrait de la page, sous prétexte qu'elle n'était pas assez ceci ou cela.

À l'époque, je croyais que l'on pouvait créer une page Wikipedia pour tout et n'importe quoi, sur son groupe de metal comme sur son chien. J'ignorais que des gens, tel ce Trekkieandtwinkies, surveillaient les nouvelles pages et pouvaient les mettre au panier avec les erronées et/ou les fantaisistes. Chaque contribution jugée indigne était jetée aux oubliettes de l'Histoire au bout d'un jour ou deux, comme cette première page sur les Ulms. Je ne me souviens pas non plus quand j'ai entendu parler pour la première fois de Mikel Moore qui travaillait chez Starbucks, ou de Joanna Skade de Microsoft, ou de Zander Chiliokis, qui tous voulaient des informations sur les Ulms. Je me rappelle la prolifération des commentaires et des liens, des followers sur Twitter, des nouveaux amis sur Facebook. Je me rappelle mes tentatives acharnées pour convaincre mon usurpateur d'identité de m'expliquer les raisons de cette imposture, et ses réponses évasives, ma rage grandissante. Je me rappelle une conversation avec Kari Gutrich où je lui parlais de tous ces gens qui cherchaient à me joindre, et aussi mes démarches inlassables pour faire fermer les comptes *online* à mon nom : il fallait que j'envoie par la poste les photocopies de mon permis de conduire avec un extrait de mon acte d'état-civil pour prouver mon identité – tout ça pour rien. Il y avait de quoi se taper la tête par terre. Je me rappelle aussi avoir prélevé un échantillon de salive à M. Tomasino, dont les glandes salivaires donnaient des signes de faiblesse, avoir soigné un petit garçon courageux, vêtu d'un short camo, qui s'était fendu une incisive sur un noyau de cerise, et avoir envoyé à l'hôpital Lenox Hill un patient qui avait avalé sa dent. Mais mon souvenir le plus vif, c'est Connie debout dans le couloir, avec son iPad à la main, le visage rouge de colère.

— Quoi ?

— Suis-moi !

Nous sommes allés dans une salle d'examen libre et elle m'a tendu la tablette. Elle portait un col roulé, mais pas comme ceux qu'affectionnait Mme Convoy. C'était une chose toute légère faite pour l'été, et ce col roulé avait une fonction inverse d'un col roulé ; il était généreux et ample, et ses plis ourlés comme une tulipe, formait un écrin pour son cou gracile. Et le tissu n'était pas vraiment un tissu mais des milliards de brins argentés, roses et rouges, entremêlés. Elle portait aussi un jeans délavé qui lui moulait à merveille ses fesses hautes et rondes.

— Lis ça ! ordonna-t-elle en tendant son doigt sur l'écran.

Je lus le tweet.

— Tu sais quelque chose là-dessus ?

— Non.

— Mais tu te rends compte à quel point c'est offensant ?

— Oui.

Elle s'en alla. Je relus le tweet. Il était bien sûr signé de mon nom.

> Plus un mot sur vos six millions tant que NOS morts, NOTRE souffrance et NOTRE histoire n'auront pas été reconnus.

« Pourquoi moi ? Pourquoi m'avoir choisi moi ? » écrivis-je.

> Vous n'avez donc pas de couilles ? Arrêtez de vous faire passer pour Paul O'Rourke. C'est quoi toutes ces bondieuseries ? Vous savez quoi : J'EN AI RIEN À FOUTRE ! Stop ! Si vous avez vraiment un truc important à dire, ayez des couilles et postez sur Twitter sous votre propre nom. ET ARRÊTEZ DE PARLER DES JUIFS ! Cessez cette provoc' avec l'Holocauste et les six millions de victimes. Les gens sont très chatouilleux là-dessus, et pour de bonnes raisons. Alors ils s'adressent à moi et me demandent des clarifications. Et je ne peux rien clarifier, rien du tout bordel ! Tout le monde se fiche de votre histoire malheureuse, en particulier quand vous la mettez en balance avec le calvaire des Juifs. Qu'est-ce que vous avez contre les Juifs ? Vous êtes un trolleur antisémite, c'est ça ? Et

ce n'est jamais une bonne idée de donner des leçons d'histoire sur Twitter. Vous imaginez Abraham Lincoln publier sa Proclamation d'émancipation via Twitter ? Vous êtes un homme ou quoi ? Vous n'avez pas d'autre ambition pour communiquer que d'envoyer cent quarante caractères sur le net de façon anonyme ? On ne peut décrire quelqu'un par des tweets. Un individu est bien trop complexe. Moi, je rêve qu'un jour je dépasserai mes inhibitions et que j'oserai chanter dans le métro. Allez donc tweeter ça, trou du cul !

J'avais un jour confié à Connie mon rêve d'aller chanter dans le métro en m'accompagnant au banjo. Je ne l'avais dit à personne d'autre. Mais si elle me surprenait à faire ça, elle saurait alors, soit que j'étais un homme métamorphosé, soit que j'étais devenu une tout autre personne. Mais changer à ce point, avec toutes mes peurs et mon manque d'assurance en matière musicale, et me trouver dans une rame de la ligne F avec mon banjo à chanter *San Antonio Rose* ? Non, la transformation serait si radicale que je ne me reconnaîtrais pas moi-même, autrement dit je serais devenu définitivement quelqu'un d'autre, comme après un coup sur la tête. J'aurais fait un aller jusqu'à la lumière au bout du tunnel, et serais revenu avec de meilleures cartes en main et un cœur plus grand. Jamais je ne chanterai dans le métro, ai-je dit à Connie, même si c'était mon rêve, parce qu'entre moi et mon double chantant dans le métro, il y avait ce gouffre infranchissable, cette inhibition fondamentale qui emprisonnait mon âme. « Mais tu ne crois pas que l'on puisse changer ? Ou s'améliorer ? » avait-elle demandé. Et je lui avais dit ce que je croyais : que ce changement fondamental, cette bonification de la personnalité, était rarissime. C'était davantage un mythe, à peine plus crédible que celui d'un créateur divin. On est ce qu'on est, pour le meilleur ou pour le pire, des monolithes à l'exception de quelques actes manqués ou de courts moments de vulnérabilité. Ce que je ne lui dis pas, c'est ceci : Si je pouvais trouver le courage de chanter dans le métro, j'aurais alors celui de dire à l'oncle Stuart que je l'aimais, lui et tous ses frères, et tous les Plotz, et que je m'étais fait le serment de ne jamais les décevoir ni de les abandonner.

Mon livre d'enfant préféré avait été *La surprenante histoire du docteur De Soto*, de William Steig. Le Dr De Soto est une souris dentiste qui soigne les dents de tous les animaux qui ne mangent pas les souris. Il l'a même écrit au-dessus de sa porte : CHATS & AUTRES ANIMAUX DANGEREUX NE SONT PAS ACCEPTÉS. Sage précaution. (Et moi ? M'est-il arrivé de soigner un meurtrier ?) Un jour, un renard se présente au cabinet du Dr De Soto, tout geignant de douleur. L'épouse du Dr De Soto, qui l'assiste au cabinet, demande à son mari d'avoir pitié de cette pauvre bête et De Soto, ayant la fibre hippocratique et l'âme altruiste, accepte. Et voilà le courageux dentiste miniature qui grimpe dans la bouche du renard et trouve une prémolaire cariée et une haleine anormalement nauséabonde. (C'est comme ça qu'on sait que Steig n'était pas dentiste : une mauvaise haleine, ça n'est jamais normal.) Le renard est très reconnaissant. Et pourtant, même s'il sait que la souris est dans sa gueule pour le soulager de son tourment, il a très envie de la croquer. Le Dr De Soto endort le renard pour lui extraire la dent, et la bête laisse filtrer sa véritable nature, marmonnant dans son sommeil comme il aimerait manger De Soto. La nuit, le Dr De Soto s'inquiète pour le lendemain. Un renard est un renard. Mais il devait terminer. Quand on commence un travail on va jusqu'au bout. Son père était comme ça. (Le mien aussi – enfin presque. Disons pour la première moitié : comme tout le monde, il se lançait dans la réfection de la salle de bain ou la pose d'un nouveau linoléum dans la cuisine avec l'enthousiasme ineffable que procure la nouveauté, mais invariablement, à mi-parcours, il quittait la maison, partait en ville, vendait la voiture pour une bouchée de pain, rentrait à la maison à pied et donnait l'argent à ma mère en sanglotant.) Je ne vais pas dévoiler la fin du livre, mais il va sans dire qu'un renard est un renard. Le plus « surprenant » dans l'histoire du Dr De Soto, ce n'est pas la détermination héroïque d'une souris qui accepte d'aider son prochain quitte à mettre sa vie en péril, mais l'idée, envisagée un court instant, qu'un renard puisse changer sa nature.

Quand je curais une carie, que je soignais un canal radiculaire, que j'arrachais une dent condamnée, je ne pouvais m'empêcher de me dire que cela aurait pu être évité. Et mon fatalisme à l'égard de la nature humaine revenait au galop : Ils ne connaissent pas la brosse à dent, ni le fil dentaire. Ils s'en foutent. Un renard reste un renard ! Mais quand ils se brossaient les dents, utilisaient du fil dentaire et perdaient quand même une dent, la faute venait d'ailleurs et, évidemment, qui blâmais-je ? Dieu ! Pour sa cruauté ou son indifférence. Suivant la situation, donc, je disais à mes patients qu'avoir de bonnes dents et des gencives saines, c'était de leur responsabilité, ou que cela les dépassait totalement ! Puis un jour un patient s'était présenté au cabinet ; il vivait au coin de la rue, dans l'une des dernières HLM de l'Upper East Side ; un ouvrier du bâtiment, avec des mains d'étrangleur ! Il avait les interstices dentaires pleins de restes de chique. Et pendant que je tentais de rectifier le petit carambolage dans le quadrant supérieur gauche, je laissai divaguer mes pensées. Ce type avait sans doute eu des gènes pourris, des parents ignorants, une enfance difficile. Il ne prendrait jamais soin de ses dents. Cela ne lui avait jamais traversé l'esprit. Il allait les négliger jusqu'à ce qu'elles tombent ou pourrissent sur pied. À moins d'un miracle… peut-être allait-il quitter ce fauteuil et tout changer à sa vie ? Par une soudaine prise de conscience, aidé par mes recommandations, il serait dans six mois un nouvel homme. Et même là, me disais-je, si ce changement se produisait, si cet homme nouveau voyait le jour, c'est que les bonnes graines étaient déjà présentes en lui. Je n'allais pas le transformer par quelques conseils d'hygiène – et Dieu sait que je les dispensais ! Dès que la douleur serait passée, la leçon serait oubliée. L'homme dans ce fauteuil n'était pas plus maître de ses bonnes intentions que de ses pires instincts. Changement ou pas, son destin n'était pas entre ses mains. Seule une question importait : êtes-vous un renard ou une créature meilleure que ça ?

* * *

« Cher Paul », écrivit-il.

Je suis désolé de vous causer tant de désagréments. Il y a tant de choses encore que vous ne pouvez saisir. Nous n'avons rien contre les Juifs. Des antisémites, nous ? Bien sûr que non ! Quand, dans notre Histoire, aurions-nous eu le loisir de cultiver quelque haine ? Les Ulms sont les mieux placés pour avoir de l'empathie pour les Juifs et leurs innombrables tragédies. Nous ne sommes pas les ennemis des Juifs, Paul. Nous sommes les Juifs des Juifs.

« Les juifs des Juifs » ? C'est-à-dire ?

Que savez-vous des escépticos poussés à se terrer par Alphonse X le Sage ? Vous a-t-on déjà parlé du massacre de Lodz ? Et des Ulms ? Les émeutes de 1861 sont-elles rapportées dans vos manuels d'histoire ? L'exécution, par les Britanniques, de tous les Ulms vivant en Israël pour créer l'État juif, conformément au Plan de partage de la Palestine validé par l'ONU ? Ce drame est-il présent dans votre mémoire, ou encore juste une vague ombre dans vos rêves les plus lointains ? Savez-vous à quel point nous sommes proches de l'extinction totale ? Jamais nous n'avons été aussi en danger. On peut dire ce qu'on veut sur les tragédies des Juifs, mais elles ont la chance d'avoir été bien documentées.

* * *

Le lendemain matin, je m'occupais d'un patient tout en songeant au titre d'un magazine people. Ce n'était pas le gros titre, plutôt un sous-titre en réponse au communiqué de Rylie annonçant qu'elle attendait des jumeaux. « Rylie a toujours voulu avoir deux bébés en même temps. » Ils avaient interviewé Rylie (« Exclusif ! »), qui confiait que depuis sa tendre enfance, elle rêvait d'avoir deux bébés. Pas juste un. Et pas deux non plus à des moments différents, mais deux simultanément, *Paf ! Paf !* Quand elle avait trois ans, quand elle avait sept ans, quand elle avait dix ans, Rylie voulait deux bébés à la fois. Un rêve d'enfant encore vivace à seize ans, à vingt ans, à vingt-cinq, et aujourd'hui, tenez-vous bien, elle était enceinte de jumeaux ! Le rêve de Rylie s'était réalisé : deux bébés ! Alléluia ! Comment faire partager ce rêve devenu réalité sinon en faisant la couverture d'un magazine, avec en titre « Des jumeaux ! ».

Je pensais donc à Rylie et ses jumeaux, et au sous-titre annonçant que son rêve d'enfant avait été exaucé, quand Connie apparut sur le seuil de la porte. Je fis mine de ne pas la voir.

— Docteur O'Rourke ?

Et de ne pas l'entendre non plus.

— Docteur O'Rourke, quand vous aurez un moment, insista-t-elle.

— C'est bon, monsieur Shearcliff, dis-je après avoir farfouillé plus longtemps que nécessaire dans sa bouche sans rien trouver de notable qui puisse me retenir à son chevet. Vous pouvez cracher.

À contrecœur, j'allai retrouver Connie dans le couloir. C'était à propos de mon dernier tweet :

> Mon rêve serait de dépasser un jour mes inhibitions et d'aller chanter dans le métro avec mon banjo.

— C'est exactement ce que tu m'as dit. Au mot près !

J'étais interloqué.

— C'est de la folie, bredouillai-je. Ce n'est pas moi !

— C'est de qui alors ?

— Je te jure devant Dieu, Connie.

— C'est toi l'auteur, Paul. Avoue-le.

— Non. Je te jure que non.

— À quoi tu joues ? C'est un truc tordu pour que je revienne avec toi ?

— Pour que tu reviennes ? Pas du tout, je te rappelle que c'est moi qui ai rompu.

Elle inclina la tête, en fronçant les sourcils.

— D'accord, concédai-je. Mais pour la première rupture, c'était moi.

— Pourquoi écris-tu ces tweets ?

— Je n'ai rien écrit du tout. Et je vais te le prouver !

Je sortis mon ego-Machine et lui montrai l'échange d'e-mails entre moi et mon double. En m'attardant sur le passage où je lui racontais mon envie de chanter dans le métro.

— Qu'est-ce qui me prouve que ce n'est pas toi ?

— Je m'enverrais des mails à moi-même ?

— Créer un compte mail ce n'est pas la mer à boire.

— Exactement ! Il a créé un compte avec mon nom et s'en sert pour m'écrire.

— Pourquoi as-tu répondu ?

— Tu ne m'écoutes pas. Tu es persuadée que je m'envoie des e-mails. Je ne m'écris pas à moi-même.

— Et celui-là ?

Elle m'agita le téléphone sous le nez.

— C'est pour ça, lâcha-t-elle, que tu m'as remerciée pour les fleurs sur le bureau ? Parce qu'un inconnu se faisant passer pour toi t'a dit de le faire ? Paul… tu débloques. Ça ne va pas bien du tout dans ta tête.

Je lui repris mon téléphone.

— Ce n'est pas moi, Connie. Je le jure devant Dieu.

Elle tourna les talons, puis revint vers moi.

— Si c'est le cas, si ce n'est vraiment pas toi qui écris toutes ces conneries, où est donc ta colère ? Tu étais fou furieux quand tu as cru qu'ils te faisaient passer pour un chrétien. Mais maintenant ils disent que tu es cette chose bizarre, et cela semble te convenir. Tu discutes par mails avec ce type. Tu le laisses poster des tweets en ton nom. Il t'a même fait une page Facebook, nom de Dieu ! Où est passé le Paul que je connaissais ? Voilà ce qui m'inquiète : où est l'ancien Paul ? Il a totalement disparu !

— Mais je suis là ! Je suis toujours furieux !

— Puisque ta croisade contre le monde moderne tire à sa fin et que tu tweetes et postes des trucs toute la sainte journée, pourquoi ne dis-tu pas à tout le monde qui tu es réellement… à savoir un grand dentiste et un authentique supporter des Red Sox – et pas ce… ce…

Elle leva les bras d'exaspération et s'en alla.

* * *

Betsy Convoy était dans la salle Deux, préparant mon intervention sur une molaire enclavée tandis que dans la salle Trois un bruxomane compulsif, affublé d'une mâchoire hypertrophiée, attendait que je soigne l'érosion prématurée de sa dentition à force de grincer des dents.

Impossible de mettre la main sur un iPad ! On achète le nec plus ultra de la technologie pour le travail, et on passe la journée à chercher cette satanée tablette ! Ou à tenter d'avoir une connexion ! Et ces deux sujets occupent toutes vos pensées, plus encore que le sort de vos patients. Cela devient une quête personnelle : trouver ce truc de plus de mille dollars qui était censé vous faciliter la vie au boulot. Au diable le patient ! C'est comme s'il avait disparu d'un coup. Car on n'est plus là soi-même. Mais téléporté dans un monde virtuel et confiné où n'existe plus que soi et cette maudite machine ; et la grande question c'est : qui des deux va l'emporter ?

Dans ma quête fébrile, j'entrai dans la salle Cinq et tombai sur un autre patient. Visiblement, à entendre ses gémissements, celui-là souffrait le martyre. Pendant que je cherchais du regard un iPad, je l'entendis prendre une grande inspiration et marmonner : « Ah-rum… ah-rum. » Je me tournai lentement…

— Vous ! m'écriai-je

J'attrapai Al Frushtick par le col et le soulevai du fauteuil.

— Docteur O'Rourke, brailla-t-il. J'ai vraiment très mal !

* * *

Je ne voulais pas le soigner avant qu'il ne se soit expliqué.

— Vous étiez censé être en Israël !

— Ça n'a pas marché comme prévu. Je suis revenu. Et maintenant j'ai un gros souci. Et vous êtes le seul dentiste en qui j'ai confiance. J'ai un abcès !

— Vous pouvez toujours courir ! Pourquoi avoir créé ce site web en mon nom ?

— Vous plaisantez ? Je ne serais déjà pas fichu de créer un site internet pour moi ! C'est un horrible malentendu !

— Mon avocat s'est renseigné, mon petit vieux. C'est vous qui avez enregistré le site. Et avant votre départ, vous avez dit que vous étiez un Ulm, et aussi que j'en étais un. Alors ne jouez pas l'innocent !

— Soignez-moi d'abord, je vous en prie !

J'avais toujours le col de sa chemise dans les mains et ses épaules tremblaient, en lévitation au-dessus du fauteuil. J'attrapai une paire de forceps de ma main libre et la lui enfonçai dans le nez.

— D'accord, d'accord, gémit-il.

Je le relâchai.

Il lissa sa chemise froissée et grimaça de douleur. Effectivement, il avait mal.

— Ils ont accès aux archives de votre famille, articula-t-il. Ils ne laissent rien au hasard.

— Quelles archives ?

— À tout ce qui est important. Ce que vous savez et ce que vous ne savez pas – qui vous êtes, d'où vous venez, quelles sont vos origines. (Un instant, oubliant sa douleur, il esquissa un sourire, mais il recommença à grimacer.) Mais ils en ont terminé. Aujourd'hui, ils ont assez retrouvé de spoliés. Ils cherchent à savoir qui, parmi eux, serait prêt à choisir l'ancien mode de vie juste pour la force de son message.

— Des « spoliés » ?

— Des gens qu'ils ont retrouvés malgré la dilution des lignées et les conversions forcées suite à la diaspora. Ils ne vous ont pas expliqué ?

— Non.

— C'est irresponsable, lâcha-t-il en lissant sa moustache (un coup à gauche, un coup à droite). Irresponsable. Mais ils doivent avoir leurs raisons. (Il marqua un temps.) Bon, puisqu'ils ne veulent pas vous le dire, moi je vais le faire. Vous appartenez à une lignée perdue. Un vestige de la contre-histoire. Vos gènes l'attestent. Ce sont là vos origines comme les miennes. La preuve est irréfutable, et ça remonte à des siècles. Je n'ai pas les détails, mais je suis sûr que Arthur les connaît.

— Arthur ? Qui est-ce ?

— Grant Arthur. C'est lui qui vous a trouvé. Votre lignée remonte aux Égyptiens, elle est plus ancienne encore que celle des Juifs.

— Justement, je devrais vous casser les dents pour tout ce que vous dites sur les Juifs.

— Attendez ! cria-t-il en se cramponnant aux accoudoirs pour éloigner sa tête de mes poings. Nous ne disons rien de mal sur les Juifs. Nous n'avons rien contre eux ! On se sent même proches d'eux. Les Juifs sont pour nous un point de comparaison, c'est tout. Vous préféreriez que nous prenions les Amérindiens comme référence ? Ce serait d'ailleurs plus juste, si vous voulez mon avis. On les a traités de païens, on les a massacrés, et on en a fait des alcooliques et des champions du suicide. La fin funeste d'une grande nation ! Mais il manque à leur souffrance une dimension globale. L'histoire des Juifs, en ce sens, est bien plus parlante, voilà tout. La question n'est pas de savoir qui a le plus souffert. La souffrance des peuples n'est pas une compétition.

— Ce n'est pas ce que vous semblez dire sur Twitter.

— Sur Twitter ? dit-il en fronçant les sourcils. Alors ils l'ont fait…

Il resta pensif un moment, en se grattant le sillon de peau pâle entre les deux pans de sa moustache.

— On a beaucoup discuté du danger de révéler notre présence et d'attirer l'attention. Mais Twitter… ils n'y sont pas allés avec le dos de la cuillère ! Bref. Au moins, c'est plus clair pour vous maintenant.

— Pas du tout. Que faites-vous ici ?

Son front se plissa.

— Qu'est-ce que je fais ici ? Allumez votre lampe, docteur, regardez dans ma bouche, et vous saurez !

— Vous partiez pour Israël ? Que s'est-il passé ?

Il secoua la tête et lissa encore une fois sa moustache, cette fois avec une tristesse évidente.

— Vous êtes un sadique, docteur. Un vrai sadique. Je viens ici, parce qu'un Scud me transperce un nerf et vous me demandez de vous raconter le plus grand échec de ma quête spirituelle. Vous avez une façon toute personnelle de montrer votre compassion.

Je m'adossai contre l'évier, croisai les bras sur ma poitrine et attendis.

— Ça va, ça va, lâcha-t-il. Au dernier moment, je n'ai pas pu. Cela faisait trop longtemps. J'ai été élevé comme un chrétien. Toutes ces années de prières… Dieu m'avait donné ses gènes, j'imagine, pour le meilleur comme pour le pire.

— Vous voulez dire que vous ne pouviez pas « douter » ?

— Et pourtant, j'en avais toutes les raisons du monde !

Il se redressa et s'assit, les jambes repliées sous lui, à la japonaise.

— Vous avez entendu parler de Cliff Lee, le généticien ? reprit-il. Le Pr Clifford Lee de l'université Tulane ?

Frushtick expliqua que le Dr Clifford Lee avait une chaire au Hayward Genetics Center de Tulane, à La Nouvelle-Orléans, et qu'il y avait travaillé pendant des années jusqu'à ce que Grant Arthur lui révèle qu'il était un Ulm. Un an plus tard, Lee avait déménagé, avec toute sa famille, en Israël, pour travailler sur l'identification des gènes spécifiques des Ulms. Ses recherches, selon Frushtick qui soudain parlait avec l'autorité d'un scientifique, s'étaient portées plus particulièrement sur les haplotypes modaux, les microsatellites, et les polymorphismes à événement unique. Des données génétiques complexes pour prouver l'existence de la lignée des Ulms.

— Il a mis au point un test fiable entre soixante et soixante-quinze pour cent, poursuivit-il. Et à quatre-vingts pour cent si l'on vient du nord du Sinaï et qu'on a rejoint la vallée du Rhin avant la migration ashkénaze. Il y a eu quelques mélanges entre les deux groupes, évidemment, mais vu leurs relations conflictuelles, pas assez pour affecter le test.

— Quel test ? Pour tester quoi au juste ?

— Si on descend des Ulms ! Il n'y a pas de certitudes, juste des probabilités – il insiste beaucoup sur ce point. Pour moi, par exemple, il y a soixante-dix pour cent de chance pour que ce soit le cas. Mais ce que le test de Lee ne dit pas, Arthur le trouve par ses recherches.

— Il trouve quoi ?

— Vous ne m'avez pas écouté ? Il établit si vous êtes ou non un Ulm.

Le travail de Grant Arthur était exhaustif. Frushtick se souvenait encore de son émerveillement quand Arthur lui avait montré le dossier qu'il avait compilé sur lui. Les noms de ses ancêtres, les dates et lieux de naissance et de décès : remontant ainsi le chemin du temps dans l'arbre de ses origines. Arthur sillonnait la planète, épluchait archives, contrats, conscriptions, cadastres, dans sa quête de ce qui avait disparu. Il ne retrouvait pas seulement les morts ; il tentait de réhabiliter un passé. Mais sa vie entière n'y suffirait pas. Alors l'urgence l'habitait.

« Il y avait des testaments, des titres fonciers, des registres de recensements, disait Frushtick. Arthur avait récupéré toutes sortes de documents. Des pièces administratives, des archives d'hôpitaux, des rendus de justice de lointains pays. Des autorisations, et des permis rédigés dans des langues étrangères – langues qu'il parle couramment pour la plupart. Des livres de comptes portuaires, des actes notariés, des inventaires de cargaisons de bateaux. Je l'imagine dans des trains traversant la toundra, atterrissant dans des pays en guerre, avec sa valise pleine à craquer et son scanner portatif. Il passe des nuits blanches, les cheveux en bataille, hirsute et tourmenté, mais avance, de bibliothèque en bibliothèque, d'un temple de la mémoire à l'autre. Juste de quoi nourrir sa quête, juste de quoi trouver la force de continuer, et comme ça jusqu'à son dernier souffle, jusqu'à ce qu'on le retrouve mort entre deux points perdus du monde. Mais ne vous méprenez pas, précisa Frushtick, Grant Arthur n'est pas un illuminé. C'est un génie. Ce qu'il accomplit dépasse l'entendement du simple mortel. Dans mon cas, il a ainsi remonté ma lignée jusqu'en 1620. Vous vous rendez compte ? Avant ses recherches, je me croyais moitié allemand et moitié… je ne sais plus quoi. »

Je n'avais jamais été très attiré par la généalogie. Que de temps perdu à collecter le nom des morts. Puis relier ces noms comme autant de crânes sur un fil, dans un assemblage totalement vain, car dépourvu de contexte historique. Un passe-temps narcissique pour nostalgiques rasoirs. Mais 1620… c'était impressionnant.

— Il a commencé avec le nom de jeune fille de ma mère, Legrace, poursuivit Frushtick. Des Legrace, il est arrivé aux DeWitt, puis des DeWitt aux Strickland, puis aux Short, aux Kramm, aux Krammer. Il est ainsi remonté jusqu'aux Bohr et aux Moorhaus. Des patronymes qui m'étaient totalement inconnus, les noms de ma famille, de mes lointains aïeux… vous ne pouvez vous représenter le bonheur que l'on éprouve quand on voit ses origines remonter ainsi dans le temps. Quand je pense que j'aurais pu mourir sans avoir connu ça. Je serais resté aveugle et perdu, me laissant porter à la surface de la vie, dans une totale ignorance.

— Comment ce Grant Arthur sait-il qu'il est lui-même un Ulm ?

— Par son père. Mais il ne le lui a dit que sur son lit de mort, car le vieil homme avait honte. Il a donné à son fils le nom d'un homme vivant au Québec, où il y avait une petite communauté. Le Québécois lui a parlé alors des *escépticos.* Arthur s'est donc rendu en Espagne. Un homme de Castille-La Manche venait de perdre ses parents. Il disait avoir enterré non seulement les deux derniers membres de sa famille, mais également les derniers locuteurs d'une langue qu'ils ne parlaient que chez eux, en privé. Grant Arthur a retrouvé la trace de cet homme à Albacete et quand il l'a rencontré, il s'est adressé dans la langue de sa mère. Et l'homme s'est mis à pleurer.

— C'était un *escéptico* ?

— Il vous parlera d'eux quand il vous révélera les noms de vos aïeux. Car je suis certain qu'il les a tous... et allez savoir jusqu'où. Il étalera tous ces noms devant vous, génération par génération, et alors vous saurez qui sont les vôtres, vous saurez qui vous êtes.

— Pourquoi moi ? Comment sait-il pour moi ? Comment savait-il pour tous les autres ?

— Par ses recherches. Une piste en ouvre une autre. Nous sommes tous liés, docteur. Il lui suffit de tirer les fils de la pelote. Vous allez voir que votre nom a bien changé à travers les âges, comment il s'est anglicisé, adapté au pays d'accueil, comment vos ancêtres ont dissimulé leur véritable origine... vous allez découvrir tout ça. Mais, de votre côté, vous aurez une chose à faire.

— Laquelle ?

— Accepter le message.

— Quel message ?

— Celui que Dieu a ordonné à Son peuple : à savoir qu'il leur faut douter de lui. Si un survivant peut accepter ça de fait, Arthur n'a pas plus besoin de remonter l'arbre généalogique de chacun d'entre nous. Vous n'imaginez pas la somme de travail que cela représente. Les voyages, éplucher tous ces registres, tous ces dossiers… cela le tue à petit feu. Il perd la vue. Et cela met la pression sur Lee pour parfaire son test génétique. Pour Lee comme pour Arthur, ce serait un soulagement de savoir que le message seul suffit.

Il y eut un bruit derrière la porte. Je l'ouvris d'un coup et découvris Connie de l'autre côté, l'oreille collée au battant. Elle se redressa.

— Oui, Connie ?

— On se demandait où tu étais passé.

— Qui ça « on » ?

— Moi, Abby et Betsy. Avec qui parles-tu là-dedans ?

— À personne. Juste à un patient. Si tu veux bien me laisser travailler…

Elle s'en alla à contrecœur. Je me tournai vers Frushtick. Il jouait avec sa moustache comme s'il avait un harmonica dans les mains. Ce maboule m'avait volé mon identité, et il était dans mon cabinet, à se lamenter d'avoir loupé je ne sais quelle quête spirituelle. Je refermai la porte, l'abandonnant dans la salle d'examen. J'allais le laisser un peu mariner avec son abcès !

Connie revint aussitôt sur ses pas.

— Qui c'est ce Grant Arthur ? me demanda-t-elle.

— Aucune idée. Mais je te saurais gré de cesser d'écouter aux portes. Et trouve-moi un iPad, s'il te plaît.

Je soignai ma molaire enclavée et mon type atteint de bruxisme chronique, persuadé de punir Al Frushtick. Mais il n'était pas le seul à recevoir la punition. Pendant que je m'affairais sur mes patients, des questions ne cessaient de me tarauder, de plus en plus nombreuses. Je voulais des éclaircissements, des indices pour comprendre. Je traitai mon rogneur de dents à vitesse grand « V », envahi soudain d'un sentiment d'urgence. J'étais un crétin orgueilleux. Les réponses étaient à portée de ma main. Bouge ! Je partis au pas de course dans la salle Cinq, mais le fauteuil était vide. Le renard avait filé.

Il avait laissé un mot : « J'aurais bien attendu. Mais je ne mérite pas qu'on soulage ma douleur. »

UN ERSATZ D'ISRAËL

6.

On avait dépassé la mi-août et j'avais à nouveau rendez-vous avec Sookhart. Il était temps de prendre l'initiative ! Je voulais qu'il me trouve une édition complète des Cantavétiques.

— Je suis intrigué, dit-il en se caressant à nouveau les poils du bras. Mais sceptique, en même temps. J'ai parlé de cette affaire à des collègues, de grands érudits, et personne n'en a entendu parler. Personne n'a connaissance de l'existence de prétendus descendants des Amalécites. Historiens, théologiens, conservateurs, marchands d'art comme moi – pas un seul.

— Combien en faudrait-il pour que vous soyez convaincu ?

— Le problème, c'est que je n'en ai pas trouvé un seul.

— Mais si vous en trouviez et que ces personnes soient des spécialistes de la Bible, des historiens… Ma question est : combien de gens doivent-ils avoir connaissance d'une chose pour que celle-ci soit considérée comme vraie ?

— Cher ami… (sa main resta en suspens au-dessus de son avant-bras) les hommes ont cru à toutes sortes de chimères, de tout leur cœur et de toute leur âme, depuis la nuit des temps. Ce n'est pas une question de nombre.

— Mais dans le domaine des religions, où on ne peut prouver grand-chose, le nombre importe. Combien de fidèles vous faut-il pour prendre au sérieux une croyance ?

— Quelle croyance ? Que Mithras est le Dieu-Soleil ? Que Ninurta est le Mardouk de la houe ? Que Râ chasse le serpent Apophis tous les matins pour restaurer le règne de Maât ? Que Japhet est le père de tous les Anglo-Saxons parce qu'il est le fils de Noé ? Que Yahweh a frappé à mort Ouzza parce qu'il a touché l'arche pour l'empêcher de tomber ? Que Dieu aime tant le monde qu'Il a donné Son fils unique, et que quiconque croira en Lui aura la vie éternelle ?

— Par exemple, répondis-je. N'importe quelle croyance.

— La différence entre dix fidèles et dix millions est cruciale. Dans un cas, il s'agit d'un culte, dans l'autre d'une religion. Personnellement, je me fiche de cette distinction. Mais, en deçà d'une certaine masse critique, ça devient parfois bizarre.

— Selon moi, c'est plutôt l'inverse. Plus les fidèles sont nombreux, plus c'est bizarre.

— Prenons le point de vue de l'historien. Malgré tout le respect que je peux avoir pour mes amis universitaires ce sont des vautours. Ils le sont tous. À la moindre carcasse qu'on exhume, ils se jettent dessus et la curent jusqu'aux os. Je ne leur en veux pas. Ils ont des publications à faire, des chaires à conserver. Sachant cette loi universelle, examinons ce que nous avons à leur proposer.

Il contempla les documents étalés sur son bureau ; il y avait là les copies de mes e-mails, les cantations citées dans ma page bio.

— Quelqu'un est venu vous annoncer que vous appartenez à cette culture, à ce peuple. Ces gens ont une religion, décrite d'une façon assez sommaire, et ils forment un groupe ethnique distinct. Ils ont leur propre signature génétique. Ils constituent une race, et ils peuvent le prouver. Et malgré les persécutions dont ils ont fait l'objet, un lignage infime a perduré, depuis les premiers Israélites jusqu'à l'époque moderne. C'est à peu près bien résumé ?

Je hochai la tête.

— Pourquoi, dans ce cas, n'avons-nous jamais entendu parler d'eux ? Pourquoi les vautours de toutes les facs d'histoire ne se sont-ils pas jetés sur ces reliques pour avoir leur livre de chair ? Une si belle dépouille encore vierge et immaculée ?

— Parce que les survivants sont forcés de se faire très discrets.

Il cessa de se caresser les poils de son avant-bras, pour me regarder, bouche bée. J'apercevais la face interne de sa lèvre inférieure.

— Qu'est-ce qui vous fait dire ça ? (Il montra les papiers sur son bureau.) C'est écrit quelque part ?

— Non, concédai-je.

— Comment en êtes-vous arrivé à cette conclusion ? Et ils se feraient si petits qu'ils seraient passés sous les radars de tous les historiens du monde ?

— Je n'ai aucune envie de me faire duper. Comme vous, je suis persuadé qu'il s'agit d'un canular. J'ai mis sur le coup une avocate spécialisée en cybercriminalité. Elle m'a dit que je pourrai les attaquer dès qu'ils seront sortis du bois. On n'a pas le droit d'usurper ainsi l'identité des gens. Mais il est possible, juste possible, qu'on n'ait jamais entendu parler d'eux. Ils ont été tellement persécutés qu'ils ont quasiment disparu de la surface de la terre. En terme de génocide, que ce soit celui des Juifs, des Amérindiens, des Vaudois, n'importe lequel, celui des Ulms arrive en première place. Et ils sont si peu nombreux, depuis si longtemps, que personne ne sait qu'ils existent.

— Parce que vous connaissez les Vaudois ?

Ouvre les yeux ! m'écriai-je en pensée. Mais j'étais déjà pris au piège. J'avais passé tant de temps à échanger des e-mails avec moi-même, avec mon double virtuel, le Dr Paul C. O'Rourke du net, que j'en savais plus sur le sujet que les historiens. Mais voulais-je y croire ? J'avais espéré que Sookhart me remettrait la tête à l'endroit, face à mon bon vieux moi réel, qu'il me dirait que les Vaudois étaient une pure invention.

— On m'a dit qu'ils avaient subi le même genre de persécution. Il y a aussi les Tchouktches de Russie. Voilà un exemple de peuple qui est depuis longtemps au bord de l'extinction.

— Redites-moi leur nom ?

— Les Tchouktches. Il en reste cinq cents.

Il se redressa.

— Qui vous a parlé d'eux ?

— Il y a aussi les Punan, les Innus, les Enawenê-Nawê.

— Qui sont ces gens ?

— D'autres peuples qui vont disparaître.

— Épelez-moi tout ça…

Il consigna les noms dans un carnet.

— Et pourquoi ont-ils été persécutés ?

— Les Tchouktches ?

— Non, les Ulms.

— Même les païens et les sauvages croient en une divinité ou une autre. Or les Ulms croient en la nécessité de douter de Dieu. Et cela dérange tout le monde.

Une nouvelle fois, j'eus un aperçu des replis roses et humides de sa lèvre inférieure.

— Mais tous ces peuples ont laissé une trace quelque part dans l'Histoire, bredouilla-t-il Même ces… (il regarda ses notes) ces Tchouktches. Où sont les preuves de l'existence de votre grand peuple opprimé ? Où sontelles ?

— Cachées en pleine lumière.

— Vous en savez plus que vous ne voulez bien l'admettre.

— Non. Ou si peu.

— Cachées en pleine lumière ?

— Lisez les livres d'histoire. On parle toujours de « masses », de « villageois ». Ou bien on dit les « indigènes », les « serfs », les « autochtones », les « nomades ». « Les hérétiques » et les « blasphémateurs ».

— Et ce serait vos Ulms en question ?

— Pas toujours. Parfois les « masses » c'est juste les masses.

— Bref, de tout temps, ils étaient là, sans nom, totalement invisibles ?

— C'est l'idée.

— En tout cas, c'est celle de ce gars-là, dit-il en désignant les e-mails imprimés. De ce Dr Paul C. O'Rourke.

J'acquiesçai. Sookhart posa son stylo et se laissa aller au fond de son siège.

— C'est un peu tiré par les cheveux. Tout se sait dans le petit monde universitaire.

— Mais l'histoire humaine est jalonnée de génocides. Qu'on en découvre de nouveaux n'aurait rien d'étonnant en soi.

Il se mordit les lèvres et se massa la thyroïde, l'air pensif.

— Mais de là à imaginer un peuple de l'Âge du bronze doutant de l'existence des dieux…, articula-t-il. Alors que tous les autres à l'époque s'agenouillaient au premier orage venu, ou priaient devant des statuettes de bois.

Il secouait la tête, incrédule.

— Voici mon offre, dis-je en tendant un chèque.

Il regarda le montant. Fronça les sourcils. Puis se leva et me tendit la main pour sceller le marché.

— Mais sachez que jouer les saint Thomas, ça n'apporte jamais rien de bon.

* * *

« Les Plotz savent d'où ils viennent », écrivit-il.

> *Cela ne m'étonne pas que vous soyez tombé sous le charme de ces gens. On est toujours attiré par ceux qui ont des racines et de puissantes traditions. Mais ces traditions sont toujours opposées aux nôtres et chaque rapprochement est un désastre pour nous. Mais je ne vous reproche rien. Appartenir à un groupe, se couler dans le moule, aimer et vouloir être aimé en retour, c'est un besoin bien naturel en ce bas monde.*
>
> Comment êtes-vous au courant pour les Plotz ?
>
> *Vous m'en avez parlé.*
>
> Je ne vous ai jamais dit que je les aimais à ce point.
>
> *Je n'ai aucun pouvoir psychique, Paul. Simple déduction au fil des e-mails.*

* * *

Après la mort de mon père, j'avais beaucoup de mal à m'endormir. Ma mère venait fermer les volets, allumer la veilleuse, et me bordait. Je restais alors immobile dans la pénombre, en espérant que le sommeil allait arriver vite, mais ça n'était jamais le cas. Il fallait pourtant que je m'endorme avant maman, parce que sinon, si je restais la seule personne éveillée dans la maison, c'était comme être seul au monde. Et ça, il n'y avait rien de plus terrifiant, rien de plus triste. Si elle s'endormait, les autres dans l'immeuble s'endormiraient aussi, et je serais le seul éveillé au milieu de tous ces adultes partis au pays des songes. Il fallait que je dorme ! Mais le temps ne voulait pas s'arrêter. Quoi que je fasse, la nuit s'étirait, devenant plus longue et noire à chaque minute. De notre bâtiment, le sommeil se propageait comme une maladie à travers tout le quartier. Bientôt toute la ville allait dormir, et puis le monde entier. Et je serai la seule personne éveillée sur la Terre.

Je faisais tellement d'efforts pour m'endormir que j'étais de plus en plus réveillé. Jamais, me semblait-il, le sommeil ne viendrait. Alors la terreur me tombait dessus, et tout ce qu'avait pu faire ma mère pour me préparer à la nuit – les histoires qu'elle me lisait, les prières que nous disions, et le nombre incalculable de « bonne nuit » que je lui arrachais pour qu'elle ne s'en aille pas, alors qu'elle était à la porte de ma chambre, rien de tout ça ne parvenait à éteindre cette panique qui montait. J'étais seul dans mon lit depuis un quart d'heure à peine que je l'appelais déjà : « Maman ? » Parfois elle répondait « Oui ? » ou « Quoi ? » mais le plus souvent c'était « Qu'est-ce que tu veux ? ». Après avoir passé quinze minutes à se dire bonsoir, après que je l'eus fait revenir dix fois pour des broutilles, après avoir usé et abusé de sa patience avant même d'avoir tenté réellement de m'endormir – tout cela après sa journée de travail, et qu'elle eut préparé le dîner et fait le ménage –, elle bouillait véritablement de rage. Elle aussi devait être triste, elle aussi devait souffrir. Se poser les mêmes questions : pourquoi ? Pourquoi ça m'arrive à moi ? Éprouver cette même angoisse tout en tentant de ne rien laisser paraître, et trouver la force de continuer à vivre pour moi. Mais trouver la force de vivre et celle de gérer un enfant de neuf ans qui ne veut pas dormir, soir après soir, sont deux choses différentes. « Qu'est-ce que tu veux ? » répondait-elle, et dans sa voix, il y avait cette colère de l'adulte qui secoue un enfant désobéissant par le bras. Mais je feignais ne rien remarquer, ne pas sentir l'exaspération devant cette routine du coucher qui s'était installée cette année-là. Je cachais ma terreur par une ultime plaisanterie et je criais à travers la mince paroi : « Rien. Je voulais juste te dire bonne nuit ! » « Dors, Paul ! » Et quelques minutes plus tard, je disais encore : « Bonne nuit, maman ! » Et elle répondait : « On s'est dit cent fois "bonne nuit", Paul. Ça suffit ! » Quelques minutes plus tard, alors que je faisais tout mon possible pour me retenir, je criais à nouveau : « Bonne nuit, maman ! » « Assez, Paul. Arrête ce petit jeu. Pour la dernière fois, dors ! » Je ne pouvais lui en vouloir, parce que tous les soirs c'était pareil, mais c'était plus fort que moi. Et si nous savions tous les deux que c'était notre cauchemar à nous, un cauchemar récurrent, il restait néanmoins une interrogation : combien de temps allais-je pouvoir l'empêcher de dormir ? À quel point allait-elle se mettre en colère ? J'arrêtais alors de dire « bonne nuit maman ! » parce que le subterfuge était usé jusqu'à la corde et je disais alors : « Maman, tu dors ? » Et de la chambre à côté, elle hurlait : « STOP ! » Et un peu après, je demandais : « Maman, tu es encore réveillée ? » Et elle criait en retour : « DORS ! TOUT DE SUITE ! » Il se passait alors un long moment et puis j'appelais : « Maman ? » Et elle ne répondait pas. Alors je répétais : « Maman ? » Et elle ne répondait toujours pas. Alors j'insistais : « Maman ? Maman ? Maman ? » Car j'avais peur qu'elle se soit réellement endormie. Et enfin, elle disait : « MAINTENANT DORS ! JE NE VEUX PLUS RIEN ENTENDRE ! RIEN ! » Et c'était un soulagement indicible. Je m'en voulais de la mettre en colère mais j'étais heureux qu'elle soit éveillée, parce que cela voulait dire que je n'étais pas seul. À la fin, j'avais beau appeler et appeler encore, elle ne répondait plus. Alors je devais me lever et aller à sa porte et murmurer « Maman ? Tu es réveillée ? » Et elle était là, allongée dans le lit, les yeux grands ouverts. « Maman, tu dors ? » Je demandais encore alors que je voyais bien qu'elle ne dormait pas du tout. Elle regardait le plafond fixement et je répétais : « Maman ? Tu dors ? » Et sans tourner la tête vers moi elle répondait « non ».

Au matin, j'étais dans son lit, ou elle dans le mien, ou j'étais dans le canapé et elle par terre sur la moquette à mes pieds, emmitouflée dans ma couverture des Red Sox.

* * *

Le lendemain, un banquier se présenta à mon cabinet. Un certain Jim Cavanaugh. Même les banquiers de Wall Street ressemblaient à des bébés une fois assis sur mon fauteuil, avec leur bavoir bleu autour du cou. Pour un peu, on les aurait pris dans nos bras pour les bercer.

Il sentait bon. Je discernai des arômes de cardamome et de bouleau. Les types comme Cavanaugh, purs produits de banques d'affaires ou de grands cabinets d'avocats, embaumaient toujours mon officine de senteurs florales. J'imaginais le combat féroce que se livraient ces émanations olfactives quand Cavanaugh et ses collègues se retrouvaient en salle de réunion, devant la machine à café ou dans les avions. Cavanaugh était un guerrier et, sur tous les champs de bataille, il voulait laisser, avec ce nuage entêtant, l'empreinte odorante de son triomphe.

Il lisait son ego-Machine quand je m'installai sur mon tabouret à côté de lui. Ses doigts virevoltaient sur l'écran qui affichait en haute définition les pages colorées de sa vie virtuelle. Il fallut un certain temps avant que son cerveau lui envoie le signal de lâcher son téléphone pour me serrer la main. Il rangea son ego-Machine dans sa poche, qui se mit aussitôt à bourdonner comme une abeille hystérique. Je regardai Abby par-dessus l'appui-tête : elle me tendait mon crochet de berger. Comme l'indiquait Betsy Convoy sur sa fiche, il avait une énorme carie sur la molaire du maxillaire inférieur droit et le sinus se vidait dans sa bouche. Elle avait effectivement raison de s'inquiéter. J'ajustai la lampe.

— Vous avez mal ?

— Ma vésicule biliaire fait des siennes. Et j'ai mal au dos. Mais ça ne m'empêche pas de bosser.

C'est fou comme il sentait bon. Seule ma culture d'hétéro m'empêchait d'enfouir mon nez dans son cou.

— Je parle de votre bouche.

— Ma bouche ? Non, tout va bien. Pourquoi ?

Je tapotai la dent cariée.

— Et là ? Toujours pas de douleur ?

— Non. Pas vraiment.

— Et là ?

— Non.

Il aurait dû sauter en l'air. Ça sentait la débauche d'antalgiques, plus je ne sais pas quoi.

— Vous prenez des médicaments en ce moment ?

— Rien d'illicite.

— Quand avez-vous consulté un dentiste pour la dernière fois ?

— Il y a six mois. Non, je vous raconte n'importe quoi. Cela fait au moins quinze ans. Et non, je ne me sers pas de fil dentaire, inutile de me poser la question. Et je mange n'importe comment. Et je bois vingt Coca par jour au boulot – les jours calmes ! Mais ça vaut mieux que vingt rails de coke, non ? Peut-être pas pour les dents. Je sais que la meth, c'est pas terrible pour les ratiches, mais la cocaïne, ça n'a rien à voir avec la meth, pas vrai ? En tout cas pour ce qui concerne les dégâts sur les dents. Pourquoi toutes ces questions ? Vous me fichez les jetons. Je n'ai jamais eu de caries.

— Vous en avez une maintenant.

— En fait, je ne devrais même pas être là.

— Comment ça ?

— Je peux faire l'impasse sur cette question ?

En tout, il avait six caries et ses gencives se rétractaient sous l'infection.

— Il y a aussi un déchaussement dentaire significatif. Là… là… et là.

— Un déchaussement ?

— Elles sont en train de s'en aller.

— Mes dents ?

— Je pense pouvoir les sauver.

— Mais vous n'en êtes pas sûr ?

— Il y a urgence. À votre place, je n'attendrais pas.

— Je ne comprends pas.

Un classique ! Le mur de la perplexité : Ça m'arrive vraiment ? À moi ? Malgré mon niveau d'études ? Mon argent ? Ma nationalité ? Je vote Républicain. J'ai forcément une bonne dentition. Vous devez faire erreur !

Je n'avais aucun plaisir à dire à un patient que sa dentition se faisait la malle, que sa santé était en péril et qu'il allait beaucoup souffrir. Mon nirvana résidait dans le soin, dans l'éradication du mal. Le temps des privilèges et de ses immunités était révolu. Vous n'êtes pas différent de votre voisin. Vous êtes un mortel commun. Et c'est moche, je sais. La vérité nue, c'est que vous êtes minuscule, dans une savane immense, sous un ciel plus vaste encore, et que le gibier est encore très loin. Bienvenue sur terre ! Parce que c'est là votre berceau. Et vous y êtes pour longtemps. C'est juste que ce monde, vous ne le voyez plus, parce que votre chauffeur, votre concierge et le livreur de nouilles vous bouchent la vue.

— Pas de panique. Je peux sauver vos dents, lui dis-je. Réparer vos gencives. Et vous serez débarrassé de ces odeurs.

— Quelles odeurs ?

— Et si, après, vous suivez scrupuleusement la trilogie : fil dentaire, waterpik et bains de bouche, et que vous vous brossez les dents deux fois par jour, en douceur, avec une brosse électrique, et que vous changez de régime alimentaire, votre bouche sera comme neuve et vous n'aurez plus jamais de problèmes. Après quinze ans de négligence, ce serait un petit miracle, non ?

* * *

Je passai la moitié de l'après-midi à le réparer. Son ego-Machine n'arrêtait pas de sonner, mais il ne pouvait répondre parce que j'avais mes mains dans sa bouche.

— C'est une chance qu'il m'ait envoyé moi et pas quelqu'un d'autre, annonça Cavanaugh quand j'eus fini. Je ne serais jamais venu de mon propre chef. Vous pensez qu'il savait ?

— De qui parlez-vous ?

Il se redressa sur le siège et j'eus droit une nouvelle fois à une bouffée de son après-rasage, un bouquet printanier avec une subtile pointe animale.

— Pete Mercer, répondit-il.

— Le milliardaire ?

— C'est mon patron. Il voulait vous remettre ceci…

Il me tendit une enveloppe. Avec un petit mot :

> *J'aimerais vous parler. Jim va vous donner mon numéro de portable personnel. Appelez-moi, s'il vous plaît, au plus vite. PM*

* * *

« Nous n'avons pas encore parlé du suicide de votre père », écrivit-il.

> *S'il avait su sa véritable place dans le monde, il n'aurait pas mis fin à ses jours. Et vous, avez-vous déjà songé à l'imiter ? Est-ce une option pour vous ? Combien de fois cette solution vous a-t-elle tenté ? Je sais que vous êtes perdu. Mais ouvrez les yeux ! Vous appartenez à une noble lignée !*

« Qu'est-ce que vous me voulez ? répondis-je. Dites-le, à la fin ! Qu'est-ce que vous voulez ? »

Votre aide. Nous voulons votre aide pour la faire renaître.

* * *

La vague de chaleur faisait vibrer les atomes de l'air. Le soleil, partout et nulle part, enkystait les puits et couloirs de la ville, emplissait les rues d'une poix invisible. Les pores de la peau étaient mis à rude épreuve, les miens comme ceux des autres piétons. La sueur s'accumulait sur les lèvres, dans toutes les plis et recoins des corps. Les taxis grinçaient sous la douche brûlante des rayons. Les vélums des auvents cuisaient littéralement. Le goudron des trottoirs devenait mou et collant, et les feuilles des arbres pendaient immobiles aux branches, fripées de terreur.

Je devais retrouver Pete Mercer à Central Park. Il préférait qu'on se voie à l'extérieur.

Je ne savais que penser de ce rendez-vous. Jamais je n'avais rencontré de milliardaire. Ce devait être quelqu'un de très discipliné, me disais-je. Lever avant l'aube, puis une série d'exercices, haltères, cardio, tous les jours le même programme d'airain, et un régime riche en fibres recommandé par les diététiciens. Les grands gagnants d'une telle hygiène de vie : ses intestins et son compte en banque. La moindre parcelle de son temps devait être rigoureusement planifiée, sa consommation d'alcool drastiquement régulée. Un type rasé de près en toutes circonstances, les mains manucurées, la peau douce et parfumée, en costume cravate, tout ça fait sur mesures. L'homme que je ne serais jamais, même en mille vies.

Mais le milliardaire qui m'attendait sur le banc portait un vulgaire pantalon de toile, des chaussures de marche, et mangeait un sandwich à cinq dollars acheté à un vendeur au coin de la rue. Il est impossible de paraître distingué en mangeant une de ces choses. Il était obligé de se pencher, et de garder les jambes écartées pour éviter que la sauce ne lui tombe dessus. Il avait à portée de main une dizaine de serviettes en papier à divers degrés de saturation, plus une autre dizaine définitivement roulée en boule. Il se leva à mon arrivée, avalant rapidement sa bouchée, et tenta de me serrer la main avec les deux seuls doigts qu'il avait encore de propres.

Je m'assis sur le banc. Il avait les cheveux courts, séparés par une raie à la manière d'un écolier du siècle dernier. Seules ses poches brunes sous ses yeux trahissaient son âge, et aussi sa peau du cou, un peu flasque. Il ressemblait à un type normal, sauf qu'il aurait pu s'acheter toute la pointe sud de Manhattan.

— Je vous remercie d'avoir accepté mon invitation, annonça-t-il. J'apprécie beaucoup vos tweets. « Nous avons trouvé refuge dans les marges douillettes de la société. » C'était celui d'aujourd'hui ? Ou d'hier ?

Mes tweets ! Il était convaincu que j'en étais l'auteur !

— J'avais cru comprendre que… que vous aviez démenti, réfuté…

Il haussa les épaules.

— Réfuter quoi au juste ? Pas de documents historiques. Pas de traces, ni reliques. Des mythes censés contredire la Bible. L'éradication d'un peuple qui ne peut être prouvée. Comment dites-vous déjà : « Un peuple réduit au néant. » Quelque chose comme ça, non ? Tout ce qu'on a, c'est… quoi au juste ? Un arbre généalogique, quelques morceaux d'ADN différents ? C'est trop peu pour qu'il y ait débat.

— Mais vous venez de faire un communiqué…

— Si le bruit courait que j'inspire de l'air par les poumons, je dirais à mes équipes de publier un démenti. Il s'agit de protéger ma vie privée.

— Moi aussi, je tiens à ma vie privée.

Il me tendit un sac en papier avec un sandwich à l'intérieur.

— Je vous ai acheté ça pour le déjeuner.

— Merci.

— J'espère que vous n'êtes pas végétarien. Ils le sont tous en ce moment. C'est la grande mode.

À qui se référait ce « ils » au juste ?

— Non. J'aime la viande.

— Moi aussi.

J'ouvris le sac. De la sauce gouttait de l'emballage d'aluminium.

— Encore merci d'être venu. J'imagine que votre temps est compté.

— Pas plus que le vôtre.

— Et merci aussi pour vous être occupé des dents de Jim. Au bureau, tout le monde vous en est reconnaissant.

— C'est sûr que Jim n'y allait pas de main morte sur le parfum, mais il aurait mieux fait de prendre soin de lui.

— Une erreur humaine assez courante, répondit-il. Pourquoi êtes-vous devenu dentiste ?

— Parce que les bouches m'excitent.

Il éclata de rire. Tout le monde ne riait pas à cette blague. C'était vrai en plus. Mais les gens s'attendaient à ce que je dise quelque chose de moins salace. Personne n'aimait entendre qu'il pouvait y avoir des pervers sexuels dans certaines professions médicales, en particulier en dentisterie où le gars met ses mains dans la bouche des gens à longueur de journée. Ça m'a fait plaisir de le voir se marrer. Il avait donc le sens de l'humour.

— Quand j'étais jeune, je suis tombé amoureux d'une fille, expliquai-je, et sa bouche fut pour moi une révélation mystique.

— Moi aussi, je suis tombé amoureux d'une bouche ou deux. J'aurais peut-être dû faire dentiste.

— Mais vous auriez trouvé que ça ne paie pas assez.

Il rit de nouveau.

— Certes. Mais gagner de l'argent est une perte de temps.

— Essayez donc de convaincre un patient de se mettre au fil dentaire !

— C'est vrai. Ce ne doit pas être facile tous les jours.

— J'en arrive parfois moi-même à douter de son utilité. C'est une pratique qui se perd.

— Je n'avais jamais utilisé du fil dentaire, et puis j'ai commencé, et c'est dingue ce que j'ai sorti de ma bouche ! Quasiment un jarret de cochon entier ! Ou un plein sac de popcorn !

— Vous devez avoir de sacrées poches dans les gencives.

— C'est comme ça qu'on dit, des « poches » ? Ce n'est guère ragoûtant.

— Et encore, vous ne m'avez pas vu extraire une molaire enclavée ! On s'arc-boute sur la pince, on se met à faire des « huit », ça résiste, on force, puis on arrache en tirant un grand coup, et parfois, quand on lâche la dent sur le plateau, on a l'impression de voir les nerfs se tortiller.

Il fit une mine horrifiée.

— À mon avis, il vaut mieux que vous continuiez à gagner de l'argent, ajoutai-je.

— C'est sûr que présenté comme ça…

Il se leva et alla jeter ses détritus dans une poubelle. Je ne m'attendais pas à apprécier ce type.

J'avais regardé une vidéo la veille. On y voyait Mercer témoigner devant la commission du Congrès après la crise de 2008. Il avait parié sur l'effondrement du marché et s'était fait des couilles en or. C'était, disait-il avec ironie, la preuve paradoxale de la bonne santé du système capitaliste. Le député de la Californie, agacé, avait pressé Mercer de questions, pour qu'il explique comment il avait pu avoir un tel coup de chance. La « chance n'avait rien à y voir », avait contré Mercer avant de détailler son analyse à la fin de 2007 : la folie de cette bulle de crédit, la migration suicidaire des risques via des produits financiers toxiques, tels que les couvertures de défaillance. Il avait juste entrevu la faille, et parié contre la tendance du marché, ce qui était en soi l'une des lois fondatrices de l'économie libérale. « Les fortunes dans ce pays se sont toujours faites grâce aux politiques, disait-il. Progressistes, conservateurs, démocrates, républicains… peu importait. Il suffisait de les laisser agir, puis de s'engouffrer dans la brèche. Ils prêtent à taux zéro ? On attaque cette niche. Ils soutiennent le taux de change ? On investit dans la dette extérieure à court terme. Les politiques veulent réglementer le capitalisme pour protéger le pays ?… Il suffit d'être plus futé qu'eux », expliquait-il aux législateurs eux-mêmes.

Il poursuivait ainsi : « Si je peux me permettre une analogie, monsieur Waxman, qui peut sembler bien loin de nous aujourd'hui, je dirais que l'économie américaine aujourd'hui, et celle de tous les pays développés, est aussi fragile que l'Église catholique avant la Réforme protestante. C'est un système dirigé par un petit nombre d'oligarques qui s'accrochent à leurs privilèges et sont prêts à n'importe quelle compromission pour sauver leur peau. Reste à savoir pourquoi, aujourd'hui, les victimes de ce système inique ne se révoltent pas. Elles ne risquent pourtant pas la damnation éternelle ! Non, c'est juste par ignorance. Le peuple – je veux dire les gens qui arrivent tout juste à boucler leurs fins de mois, qui connaissent les pannes de voitures, les courses au supermarché, ce genre de choses – ne mesure pas l'ampleur de l'injustice qui lui est faite. Et quand bien même ils sauraient, ils se sont d'ores et déjà résignés. S'ils continuent à être aveugles ou résignés, ils demeureront les dindons de la farce, et ils seront toujours les perdants. »

Les commentaires étaient légion sous la vidéo. Des commentaires haineux.

J'empoignai mon sandwich et ouvris les genoux comme Mercer un peu plus tôt. Il faisait bien trop chaud pour manger, mais je ne voulais pas me montrer impoli. Mon hôte revint de sa poubelle et, pendant que j'engloutissais mon poulet shawarma, il m'expliqua ce qui lui était arrivé.

Il s'était rendu sur la tombe de sa mère à Rye. Au moment où il retournait vers sa voiture, il avait vu un homme, une valise à la main, qui l'attendait sur le bord de la route. Il crut avoir affaire à un journaliste. Mais en y regardant de plus près, il comprit que ce n'était pas le cas.

— Ça se reconnaît à quoi un journaliste ?

— Soit il est superficiel, soit imbu de lui-même.

— Et Grant Arthur ?

— Lui, il ressemblait à un martyr.

« Je sais qui vous êtes, avait déclaré Arthur. Vous êtes Pete Mercer. Mais Pete Mercer sait-il qui il est ? » Le milliardaire dut juger que c'était là une entrée en matière originale. Ou alors que c'était suffisamment juste pour qu'il daigne s'arrêter. Peut-être la suite serait-elle moins loufoque et décevante que d'ordinaire. Depuis qu'il avait fait fortune, on le sollicitait pour tout et n'importe quoi : financer une école extraterrestre dans l'espace, donner de l'argent pour libérer les éléphants des zoos, aider une association qui voulait que les tournois médiévaux soient déclarés sport olympique, acheter tout le parlement russe, subvenir aux besoins d'une aveugle et de son chien pour qu'elle puisse acheter une maison dans les Hamptons. Mercer ne risquait pas de laisser monter un inconnu dans sa voiture pour écouter son histoire à dormir debout, où il était question d'ancêtres disparus et d'un génocide antédiluvien ! C'est pourtant ce qu'il fit. Et les recherches de Grant Arthur le passionnèrent.

— Je ne savais rien de ma famille avant sa venue. À part le nom de mes parents, bien sûr, et celui de mes grands-parents. Arthur avait des documents qui dataient de plusieurs siècles ! Il lui a fallu quarante minutes pour me les présenter. Puis nous nous sommes séparés. Sitôt rentré chez moi, j'ai demandé à une généalogiste de vérifier ses dires. Elle devait contrôler l'exactitude de chaque descendant, la véracité des dates. Elle n'a pas trouvé une seule invention ou erreur jusqu'à 1650 !

— Pourquoi pas plus loin ?

— Elle a atteint ses limites. Les recherches d'Arthur remontaient jusqu'à 1474. Il y a une satisfaction indicible à découvrir qu'on appartient à une lignée aussi ancienne. Cela vous a fait le même effet ?

Je me sentais… exclu. Frushtick avait eu droit à sa généalogie, Mercer aussi. Et pas moi !

— À l'évidence, ils ont autre chose en tête me concernant, dis-je. On ne m'a montré aucun aïeul.

— Aucun ?

— Rien sur ma généalogie.

— Vous avez fait le test génétique ?

Je secouai la tête.

— Alors comment êtes-vous au courant ?

Je lui parlai du site web, de la page Facebook, de mon compte Tweeter.

— Ils ont créé un site internet sans votre accord ?

Je hochai la tête.

— Et ces tweets ne sont pas de vous ?

Aurait-il été aussi amical, m'aurait-il acheté ce sandwich et aurait-il ri à mes blagues s'il avait su que je n'étais pas l'auteur de ces tweets ?

— Non. Je ne les ai pas écrits.

— Alors vous n'êtes peut-être pas des nôtres. Peut-être se servent-ils simplement de vous ?

— Possible.

Il détourna la tête un moment. Puis il se donna une tape sur les cuisses.

— Parfait ! dit-il en se mettant debout.

— Vous partez ?

— Je ne veux pas prendre davantage de votre temps. (Il me tendit la main.) Vous m'avez été d'un grand secours.

Je me levai à mon tour et lui serrai la main.

— Sans vouloir chercher la petite bête, je ne vois pas trop comment j'ai pu vous être d'un quelconque secours.

— Les gens sérieux n'usurpent pas l'identité d'autres personnes sur Internet. Ils ne jouent pas les imposteurs ni ne font du prosélytisme en leur nom. À votre place, j'engagerais un bon avocat. Je crains que vous n'ayez été victime d'une arnaque, comme moi. C'était trop beau, ajouta-t-il avant de s'éloigner. Trop beau pour être vrai.

* * *

Il avait raison. C'était sans doute une arnaque. Son départ précipité m'avait ouvert les yeux. Il était donc possible de tourner le dos à toutes ces foutaises et de reprendre le cours de sa vie ?

Je me rendis au centre commercial ce week-end, pour une sorte de « réinitialisation ». Je ne savais plus où j'en étais. Étais-je soulagé de savoir que c'était un canular ? Ou déçu ? Ou plein de courroux à nouveau ?

Quand j'avais décidé d'en finir avec ma fièvre acheteuse, il y a quelques années, je m'étais mis à économiser de l'argent avec dans l'idée de faire quelque chose de bien pour le monde. Plutôt que d'acheter tout ce qui se présentait, je mettais de côté la somme équivalent au prix de vente et, à la fin de l'année, j'ajoutais le tout et faisais une grosse donation pour une cause qui me paraissait juste : Haïti. La faim dans le monde. Rassembler des familles avec des animaux de ferme. Mais tout cela n'avait mené à rien. Haïti connaissait toujours le chaos, la malnutrition y demeurait endémique. Je ne m'attendais pas à soigner tous les maux de la terre, mais le seul changement notable fut l'accroissement du spam dans mon courrier. Mieux gérer son mode de consommation, c'était salutaire, mais espérer améliorer le monde par quelques dons, pure chimère ! Et ça m'avait mis le moral dans les chaussettes.

La fièvre acheteuse était donc revenue. Acheter me procurait du plaisir. Cela me rassurait, me réconfortait. Après mes accès de crédulité utopique, j'avais besoin de me rasséréner. Mais j'avais beau arpenter les allées du centre commercial, je ne trouvais rien qui me tentât ou que je ne possédais déjà. J'entrai au Hallmark, histoire de sortir l'artillerie lourde. Comment résister à ces rayonnages de cartes de vœux sentimentales, à ces alignements de vases en forme de cœur, à ces plaques avec leur message d'amour universel ? Mais rien. Aucun stimulus. Je tentai alors ma chance à Brookstone, le temple du gadget hi-tech et m'installai sur un fauteuil massant. Je testai aussi le nec plus ultra de la technologie en matière d'oreiller. Mais j'avais déjà eu un fauteuil massant et m'en étais débarrassé, et malgré tout mon respect pour cet oreiller nouvelle génération, je préférais le duvet à l'ancienne.

Je quittai Brookstone pour entrer à Pottery Barn. Quand j'étais petit, et que tout à la maison était moche et délabré, Pottery Barn c'était la caverne d'Ali Baba. Si les curés voulaient attirer les ouailles, me disais-je à l'époque, il leur aurait suffi de décorer leur nef comme un magasin Pottery Barn, que ce soit aussi joli et que ça sente aussi bon. Mon rêve alors était de pouvoir vivre dans une maison meublée uniquement avec des articles de Pottery Barn ; les petits paniers d'osier, les bougies parfumées, les cadres en acier brossé. Mais c'était il y a longtemps. Pendant un temps, j'avais acheté toute leur production et décoré mon appartement exactement comme l'une des boutiques de la chaîne. Et puis je m'étais débarrassé de tout au moment d'une révision à la hausse de mes goûts en matière de décoration intérieure. Aujourd'hui, tous les articles de Pottery

Barn étaient à mes yeux des ersatz, de simples produits de consommation de masse. Pour être tenté par un seul objet dans ce magasin, il aurait fallu que je sois en pleine régression, tant au niveau de l'exigence artistique que de l'amour-propre. Je ne voulais rien acheter à Pottery Barn, parce que je ne voulais pas me souvenir de l'époque où je voulais tout acheter à Pottery Barn.

Le même phénomène se produisit au magasin de disques. Je pensais fouiller dans les bacs, à la recherche de nouveaux artistes, parce que, à une époque, dénicher une petite perle musicale n'avait pas son pareil pour me combler de bonheur ; mais j'avais à peine dépassé les « B » que je m'arrêtai sur le seul disque que j'étais réellement prêt à acheter : *Rubber Soul* des Beatles, sorti en 1965. J'avais déjà l'album. Je l'avais sur vinyle, sur mini K7 et maintenant sur CD, et aussi, bien entendu, sur mon iPod, mon iPod mini, et mon iPhone. Je pouvais sortir mon téléphone et écouter sur-le-champ *Rubber Soul* du début à la fin, sur haut-parleur et en faire profiter tout le magasin. Mais ce n'est pas ce que je voulais. Ce que je voulais, c'était acheter *Rubber Soul* pour la première fois. Je voulais soulever le bras de lecture à la fin du microsillon et poser à nouveau l'aiguille sur les premiers accords de « Drive my car » et connaître à nouveau cette magie. Un doux rêve, évidemment ! Mais je pouvais acheter ce disque pour quelqu'un d'autre. Je pouvais offrir à quelqu'un cette expérience de la première écoute de *Rubber Soul.* Alors j'ai apporté le CD à la caisse, j'ai payé et suis sorti, me sentant tout joyeux et léger. Mais le premier gosse à qui j'ai voulu l'offrir, un gamin obèse dans son fauteuil roulant qui avait le nez collé à la vitrine d'une boutique de jeux vidéo, m'a déclaré qu'il préférait des billets. Les deux autres jeunes n'avaient pas de lecteurs CD. Finalement, j'ai laissé *Rubber Soul* sur un banc, à côté d'un cendrier condamné où quelqu'un avait jeté une poignée de cheveux brûlés par une séance de radiothérapie.

J'ai commencé à errer dans le centre commercial, comme tout le monde, prisonnier du labyrinthe, pour finalement pousser les portes d'une animalerie qui s'appelait « Au coin des petits amis ». La plupart des « petits amis » – de minuscules beagles, corgis ou bergers allemands – étaient enfermés dans des cages blanches où ils passaient leurs journées à dormir d'ennui, ne se réveillant que pour se lécher les pattes de façon névrotique. Qu'y avait-il de mieux qu'un petit animal pour égayer une vie ? Pour chasser les nuages du cynisme ? Il suffisait de voir les joies de cette petite créature pour les plus simples plaisirs du quotidien. Voilà ce que j'étais venu acheter, me suis-je soudain rendu compte : un chien. J'allais offrir la liberté à l'une de ces petites boules de poils idiotes, en sortir une de cette prison, et plus jamais je ne connaîtrais la solitude.

Mais un mauvais souvenir me revint. Dans une autre vie, pour se préparer à l'éventualité de faire un enfant, Connie et moi avions décidé d'acheter un chien. Après l'avoir ramené à la maison, j'avais mesuré combien la vie d'un canidé était courte. Ç'avait été une mauvaise idée, bien sûr, de parler de ça à Connie dès notre retour, alors qu'elle était à quatre pattes à jouer avec le chiot. Mais c'était plus fort que moi. Je voulais profiter du chien tant qu'il était tout petit, parce que les chiots deviennent adultes bien trop vite. Et c'était ça que je voulais dire : il allait devenir un chien en un rien de temps et même si, pour un œil humain, il demeurait le même pendant des années, chaque jour il deviendrait un peu plus vieux, chaque jour il se rapprocherait inexorablement de sa mort. Et quand il mourrait, Connie et moi allions nous retrouver spoliés, dépossédés d'une part de nous-mêmes, ce qui, hormis sa propre mort, est ce qui peut arriver de pire à un être humain. Alors pourquoi ? Pourquoi, sur un coup de tête, avions-nous acheté ce chiot sans songer à sa disparition inéluctable ? Alors, j'avais dit à Connie qu'il fallait le rapporter à l'animalerie. Je n'arrivais même pas à le regarder. Coincé sur le canapé, en larmes, j'avais imploré Connie de rapporter cet… cet animal. Non, je ne l'appellerai pas Beanie ! Non, cette bête ne pouvait avoir déjà un nom ! Impossible ! Inacceptable ! Connie m'avait rejoint sur le canapé. Elle avait fait de son mieux pour comprendre. Évidemment, elle s'était dit que cela avait un lien avec mon père. Mais mêler Beanie Plotz-O'Rourke et Conrad O'Rourke, c'était vouloir mélanger les torchons avec les serviettes. Il y avait peu de chance que Beanie se tire une balle dans la tête parce que la dernière séance d'électrochocs avait été sans effet. Beanie voulait jouir des bonheurs simples de l'existence. Comment supporter de voir la joie de vivre d'une petite créature alors que l'on est soi-même obsédé par la mort ! Ce serait une souffrance de tous les instants. De guerre lasse, Connie avait fini par emmener Beanie chez elle. Quand je passais à son appartement, je faisais une ou deux caresses au chien, mais c'était tout.

Bref, je quittai l'animalerie les mains vides.

À présent, la foule dans le centre commercial me sapait le moral – pas seulement les handicapés mais les malades, les éclopés, les diabétiques perclus de dettes. Au début, je tentai de me convaincre qu'ils n'étaient pas représentatifs. J'étais au fin fond d'une allée ; bientôt j'allais retrouver des terres plus hospitalières, peuplées de beautés en pleine santé, leurs seins gigotant sans soutien-gorge, bras nus, leurs corps drapés de soie. Mais les gens que je croisais étaient pareils : des êtres difformes, des baleines sur pattes ou des rats efflanqués, qui traînaient leur marmaille, hurlant sur les aînés qui n'écoutaient rien de toute façon. Mes compatriotes ! Je trouvai refuge dans la contemplation d'une femme aux mensurations normales qui marchait seule, en quête sans doute d'un sac à main de couturier ou d'une paire d'escarpins. Elle avançait d'un pas décidé, insensible aux hordes braillardes des pauvres et des égarés. En un instant, elle avait disparu de ma vue. J'en avais assez. Il était temps d'aller dîner au TGI Friday's.

La serveuse qui vint prendre ma commande portait l'uniforme de la chaîne au complet. Bien que cette tenue de clown rouge et blanche fût la risée de tout le pays, elle me rappelait de bons souvenirs, du temps où j'allais manger enfant au TGI Friday's. Je revoyais ma mère et mon père assis devant moi, choisissant scrupuleusement ce qu'il y avait de moins cher au menu. Maintenant que j'avais de l'argent, je commandais toujours une entrée, et la meilleure viande, et un dessert, et avant un cocktail ou deux aux couleurs fluo pour m'ouvrir l'appétit. Mais je n'avais pas faim. En fait, je n'avais plus jamais faim. Pourtant l'excitation demeurait. Pottery Barn et *Rubber Soul* avaient perdu tout attrait pour moi, mais commander au TGI Friday's plus qu'une simple assiette d'ailes de poulet m'emplissait encore d'une certaine autosatisfaction.

Tout en mangeant, je me demandais si mon désintérêt pour Pottery Barn ou *Rubber Soul* s'appliquait aussi aux gens. Oui, sans doute. En tout cas, Sam et les Santacroce, qui avaient été un temps mon tout, n'étaient aujourd'hui plus rien pour moi. Et Connie et les Plotz, était-ce aussi le cas ? Je n'aimais pas considérer Connie comme un bien de consommation dont je me serais aujourd'hui lassé. La plupart du temps, j'étais conscient que notre séparation n'était pas due à l'usure du temps, qu'elle était bien plus profonde que ça. Mais ce jour-là, dans le centre commercial, dans ce temple de la production de masse, où toutes les icônes étaient à vendre, je doutais. Était-ce réellement Connie qui me manquait, ou seulement l'excitation de la nouveauté : être amoureux, ne plus s'intéresser à ma seule et unique personne, découvrir sa famille, aimer les Plotz et le judaïsme ? Tout cela était perdu. Si tant est que ce mirage eût été réel.

Sur le chemin du retour, je fis un crochet pour acheter un pack de bières. Par réflexe, je cherchais toujours de la Narragansett, la bière que buvait mon père quand il regardait jouer les Red Sox. Et ce soir-là, alors que j'explorais de façon compulsive les rayons crasseux, je tombai sur un pack de six Ulm, une blonde allemande, brassée dans la ville éponyme et distribuée dans le New Jersey. Non, ce n'était pas un canular !

* * *

« Bah, ça arrive. Inutile de vous excuser », écrivit-il.

> *Vous croyez être le seul à avoir été sceptique ? À trouver que les preuves sont bien maigres ? Évidemment que non ! Tous, autant que nous sommes, nous avons un jour ou l'autre nié l'évidence. Personne n'aime être dupé. Nous serions une bande de crétins naïfs si nous n'avions pas eu de sérieux doutes. C'est le saut de la foi, Paul. Et vous avez passé l'épreuve. Et c'est ce qui nous rend plus forts. C'est un comble, non ? Qu'une religion fondée sur le doute exige de mettre sa foi à l'épreuve ?*
>
> Combien êtes-vous ? Cent ? Deux cents ?
>
> *D'après mes estimations, nous sommes entre deux et trois mille, mais très disséminés.*

Au moment où Betsy Convoy, dans le couloir, appelait le patient suivant (« Monsieur McKinsey, s'il vous plaît ! »), Connie se tourna vers moi.

— J'ai un aveu à te faire.

Je rangeai mon ego-Machine et me rapprochai d'elle. Derrière le comptoir de la réception, un espace exigu encombré par les fauteuils et les armoires de dossiers, « me rapprocher » signifiait juste faire pivoter ma chaise vers elle. Elle s'assit à côté de moi. À l'exception d'une fine écharpe bleue enroulée à son cou, elle était toute « monochrome » aujourd'hui – jupe grise, collants gris (mais plus sombres et commençant à s'éclaircir aux genoux), tee-shirt gris aussi (et décoré d'un oiseau anthracite). Elle portait des tennis en toile, bleues aussi (des chaussures nullement destinées à l'activité sportive). Elle avait rassemblé ses cheveux en chignon, tenus par une succession d'épingles. On eût dit une gare de triage vue du ciel.

Les épingles à cheveux ! Inimitables. Indémodables. Une branche droite, l'autre ondulée, les deux extrémités arrondies avec leur petite goutte d'ambre. Elles n'avaient pas changé. Les infirmières dévouées d'antan portaient exactement les mêmes. Ces épingles pouvaient donner un air vieillot, mais sur Connie elles paraissaient à la pointe de la mode. Je me rappelle le plaisir que j'avais à les enlever, et à les déposer délicatement sur la table de nuit, en une jolie pile. Une à une, je les ôtais en faisant très attention à ne pas prendre des cheveux avec, et je libérais ses mèches parfumées encore un peu humides.

— Voilà..., commença-t-elle. Tu te souviens que je disais être une athée « modérée » ? En fait, ce n'est pas tout à fait exact. Je l'ai peut-être été pendant un temps, mais je ne pense plus l'être. Athée, je veux dire. La vérité, c'est que je ne suis pas sûre à cent pour cent que Dieu n'existe pas ; et parfois, je suis même persuadée du contraire.

— Tu crois en l'existence de Dieu ? C'est ça ? Tu es croyante ?

— Voilà. Parfois, ça m'arrive de croire.

Je n'en revenais pas.

— Parfois ?

— La plupart du temps, en fait.

J'étais soufflé. Elle n'avait cessé de revendiquer son scepticisme. Je la revoyais lever les yeux en l'air avec moi quand un de ces demeurés à la télévision, parlant au nom de Dieu, disait aux femmes ce qui était bien pour elles, ou condamnait le mariage gay, ou niait la théorie de l'évolution, ou voulait limiter le champ de la recherche scientifique. Ou quand d'autres, tout aussi demeurés, défendaient le droit du citoyen à détenir des fusils d'assaut parce que Dieu voulait que tous les hommes aient des armes. Combien de fois avait-elle acquiescé quand je me lançais dans une diatribe anticléricale à la Christopher Hitchens ?

— Tu as toujours cru en Dieu ?

— Non, pas toujours.

— Quand est-ce que tu n'y croyais pas ?

— Quand on était ensemble.

— Donc avant qu'on se rencontre, tu croyais en Dieu ?

— Tu as eu des arguments massue pour me faire changer d'avis. Tu peux être assez persuasif, tu sais.

— Tu veux dire que c'est moi qui t'ai convaincue d'être athée ?

— Je ne savais plus où j'en étais ! s'écria-t-elle. J'étais amoureuse ! Je voulais changer pour toi !

— Tu m'as menti ?

La première année avec Connie, durant un an et demi même, ce fut l'amour fou, indescriptible. C'était une évidence, le matin, le soir, nuit et jour, l'amour, l'amour, encore et encore. Les seules parenthèses dans cette frénésie, c'était quand elle me récitait ses poèmes. À mes oreilles profanes, ses vers me semblaient plutôt bons. Ses poèmes ne m'ont jamais paru très clairs, mais ni plus ni moins que ceux qui avaient été publiés et qu'elle me lisait au lit, dans le parc, dans les bibliothèques, dans les bars déserts les après-midi d'hiver. Être obscur, n'était-ce pas là la marque du bon poète ? La preuve par neuf ? Durant cette année, cette année et demie, elle cessa d'écrire. Seule ombre au tableau. Entre nous, cela ne m'embêtait pas outre mesure, parce que je préférais la voir dans mon lit que la plume à la main. Mais le temps passa et elle n'écrivait toujours pas. Je lui avais demandé pourquoi. « Je ne sais pas, avait-elle répondu. Je suis heureuse, c'est tout. » « Tu as besoin d'être malheureuse pour écrire ? » « Non. Peut-être pas. Je n'en sais rien. Peut-être. Quand je suis heureuse, je ne ressens pas d'urgence à écrire. Être heureuse me suffit. » « Alors quand tu te remettras à écrire, cela voudra dire que tu seras malheureuse ? » « Non. Cela voudra dire que j'aurai trouvé l'équilibre. Que je peux écrire parce qu'il m'est possible de penser à autre chose qu'à nous deux. Que je peux penser de nouveau à la poésie. » Cela se tenait. Mais je me m'interrogeais encore. Qu'était-elle si elle n'écrivait plus de poésie ? Elle ne pouvait être une poétesse. Les poètes écrivent de la poésie. Elle n'était qu'une standardiste dans un cabinet dentaire. Une standardiste et la petite amie du dentiste, son employeur.

Inutile de dire qu'aujourd'hui, elle en noircissait des pages ! Mais, à l'époque, c'était la confirmation que quelque chose clochait entre nous, qu'elle aussi se perdait, comme moi je m'étais perdu. Tout ce temps sans écrire ? À minimiser son attachement pour sa famille ? À mettre en avant la Connie-qui-aime-Paul ? Pauvre petite. Elle aussi était « esclavaginée ». Elle m'avait tant aimé qu'elle en était arrivée à me mentir, tout comme je lui avais menti. La tristesse m'envahit, aussi dense que celle qui m'avait étreint durant les semaines qui avaient suivi notre rupture. Car la vérité était implacable : on était fait l'un pour l'autre.

— Voilà pourquoi au début tu ne voulais pas passer du temps avec ta famille. Parce que tu étais une forfaiture ambulante.

Elle ne répondit rien.

— Pourquoi me dis-tu ça maintenant ?

— Parce que je veux que tu saches qu'il n'y a rien de mal à croire en Dieu.

Elle fit rouler son fauteuil vers moi, un déplacement de quelques centimètres – je crus qu'elle voulait me prendre la main. Mais elle se contenta de poser ses doigts sur ses genoux.

— Cela ne fait pas de toi quelqu'un de ridicule ou de faible, ajouta-t-elle.

— D'accord.

— Tant que tu crois en Dieu pour de bonnes raisons.

— Parce qu'il y a de bonnes et de mauvaises raisons ?

— Toi seul le sais.

Je la regardai fixement. Et soudain, je compris qu'il ne s'agissait pas d'une confession. Pas seulement.

— Quoi qu'il t'arrive en ce moment…

— Quoi ? Qu'est-ce qu'il m'arrive ?

Elle poursuivit, imperturbable :

— Quoi qu'il t'arrive, tu dois choisir Dieu pour de bonnes raisons…

— Choisir Dieu ? Il n'en est pas question !

— Alors à quoi joues-tu ? Pourquoi t'enferres-tu là-dedans ?

— Dans quoi ? Cela n'a rien à voir avec Dieu. C'est de l'Histoire. L'histoire d'un peuple. Un peuple avec un ADN qui lui est propre. Et je ne joue à rien du tout.

— Pourquoi ton site web est-il toujours actif ? Pourquoi ne demandes-tu pas à ta cyber-avocate de se bouger le cul ? Pourquoi est-ce que je te surprends toujours à envoyer des e-mails ? Je ne sais si c'est une comédie ou non, mais une chose est sûre, c'est que tout ça te préoccupe plus que tes patients.

Je tournai les talons, la laissai dans son petit coin derrière le comptoir. Je longeai le couloir et me rendis dans la salle d'attente. Puis je revins à la réception et plaquai mon front contre la vitre. Elle avait la tête penchée en arrière, mais n'avait pas bougé du fauteuil.

— Passons un marché, suggérai-je.

Elle pivota vers moi.

— À partir de maintenant, chacun s'occupe de ses affaires. À quoi bon tout se dire ? Cela n'a plus de sens. Peut-être que si chacun reste à sa place, nous pourrons finalement être honnêtes l'un envers l'autre ?

Je m'écartai de la vitre et m'en allai m'occuper de mes patients.

* * *

« Je dois donc douter de l'existence de Dieu ? demandai-je. En même temps, Dieu sait que je ne tiens pas à croire en Lui ! J'ai passé ma vie à Le snober. »

Oui, il est essentiel de douter.

Mais pourquoi ? Vous ne doutez pas de l'existence de tous les dieux, ou de Dieu en général. Vous doutez d'un dieu en particulier – celui qui est apparu devant Son prophète pour ordonner que l'on doute de Lui. Comment peut-on douter d'un dieu qui se manifeste devant soi ?

Ne plus douter ? Les conséquences seraient terribles. Que seraient les Juifs sans foi ? Vous les imaginez renoncer au fondement de leur morale, détruire le ciment qui fait d'eux des Juifs ? C'est comme demander aux Ulms de cesser de douter ! La fondation de notre morale est édifiée sur la loi que Dieu (s'il y a un Dieu, ce qui ne peut être) ne doit pas être vénéré dans ces cultes pervertis, où ne prévalent que la violence, l'oppression et l'hypocrisie. Le doute, ou plus de foi ni de morale. Et comme les Juifs, une fois la foi perdue, c'est le sens de l'existence qui est perdu. C'est l'identité, l'essence même de l'être qui disparaît. Ce que les Chrétiens, les Juifs et les Musulmans ont tenté d'accomplir par la force, viendra naturellement si nous abdiquons : nous disparaîtrons de la surface de la terre. Il faut douter, pour ne pas voir se parachever le premier génocide que la terre ait porté. Douter, ou entrer en guerre de religions avec les autres de la meute. Douter ou périr. Voilà vos options.

Mais comment douter d'un dieu qui est apparu ?

Ce paradoxe est résolu dans les Cantavétiques, cantation 240. Il est connu sous le nom de la Révélation de Ulmet.

* * *

J'étais dans les pétoires quand je suis tombé sur la quatrième, ou peut-être la cinquième entrée pour « Ulm » dans Wikipedia. Cette fois, à l'inverse des autres, l'article avait été approuvé par la communauté. Où était passé Trekkieandtwinkies, lui qui prenait un malin plaisir à censurer tout texte sur les Ulms ? J'ai un peu surfé et les ai tous retrouvés chauds bouillants sur la page « discussion ». Réservé aux questions éditoriales, cet espace donnait un champ d'expression et d'échanges aux contributeurs pour lâcher leur fiel et s'écharper mutuellement sur le bien-fondé de telle ou telle page, tout cela discrètement, sans que ces rixes ne gâchent le lustre parfait de l'encyclopédie en ligne. La discussion pour l'entrée « Ulm » ou « Olm » battait son plein, entre Edurkheim, drpaulcorourke, BalShevTov, HermanTheGerman, Abdulmujib, openthepodbaydoorshal, Jenny Loony, et d'autres. Un magnifique dialogue de sourds ! On aurait dit Betsy Convoy et moi tentant de s'entendre sur la signification réelle du concept « d'œuvre de Dieu ». Trekkieandtwinkies attaquait cet article, mais plusieurs étaient persuadés de sa légitimité parce qu'il faisait écho à ce qu'ils appelaient « le bellicisme israélien contemporain ». Israël, disaient-ils, étaient les ennemis des Ulms. L'allusion à Israël dans une phrase avait enflammé les passions et les contributeurs s'étaient rangés rapidement dans deux camps : ceux en faveur de la publication de l'article, partisans dans leur grande majorité de la cause palestinienne, et ceux qui s'y opposaient fermement, des prosélytes pro-israéliens qui avançaient des arguments sans rapport avec la question des Ulms. La faction pro-Ulm, autrement dit anti-israélienne, avait produit dix-sept notes, donnant des liens renvoyant à des entrées dans l'encyclopédie ou à des articles de presse illustrant divers aspects de ce « bellicisme israélien ». On parlait des Palestiniens, des Égyptiens, des Africains, des Arabes, des Européens et des Américains – quasiment tous les peuples de la planète étaient cités en victimes. Mais de l'extermination des Ulms, pas un mot. Voilà la phrase qui faisait débat : « Les Ulms furent chassés du mont Séïr (en Israël) en 1947, comme d'autres peuples victimes du bellicisme israélien [1][2][3][4][5][6][7][8][9][10][11][12][13][14][15][16][17]. »

Je sortis des pétoires, toujours le nez collé à mon écran. L'article, de prime abord, paraissait un pur objet de propagande, mais il était bien plus troublant que ça. J'envoyai un patient dans la salle Un et retournai à mon ego-Machine poursuivre ma lecture. Je passai quasiment la matinée à ça. À lire et relire l'article sur mon téléphone, entre deux clients, pour en mémoriser les meilleurs passages.

L'origine des Ulms était bien documentée avec de nombreuses références aux passages de la Bible où l'on parlait des Amalécites, de la Genèse aux Psaumes. On disait que les Grecs considéraient les Ulms comme des métèques et étaient décrits en ces termes : *anthropoi horis enan noi*, comprendre « le peuple sans temple ». On y énumérait les divers moyens utilisés pour éradiquer les Ulms depuis l'avènement du christianisme : ordonnances du grand-duché, décret du conseil, lois somptuaires, amendes, tortures, et condamnations à mort. Les Cantavétiques, disait-on, étaient pour ce peuple nomade une « patrie portable ». Se couper les cheveux à treize ans était un rite de passage pour les garçons. Il y avait une carte de leur funeste exode ainsi que l'endroit d'Europe où le dernier Ulm avait péri. À en croire de récentes études, les ultimes survivants se trouvaient en Haute-Silésie, et travaillaient dans les mines de sel.

C'est avec l'image de ces mineurs de sel que je me retrouvai avec un crochet de berger dans une main et une roulette dans l'autre. C'était curieux. Pourquoi avais-je ces deux instruments ? Si je voulais explorer une dentition, je n'avais pas besoin de la roulette. Et si je m'apprêtais à creuser une dent, pourquoi tenais-je ce crochet ? En fait, je devais m'apprêter à forer puisque c'est le bourdonnement de la roulette qui interrompit le fil de mes rêveries sur les mineurs de sel de Haute-Silésie. Qu'est-ce que je voulais percer au juste ? J'étais penché au-dessus de mon patient, l'antre rose de sa bouche palpitant sous la lumière crue de ma lampe. Je parcourus son corps des yeux, un tailleur, des cuisses, des chaussures plates, noires, qui avaient besoin d'être cirées. Une femme, donc. Sans doute pas une mère au foyer. Quand je me tournai vers elle, ses yeux, comme ceux d'un animal terrifié, étaient plaqués dans le coin extérieur des orbites, me laissant à la périphérie de son champ de vision. J'observai l'écran de l'ordinateur. Il était écrit : « Merkle, Doris. » Cette dame fréquentait notre cabinet depuis des années, mais je ne me rappelais pas lui avoir dit bonjour ce matin. Abby me lança un regard fébrile, ce qui ne lui ressemblait pas. À cause du masque, je ne voyais que ses yeux, mais il y avait tant d'inquiétude, de confusion dans ces prunelles que je dus détourner la tête. Je ne lui connaissais pas cette expression. Vous êtes complètement paumé, c'est ça ? semblait-elle dire. Comment ça peut vous arriver, au pire moment, avec une roulette dans les mains ? Je posai mon crochet et raccrochai la roulette sur son support pour prendre la fiche de Mme Merkle. Mais Betsy Convoy n'y avait rien inscrit ce matin. Peut-être n'avait-elle pas vu passer Mme Merkle, peut-être Mme Merkle était-elle venue directement me trouver pour une urgence, sans avoir droit à un nettoyage. Je contemplai le plateau. D'ordinaire, un coup d'œil sur les instruments sortis suffisait à me renseigner sur la procédure en cours. Mais cette fois cela ne marcha pas. Les éléments sur le plateau demeuraient des hiéroglyphes indéchiffrables. Je n'avais aucune idée de ce que je m'apprêtais à faire à Mme Merkle. Voilà ce qui arrivait quand on laissait son esprit vagabonder au lieu de se concentrer sur son travail ! Peu importait le sujet des pensées – que ce soit les mineurs de Haute-Silésie, les derniers transferts chez les Red Sox, ou mon fantasme sexuel des clowns ! J'avais une responsabilité envers cette patiente allongée sur mon fauteuil. Mais ce satané plateau ne me donnait aucun indice, ou plutôt il m'en donnait trop, tous contradictoires. « C'est quoi ce foutoir ! faillis-je m'écrier contre Abby. Jamais vous ne rangez ? Un plateau dentaire n'est pas une servante de garagiste ! Un fourre-tout où l'on est censé fouiller pour trouver son bonheur ! » Mais je n'ai pas osé la ramener. J'ai juste lancé un regard à Abby, parce que cela faisait déjà un moment que j'avais coupé le moteur de la roulette et que le problème était désormais évident pour tout le monde : je n'avais pas la moindre idée de ce que j'étais censé faire à Mme Merkle. Et la situation s'aggrava encore quand je décidai de jeter un coup d'œil dans sa bouche. Il manquait une incisive et la canine voisine. Les lui avais-je arrachées ? Non, bien sûr que non. Il y aurait eu du sang et de la gaze cramoisie partout, et je sentirais encore l'effort dans mon bras. Il devait s'agir plutôt d'une reconstruction dentaire, installer une double-couronne, ou des implants ou quelque prothèse.

Mais si c'était le cas, pourquoi avais-je cette roulette à la main ? Et que faisaient ces cônes de gutta sur le plateau à côté des forets Peeso et du bec Bunsen ? Des jours comme ça, je me félicitais d'avoir une assurance couvrant les fautes professionnelles. Si seulement je pouvais jeter le tablier. La laisser partir comme ça. « Voilà, madame Merkle. C'est terminé ! » Mais c'était idiot. Il lui manquait toujours deux dents ! La faire partir ne changerait rien au problème. Ses yeux quittèrent leur recoin d'orbite, cherchèrent mon regard. Combien de temps s'était-il écoulé depuis mon dernier (mon premier ?) geste assuré de praticien ? Pourquoi cette pause, semblaient me dire ces prunelles, pourquoi ces traits crispés, cet air hébété ? Je m'approchais de cette pauvre femme avec une roulette vrombissante et je ne savais même pas si elle était insensibilisée ! Je fis signe à Abby de sortir avec moi dans le couloir. Je n'avais pas le choix. Sa fiche ne me donnait aucune information, le plateau m'en donnait trop et la bouche de ma patiente me plongeait plus encore dans la confusion.

— Abby, il faut que je vous dise…, commençai-je une fois la porte refermée derrière nous. Juste entre vous et moi. Je ne sais plus trop ce que je dois faire à cette patiente.

Elle retira son masque.

— Je ne suis pas Abby.

Ce n'était pas Abby ! Même les yeux n'étaient pas pareils ! Et encore moins la bouche ! Et elle était beaucoup plus petite.

— Comment ça, vous ne savez pas ? C'est vous le dentiste, non ?

Il n'était pas question de dire à une inconnue que j'étais totalement perdu.

— Qui êtes-vous ? Où est Abby ?

— Abby ? Qui est Abby ?

— Abby ! Mon assistante !

— Ah oui… elle est à une audition.

— Une audition ?

— C'est ce qu'on m'a dit.

Je commençais à avoir une raideur dans le cou. Il fallait vraiment que je baisse beaucoup la tête pour lui parler. Cette fille ne ressemblait pas du tout à Abby. Elle aurait vécu dans les arbres avec des lutins qu'elle n'aurait pas été plus différente !

— Qu'est-ce que Abby fiche à une audition ?

— Qu'est-ce que j'en sais, moi ? répliqua la remplaçante lilliputienne. Je ne travaille pas ici.

Betsy Convoy passa dans le couloir. Je lui annonçai aussitôt mon calvaire.

— Comment avez-vous pu vous mettre dans ce pétrin ? demanda-t-elle.

Je lui dis et elle répondit :

— Bagwell revient chez les Astros ?! Combien de fois vous ai-je dit de ne pas penser au baseball pendant que vous traitez un patient ? Dans quelle salle est-elle ?

Je lui dis et elle partit jeter un coup d'œil.

— Non, je ne me suis pas occupée d'elle.

Si Betsy n'avait pas vu Mme Merkle ce matin, c'est donc qu'elle était passée me voir directement pour une urgence. Mais laquelle ?

— Il ne vous reste plus qu'à demander à la patiente elle-même, conclut la remplaçante d'Abby.

Betsy n'avait pas remarqué sa présence. Elle était tellement petite ! En nous tordant le cou, Betsy et moi avons regardé l'intérimaire.

— Sauf qu'elle est dans les vapes, répondit Betsy. Et qu'elle ne sait pas trop où elle est.

— Ah bon, elle est dans les choux ? dis-je. Qui l'a endormie ?

Connie fit alors son entrée en scène :

— Qu'est-ce qui se passe ?

— Qui l'a endormie ? répéta la remplaçante, éberluée. (Elle regarda tour à tour Connie et Betsy.) Vous êtes sûres qu'il est dentiste ? demanda-t-elle avec son petit air fourbe de gobelin.

Je me tournai vers Connie :

— Tu te souviens d'avoir accueilli Mme Merkle aujourd'hui ?

— Bien sûr. Elle a appelé à la première heure.

— Ah bon ? Et c'est quoi son problème ? Qu'est-ce que je suis censé lui faire ?

Son vieux bridge était tombé ce matin dans son bol de céréales. Son heure était venue. N'importe quel idiot aurait vu que cette pauvre femme avait juste besoin qu'on lui en pose un tout neuf.

* * *

Après cet épisode, je sus qu'il fallait réagir. Prendre une décision drastique. Pas une mesurette, comme d'aller en pèlerinage au centre commercial.

Je commençai par effacer mes e-mails. Tous ceux que m'avait envoyés « Paul C. O'Rourke » disparurent, ainsi que toute ma correspondance via YazFanOne avec les nombreux inconnus qui voulaient en savoir davantage sur les Ulms. Puis tous ceux de Connie. Et aussi un court échange avec Sam Santacroce. (« Nous sommes heureux à Pittsburgh », écrivait-elle pour donner des nouvelles d'elle, de son mari et de ses deux enfants.) Effacés aussi les e-mails avec mon ami McGowan. Finalement, tout y passa.

J'appelai la compagnie de téléphone pour interrompre mon abonnement. Puis j'ôtai ma carte SIM et la pliai et la repliai jusqu'à la rendre inutilisable, je passai mon ego-Machine sous l'eau bouillante pendant plusieurs minutes, puis à l'aide d'un crochet de berger, je forçai ses entrailles et le dépouillai de ses composants. J'en jetai la moitié dans une bouche d'égout, l'autre dans l'East River pendant ma pause déjeuner.

De retour au cabinet, j'appelai mon fournisseur d'accès Internet pour résilier mon contrat, chez moi, comme au cabinet. Dans l'heure ce fut le black-out. Je n'en revenais pas. Finalement, il y avait toujours moyen de rompre ses chaînes. Il suffisait d'être prêt à partir loin.

— Pourquoi je ne parviens plus à avoir Internet, s'étonna Betsy, en regardant fixement son iPad.

— Ça ne marche plus, renchérit Connie. J'ai débranché et rebranché le modem. Mais rien n'y fait. Je vais les appeler.

En un rien de temps, c'était panique à bord. Betsy Convoy tapotait l'écran d'un doigt rageur, secouant la tête d'incrédulité devant la petite machine, comme si pour elle ce n'était pas seulement frustrant, mais carrément un échec personnel, une faillite morale. Elle fit une pause. Cinq minutes seulement. Puis recommença, comme une fumeuse en manque. Je la voyais tapoter l'écran, avec fébrilité cette fois, se vrillant le doigt quasiment à chaque pression, tapant encore et encore, de plus en plus fort, comme une âme en peine frappant aux portes du Paradis. Connie, de son côté, tentait d'avoir en ligne le FAI, tout en continuant de travailler en multitâches avec le téléphone coincé dans le creux du cou, mais irrésistiblement elle revenait à son écran d'ordinateur, les yeux plissés d'incompréhension, et cliquait fébrilement sur le bouton de la souris.

Ce fut un bel après-midi. Pas de mails à écrire, pas de réponses à donner. Pas d'attente. Pas de distraction. Juste moi et mes roulettes, mes forets, mes alésoirs, mes pâtes, mes réactifs, mes sprays, mes couronnes, mes amalgames, mes résines, mes sondes, mes crochets, mes miroirs, mes piques, mes pinces, mes forceps. J'admirais ces instruments comme autant de merveilles. Ils étaient étincelants, immaculés, envoûtants. Sans les mirages du monde en ligne, je retrouvais mes fauteuils, mes armoires, mon beau carrelage.

Une demi-heure plus tard, elles me coincèrent dans la salle Deux, au moment où je m'apprêtais à combler la plus belle carie que j'avais eu à traiter ces deux derniers mois, voire ces dix dernières années. Elles brandissaient les iPad, leurs ego-Machines, avec des regards assassins, comme si j'avais fait du mal à un enfant ou à un petit chien.

— C'est une plaisanterie ? lança Connie.

— Vous avez réellement fait ça ? ajouta Betsy Convoy d'un ton mélodramatique comme si elle venait de découvrir que j'étais un tueur en série. Vous avez coupé l'accès internet ?

— Tu comptais nous faire tourner en bourrique longtemps comme ça ?

— Je ne voulais pas être cruel, répondis-je, en levant les mains en l'air. Je comptais vous le dire.

— Ah oui ?

— Et puis je vous ai regardées paniquer. Vous vous êtes vues ? Vous êtes accros ! Toutes les deux ! C'est pour votre bien que j'ai fait ça ! Betsy, vous ne cessez de me parler de la beauté du monde. Mais vous ne le regardez plus. Vous ne voyez plus la beauté. C'est pour vous que j'ai fait ça. Pour que vous n'oubliiez pas l'œuvre de Dieu.

— Moi, oublier l'œuvre de Dieu ?

— C'est dur à entendre, Betsy, je sais. Mais oui, vous l'avez oubliée. Je vous ai vue. On ne peut troquer le monde de Dieu contre son double virtuel. Cela a quelque chose de schizophrénique.

— Il n'y a pas de distinction. Qu'il soit en ligne ou hors ligne, c'est toujours le monde de Dieu. C'est son œuvre, sur terre comme sur Internet.

— Une Milf Ébène Joue Avec Son Macaron ? répliquai-je. C'est Dieu aussi ?

— Qu'est-ce que ça veut dire ? demanda-t-elle. (Elle se tourna vers Connie.) Mais qu'est-ce qu'il dit ?

— Paul, pourquoi as-tu coupé notre accès Internet ?

— C'est une distraction futile, répliquai-je. Je n'ai jamais passé un après-midi aussi agréable depuis 2004.

— Et comment allons-nous faire tourner le cabinet ?

— Les roulettes fonctionnent. C'est tout ce qu'il nous faut.

— Non et trois fois non ! s'emporta Betsy. Pour les fiches, ça ira, mais pour tout le reste, il nous faut une connexion.

— Eh bien, on travaillera à l'ancienne.

— Mais on n'a jamais travaillé à l'ancienne ! répliqua Connie.

— Betsy, si. Elle est née avant la technologie.

— Sauf votre respect, ce que vous dites est complètement idiot. Je n'ai pas connu de cabinet dentaire sans ordinateur depuis… je ne sais même plus depuis quand ! Si vous pensez qu'on peut revenir en arrière, vous vous mettez le doigt dans l'œil. Pendant que vous y êtes, revenons au whisky et aux chignoles à main !

— Allons, ce n'est pas la NASA ici. On frotte, on cure. On bouche des trous. On arrache des dents, on en met d'autres à la place. Je ne vois pas en quoi il faut avoir Internet pour ça.

— Et les déclarations à l'Assurance maladie ?

— Et les demandes de prises en charge ?

— Et les factures ?

— Et les e-mails ?

* * *

Le club de gym était le meilleur endroit pour trouver McGowan. Il le fréquentait avec une assiduité de dévot. Et même si je n'avais plus foulé le linoléum de la salle depuis un an et demi, j'étais toujours membre, parce que je n'avais jamais trouvé le temps d'annuler mon abonnement. Ils prélevaient donc ma cotisation tous les mois. Chaque fois, je me disais qu'il fallait que j'annule, et tous les 31, je n'en trouvais pas l'énergie.

Je voulais présenter mes excuses à McGowan pour avoir été aussi absent. À une époque, McGowan et moi étions vraiment très proches. On était tous les deux dentistes, et tous les deux grands fans des Red Sox. En arrivant dans la salle, je le cherchai en vain du regard. Pour tuer le temps, je m'installai sur le tapis de course. Cela faisait du bien d'avoir de nouveau une activité physique. Un an et demi que je n'avais pas levé le petit doigt. Je n'étais pas en forme, alors je commençai doucement. Puis j'augmentai peu à peu ma vitesse. Au bout de vingt minutes, je tournai à quatre minutes et vingt secondes le kilomètre. Je pétais le feu. Je continuai à ce rythme pendant deux heures, vingt-neuf minutes et cinquante-sept secondes. J'avais parcouru un peu plus de trente-trois kilomètres, et brûlé trois mille cent dix-neuf calories. Peut-être mon manque d'exercice me rendait-il plus vulnérable aux aléas du monde extérieur ? Si je reprenais le sport, je serais boosté à la sérotonine, à la noradrénaline et à la dopamine – les Trois Grâces du cerveau.

Le temps que je finisse ma séance, McGowan était arrivé et s'était installé aux haltères. Je ne savais pas comme il allait m'accueillir. Mais je ne craignais rien. Jamais de toute sa vie, McGowan n'avait présenté un déséquilibre des neurotransmetteurs. Il me tapa dans la main chaleureusement avec un grand sourire, puis resta bouche bée en découvrant la quantité de sueur que j'avais évacuée. Il me demanda des nouvelles de la crosse en salle.

— La quoi ?

— Tu as bien arrêté le club de gym pour jouer à la crosse en salle, non ?

— Oh. C'est vrai. Mais ça n'a pas duré.

Pendant qu'il soulevait de la fonte, on bavarda comme si on ne s'était jamais perdu de vue. J'étais content qu'il ne m'en veuille pas. Mais perplexe aussi. Il avait été vexé de découvrir que je l'avais effacé de ma liste de contacts. Pourtant cette trahison de ma part semblait n'avoir aucune importance pour lui. Notre amitié comptait donc aussi peu ? Pendant que nous parlions, moi assis sur une machine bizarre, et lui couché sur le banc avec ses galettes, je réalisais que j'aurais pu être n'importe qui pour McGowan. J'étais juste une connaissance de la salle de sport et notre lien se limitait au fait d'exercer le même métier et d'avoir un faible pour la même équipe de baseball. Voilà pourquoi je l'avais retiré de mes contacts. Et cela m'emplissait d'une tristesse infinie. Malgré moi, je me mis à pleurer. Mais pour que McGowan ne remarque rien, je gardai un visage de marbre, tandis que mes larmes se mêlaient à mes gouttes de sueur. Pendant deux ou trois minutes, je pleurai ainsi, en le regardant dans les yeux, et lui, ne se rendant compte de rien, continuait de soulever ses haltères. Une fois la crise passée, je voulus me lever pour m'en aller, mais cela me fut impossible. Ma course sur le tapis avait eu des conséquences. Je ne pouvais plus bouger ! McGowan dut quasiment me porter pour me ramener aux vestiaires, et pareil pour rejoindre la rue et m'installer dans un taxi. Il fit le voyage avec moi jusqu'à Brooklyn et m'aida à monter les escaliers. Ce n'est qu'une fois dans mon appartement, que je m'aperçus que McGowan était vraiment un ami, et qu'il était facile d'être un ami. Et cette constatation eut son revers : moi, je n'avais jamais été un ami pour personne, ou alors pour bien trop peu de gens.

* * *

Je passai toute la matinée du lendemain à me traîner de salle en salle, de patient en patient. Avoir les jambes douloureuses, c'était compréhensible, mais pourquoi avais-je la mâchoire coincée ? Et du mal à plier les doigts ? Je parvenais à peine à tenir mon crochet de berger. De guerre lasse, j'annulai tous mes rendez-vous de l'après-midi.

Elle était ma dernière patiente. Elle portait une casquette des Red Sox de Boston sur ses longs cheveux châtains. La casquette était usée jusqu'à la trame. D'instinct, je savais comment, au cours d'une vie, cette coiffe avait été chiffonnée, pliée, étirée, jetée, perdue dix fois et dix fois retrouvée, sa visière relevée et abaissée inlassablement, sa calotte brûlée par la sueur. Ce spécimen avait été piétiné, mordu et mâchonné. La couture autour du « B » rendait l'âme. C'était une petite merveille, un bien inestimable, un morceau d'Histoire qui n'aurait pas dénoté chez Christie's. Une femme portant une telle casquette était forcément un être d'exception.

Elle se tourna vers moi quand j'entrai dans la salle d'examen.

— Je ne suis pas là pour des soins, déclara-t-elle.

Je fermai la porte.

— D'accord. Pourquoi êtes-vous là ?

Elle s'écarta de la fenêtre et vint se blottir dans mes bras. Non, elle s'arrêta bien avant, au niveau de l'évier, même si en pensée je la vis poursuivre son mouvement vers moi, perchée sur ses talons. Elle défit les deux boucles d'un sac de cuir qu'elle avait posé sur la paillasse. Elle ôta ses lunettes de soleil, l'une des branches resta un instant coincée dans ses magnifiques mèches mordorées. Elle me proposa de m'asseoir. Je tirai aussitôt un tabouret.

— Qui êtes-vous ?

Elle sortit une liasse de papiers du sac.

— Une assistante de recherches.

— Une assistante de qui ? Des recherches sur quoi ?

— Pour la cause commune.

Elle était vraiment grande, plus d'un mètre quatre-vingts. Quand je me retrouvai assis tout près d'elle, une proximité lumineuse et traversée d'une brise fleurie, et que je la regardai mettre en ordre ses documents, je fus instantanément subjugué, à deux doigts de lui dire : « Je vous aime. » Je ne sais comment je suis parvenu à garder ça pour moi ! Chaque fois c'est pareil. C'est aussi rapide, aussi fulgurant. Dans l'instant, je suis « esclavaginé ». Et je ne peux rien y faire.

— Commençons par le début, dit-elle.

— Quelle « cause commune » ? Qu'est-ce que vous voulez dire par là ?

Elle me tendit mon acte de naissance.

— On est bien d'accord, là-dessus ?

— De quoi parlez-vous ?

— Ce document est conforme, n'est-ce pas ?

— Oui, c'est mon certificat de naissance. Comment en avez-vous eu une copie ? Qui l'a certifié ?

— Et ceci est un certificat de mariage entre Cynthia Gayle et Conrad James, le 5 novembre 1972.

Elle me tendit le document. L'acte portait le tampon de l'état-civil du comté et avait été paraphé.

— Il s'agit bien du mariage de vos parents ?

— Oui.

Puis, dans une succession rapide, elle me présenta les actes de naissance de mes parents, le certificat de décès de mon père, les actes de naissance de mes quatre grands-parents, leurs certificats de mariage, et enfin leurs quatre certificats de décès. Il y avait Earl O'Rourke et Sandra O'Rourke, née Hanson, et il y avait Frank Merrelee et Vera Merrelee, née Ward. Dans le paquet suivant, je ne reconnus pas les noms. C'étaient, affirmait-elle, les patronymes de mes arrière-grands-parents.

Elle s'était intéressée à une branche spécifique de mon arbre généalogique, celle du côté de mon arrière-grand-père paternel.

— Comme vous allez le remarquer, vous ne vous êtes pas toujours appelé O'Rourke.

Elle me tendit un nouveau document.

— Et vous, comment vous appelez-vous ?

— Clara.

— Clara ?

— Oui. Clara, répéta-t-elle clôturant le débat. Vous avez entre les mains l'acte de naissance de Oakley Rourke. Oakley est le grand-père de votre grand-père. Notez comment est écrit le nom. R-o-u-r-k-e. Il est devenu le premier *O'*Rourke après une condamnation dans une affaire criminelle. Votre arrière-arrière-grand-père a été condamné pour vol de chevaux, comme c'est écrit là. (Elle me tendit la copie d'un mandat d'arrêt émis par l'État du Colorado.) O. Rourke est devenu O'Rourke sur ce document. Sans doute par contraction. Cela arrive tout le temps : coquilles, omissions, élisions. Cela a dû arranger les affaires de Oakley quand il a déménagé dans le Maine pour acheter cette terre… (Elle me tendit l'acte foncier *ad hoc.*) Peut-être voulait-il prendre un nouveau départ ? En tout cas, il a gardé O'Rourke jusqu'à la fin de ses jours.

Elle me tendit le certificat de décès qui l'attestait.

— Vous êtes venue me montrer mon arbre généalogique, c'est ça ?

— Avant Oakley, il y a Luther Rourke, son père.

— C'est gentil de votre part d'avoir fait toutes ces recherches.

— Et avant Luther, il y a son père, James. Il serait votre arrière-arrière-arrière-arrière-grand-père. Mais ce n'est pas un Rourke. C'est le dernier des Rourch, R-o-u-r-c-h. Comme on peut le voir ici…

Elle me montra deux autres documents.

— C'est votre métier ?

— Non.

— C'est quoi votre métier ?

— Je n'en ai pas. Je poursuis encore mes études.

— Dans quel domaine ?

— L'anthropologie légale. Veuillez, je vous prie, examiner les pièces que je vous présente.

À présent, ce n'était plus des copies, générées par ordinateur. Le papier était fin, cassant. Noirci de caractères à la plume d'oie, émaillé de formules surannées.

— Le grand-père paternel de James était Isaac Boruch, B-o-r-u-c-h. Isaac était citoyen de Bialystok et le premier de votre famille à venir en Amérique. Son nom a transmuté de Boruch en Rourch, au moment de son passage au service d'immigration, comme vous pouvez le constater ici… et là.

J'étudiais les deux documents. Un Isaac Boruch ici, un Isaac Rourch là. Un cliché « avant-après » de l'histoire de la famille.

— Je viens de Pologne ?

— Ce genre d'altérations est très courant, poursuivitelle. Les explications évidentes : la cohue au bureau de l'immigration, le je-m'en-foutisme des fonctionnaires, la surdité ou l'inattention des gratte-papiers.

— Vous avez dû passer un temps fou à effectuer toutes ces recherches…

— Je ne suis qu'une assistante. Aucun de ces documents n'est essentiel. Ils sont tous importants, bien sûr, mais ce ne sont que des pièces préliminaires, des clés pour comprendre qui vous étiez avant d'être un Boruch, ce qu'a dissimulé cet Isaac Boruch au moment d'émigrer aux États-Unis. Je vous rappelle que le pays ne laissait pas entrer n'importe qui.

— On aurait pu être refoulés à la frontière ?

— Si cela s'était su, bien sûr.

— Comment ça ? Qu'est-ce qu'il fallait cacher ?

— Qui vous étiez avant de vous appeler Boruch.
— Et qui était-on avant ?
— Je n'ai pas les documents.
— Et qui les a ?
— Ils vous attendent. Mais il vous faudra aller jusqu'à eux.
— Ils m'attendent ? Où ça ?
— À Séïr.
— En Israël ?
— Oui.
— Pourquoi devrais-je aller là-bas ?
— Le saut de la foi. Il aimerait vous voir le faire.
— Qui ça « il » ?
— Pas seulement lui. Nous tous.
— Et pour ça, il faut que j'aille en Israël ?
— Voilà.

Elle referma les boucles de son sac de cuir.

— Vous partez ?

Elle remit ses lunettes de soleil sur son nez.

— Mon travail s'arrête là.
— Je vous reverrai ?
— Pour quoi faire ?
— Parce que... parce que tout est encore si confus.
— Si vous avez des questions, vous savez qui contacter.
— Mais je préférerais vous contacter, vous.
— C'est gentil, répondit-elle. Cela a été un plaisir de vous rencontrer, docteur O'Rourke.

Elle me tendit la main. Je pressentais que serrer cette main dans la mienne serait foudroyant. Et ce fut le cas, au-delà de mes espérances.

7.

Une cage de verre m'emporta dans les hauteurs, à travers les rayons d'une ruche grouillante. Je sortis au dernier étage, dans un vaste open space où une brigade de traders en chemise blanche décidait du sort du monde. On y pratiquait les semailles du dollar, et sa moisson impitoyable. Une beauté exotique me proposa du café ou de l'eau fraîche parfumée au concombre. J'optai pour la lecture de l'exemplaire du *Forbes* qui traînait sur la table basse, celui où il y avait la photo de Mercer en couverture. Le titre était plutôt accrocheur : « Pas de commentaire ! »

À la fin des années 1970, Mercer avait fait fortune grâce à l'or. L'inflation s'envolait, l'étalon-or était de l'histoire ancienne, et les gens avaient commencé à paniquer. Et Mercer était arrivé pour leur offrir une échappatoire. Parce que la terreur inhibe la réflexion, ou la fait régresser au stade primal, le métal jaune rassure toujours tout le monde. L'or dans le monde de la finance est l'équivalent du dieu Râ, il demeure la première monnaie, et elle est indexée sur la peur. Mercer avait le chic pour sentir tourner le vent. Toute sa vie, il avait fait des profits mirifiques avec l'or. Dans les années 1980, il était passé aux actions.

Et en janvier 1987, il était sorti du marché boursier, neuf mois avant le Lundi noir, en trouvant refuge à nouveau dans les lingots, un repli que *Forbes* qualifiait de miraculeux. À la fin de l'année, au lieu de faire face à la faillite, il avait des centaines de millions disponibles pour racheter des actions. Commença alors pour lui une décennie glorieuse. Il reprit à nouveau ses billes en 1997, effrayé par la crise monétaire en Asie. Tout le monde le prit pour un fou. Le temps que la crise passe, Internet était devenu le nouvel Eldorado. Mercer rata le départ du train. Mais, en quelques années, la bulle avait explosé, et on s'aperçut que la moitié des avoirs de Mercer était encore dans l'or. Il fit alors figure de prophète.

Une autre beauté apparut pour me conduire dans le bureau de Mercer qui se trouvait à l'écart, tout au bout d'un couloir. Il était assis dans un fauteuil, au fond d'une grande pièce. Il regardait deux ouvriers, sous les directives d'un type en costume cravate, décrocher un Picasso dans son gros cadre de verre.

— Bonjour, Paul ! (Il désigna le siège à côté de lui.) Venez vous asseoir et regardons ensemble le Met prendre son cadeau.

Les hommes écartèrent le tableau du mur avec beaucoup de précautions. Le type en costume, le représentant du musée, supervisait l'opération, visiblement tendu. Pendant la mise en caisse, il dirigeait ses ouvriers avec des gestes timides, du bout des doigts, comme s'il craignait de leur faire perdre leur concentration. C'était le nu le plus cher du monde, un buste orné de fleurs vertes.

— Il est à vous ?

— Il l'était, répondit Mercer. Mais vous savez ce qu'on dit des tableaux…

— Non. Que dit-on ?

— Quand on les a vus une fois, on ne les voit plus jamais.

Il esquissa un sourire, comme s'il y avait une connivence indicible entre nous. Il n'y avait dans ce sourire ni amusement ni joie.

Une fois le tableau soigneusement emballé, Mercer se leva. Les ouvriers arrimèrent le trésor à une sorte de chariot hi-tech et l'emportèrent hors de la pièce comme un patient qu'on sort du bloc opératoire. L'homme en costume réitéra pendant plusieurs minutes les remerciements du musée pour ce cadeau exceptionnel. Mercer le laissa finir son laïus. Puis l'émissaire du Metropolitan s'en alla enfin.

— Ça commence à se préciser de mon côté, annonça Mercer en se rasseyant. Ç'aurait été bête d'oublier un Picasso sur un mur !

— À se préciser comment ?

— J'ai assez gagné d'argent comme ça. Je suis désormais davantage intéressé par ce qui nous unit.

— Vous disiez que c'était un canular ?

Il me retourna encore une fois ce sourire introspectif.

Après la visite de Clara au cabinet, j'avais rétabli ma connexion Internet. J'avais récupéré mes anciens e-mails. J'avais acheté une nouvelle ego-Machine. Mes photos, mes contacts, mes apps, tout était réapparu grâce aux bons soins de mon ordinateur portable. Le message que m'avait laissé Mercer, me demandant de passer à son bureau, était archivé dans ma boîte de réception. Tout était revenu comme avant. J'avais tenté de filer à l'anglaise, mais il n'y avait pas de fuite possible. Nulle part où aller. La toile recouvrait le monde.

J'ignorais pourquoi Mercer voulait me revoir. Il disait aimer être dans l'ombre. Peut-être voulait-il exiger de moi de la discrétion, le silence total, me faire jurer le secret ? En quittant le parc, lors de notre précédente rencontre, il semblait très fâché et bien décidé à couper les ponts avec tout ça.

Mais cette détermination n'était pas plus solide que la mienne. Lui aussi avait fait son retour initiatique à son « centre commercial personnel », et ce sourire complice en était la preuve.

— Vous y êtes déjà allé ? demanda-t-il.

— Où ça ?

— À Séïr.

— Parce que cet endroit existe ?

— Oh oui ! C'est un trou perdu qui sent la pisse de chèvre, mais oui, il existe.

— Et ça se trouve vraiment en Israël ?

— Vous semblez sceptique.

— Je ne vois pas l'État hébreux laisser s'installer qui que ce soit sur son territoire.

— C'est une évidence. Leur service d'immigration est d'une efficacité hors pair.

— Comment Arthur et les autres y sont-ils parvenus alors ?

— À Davos, l'année dernière, j'ai retrouvé un vieil ami. Le directeur de cabinet du ministre des Finances. Je lui ai posé la question : « C'est quoi cette histoire de revendication territoriale au Néguev ? » Il m'a regardé avec la même froideur qu'un poisson sur sa glace pilée. « Je ne vois pas de quoi tu parles. » Et maintenant, il passe son temps à m'éviter. Alors peut-être bien que c'est vrai, qu'il y a eu un pacte au Néguev pour étouffer cet irrédentisme.

— Cet « irrédentisme » ? C'est quoi ?

— La restitution de la terre à ceux à qui elle appartient.

— Parce qu'ils ont un droit sur cette terre ?

— Oui, en leur qualité de premières victimes de génocide.

Je me souvenais de ma conversation avec Sookhart. Lui aussi disait que la guerre contre les Amalécites avait été un génocide. Mais comment une guerre des temps bibliques pouvait-elle avoir de telles répercussions géopolitiques dans le monde actuel ?

— Cela vous paraît vraisemblable ? demandai-je à Mercer.

— En tout cas, ils sont bel et bien là-bas. Reste à savoir comment ils sont parvenus à s'y installer. Et s'il y a un pays qui peut être sensible aux demandes d'un peuple victime d'un génocide, c'est bien…

— Même un génocide aussi ancien ?

— Je vous répète simplement ce qu'on m'a dit.

L'accord avait été négocié, au dire de Mercer, entre Grant Arthur et des membres du gouvernement israélien, un peu plus progressistes que les dirigeants actuels. Ils étaient dans le pays sans autorisation officielle, mais sans interdiction non plus. En ce qui concernait l'État d'Israël, ils n'existaient pas.

— Je compte retourner là-bas, déclara-t-il.

— Dans ce trou perdu ?

— Je m'y sens bien. Je ne me suis jamais senti chez moi nulle part. Je suis partout le bienvenu. Je peux aller où je veux sur la planète. Mais me sentir chez moi, c'est autre chose.

— Et pourquoi vous y trouvez-vous si bien ?

— À cause des autres, je suppose. Des gens.

— Vous avez besoin des gens ? répliquai-je en pensant aux jolies hôtesses, aux traders, à toutes ces personnes que son argent pouvait acheter.

— Pas des gens en général. De ceux-là.

La secrétaire de Mercer toqua à la porte. Elle apportait un sac provenant de McDonald's. Il y avait un Big Mac pour moi.

— Ce n'est pas très sain, je sais, lança-t-il. Mais j'ai grandi avec. Ne vous sentez pas obligé de me suivre.

— Je ne rate jamais l'occasion de déjeuner à l'œil.

Il éclata de rire.

— Souvenez-vous, je ne fais jamais de cadeau. Vous me devez deux repas à présent.

On attaqua nos hamburgers, accompagnés par le bruissement des sacs en papier. Après quelques bouchées, il reprit :

— Je suis content que vous ayez accepté que l'on se revoie. Je vous devais des excuses après notre première entrevue.

— Pas du tout.

— Je suis toujours très tenté de dire qu'il s'agit d'une supercherie.

— Même après être allé là-bas ?

— Un petit rassemblement ne fait pas un peuple.

— Ils vous ont demandé de l'argent ?

— J'aurais presque préféré. Cela aurait confirmé mes doutes et mon cynisme. Et j'aurais pu leur tourner le dos. Les chasser de mon esprit. Mais cela date d'un an et tout ce qu'ils m'ont demandé depuis, c'est de la discrétion.

— De la discrétion ?

— Ils ne veulent pas attirer l'attention. Ils craignent de rompre le fragile accord qu'ils ont arraché à leur pays d'accueil. Du moins, c'était le cas. Aujourd'hui, je n'en sais rien. La situation a dû évoluer puisqu'on parle partout des Ulms sur Internet.

— À quoi ressemblent ces gens ?

Il mordit dans son Big Mac et mâchonna sa bouchée d'un air pensif.

— Aux Juifs qui ont fondé Israël, je suppose. Avant que la technologie ne tue les kibboutz. Chaleureux, unis. Travailleurs. Quelques brebis galeuses, mais pas beaucoup. Tous savants dans un domaine ou un autre. Des adeptes du doute. Des sceptiques. Ils sont heureux d'appartenir à une culture où on ne leur demande pas de croire en Dieu.

Il plongea la main dans son sac pour piocher une poignée de frites.

— L'autre jour, dans le parc, reprit-il, je vous ai demandé si vous aviez fait un test génétique. Vous m'avez répondu qu'ils prévoyaient autre chose pour vous. Qu'est-ce que vous vouliez dire par là ?

Je lui narrai les propos de Frushtick : pour organiser la prochaine vague de rapatriés, il leur fallait trouver le moyen de rendre les travaux de Arthur et de Lee moins essentiels ; la solution était peut-être que les gens fassent le saut de la foi, comme le disent les Cantavétiques.

Je lui racontai également que j'avais eu récemment la visite de quelqu'un qui m'avait détaillé mon arbre généalogique. Ça, ça allait dans le bon sens. D'accord, ils écrivaient des tweets à ma place, mais venir me parler de mes aïeux, ce n'était pas rien. C'était un signe, même si la pièce maîtresse du puzzle m'attendait en Israël.

— Je suis ravi d'apprendre qu'ils ne se servent pas de vous, me dit-il. Vraiment ravi. Vous ne pouvez savoir à quel point. On peut duper un homme de bien des façons, et pas seulement en lui extorquant de l'argent.

Il essuya le gras de ses doigts et jeta la serviette dans le sac. La pièce, avec sa table de travail spartiate et ses murs nus sans le Picasso, était des plus anodines, même si les baies offraient une vue magnifique sur la ville. Pete Mercer était la dix-septième fortune du pays. Tout le monde l'imaginait diriger son empire du haut d'un cockpit hi-tech.

— Vous m'avez surpris, vous savez, déclara-t-il. Vu la façon dont ils vous ont approché, n'importe qui à votre place aurait été définitivement rebuté. Moi, je n'aurais plus rien voulu entendre. Mais vous, vous êtes resté ouvert.

— J'ai encore des doutes.

— Vous en aurez toujours, je suppose.

— Je vous retourne le compliment. Dès que vous avez appris ce qu'ils m'avaient fait, vous m'avez dit sans la moindre hésitation que c'était une arnaque. Ça aussi, c'était surprenant.

— C'est vrai, acquiesça-t-il. Et pourtant nous sommes là. Tous les deux sur la ligne de départ.

— Oui. Sur la ligne de départ.

* * *

« Bien sûr que nous sommes en Israël ! » répondit-il à l'e-mail que je lui avais envoyé après avoir quitté Mercer.

> *Vous pensiez quoi ? Que j'étais dans une cave à Tucson à attendre que vous répondiez à mes messages ? Croyez-le ou non, Paul, je suis débordé de travail. Notre entreprise est difficile et chronophage. Sinon, j'aurais débarqué à votre cabinet, pour vous saluer. Pour vous montrer l'homme nouveau que vous pourriez être si on vous éclairait un peu.*
>
> Que faites-vous là-bas ?
>
> *Ce que j'y fais ?*
>
> Oui. Ce que vous faites. Vous n'allez pas à l'église, n'est-ce pas ? Puisque vous ne priez pas.
>
> *Non, nous ne prions pas. Nous communions. Ça peut paraître un peu* peace and love, *mais c'est très sérieux. On procède pas à pas : D'abord, on remonte votre généalogie. Puis on vous montre les rares vestiges qui ont échappé aux temps. (voir P.J.). Puis on fait tout pour que vous vous sentiez bien. D'accord, ce n'est pas le Ritz. La plupart des gens viennent juste pour un séjour. On ne demande à personne de changer de vie. Juste qu'ils sachent ce qu'on leur a volé. Il y a des jours de célébration et ce genre de choses, mais seules deux dates sont réellement importantes. L'Annonciation et la*

fête du Paradoxe. Autrement, nos permanents cultivent et nos visiteurs étudient. Nous vivons pour nos soirées. C'est le soir que nous partageons le bonheur d'être de retour chez nous, d'être réunis, parce que tous nous avons passé notre vie à ressentir qu'il manquait quelque chose à notre existence et que ce quelque chose est enfin à nous. Nous allumons des bougies, nous savourons la présence des autres, on chante, on parle. Nous sommes un groupe, Paul, vous comprendrez. Des gens assis autour d'une même table, à échanger, à communiquer. Voilà ce que l'on fait à Séïr.

* * *

À la lecture des dernières cantations, on avait la sensation que Safek le Ulm (autrefois Agag, roi des Amalécites) n'avait réussi à rassembler, sous sa bannière du doute, qu'un ramassis de parias, d'exclus, d'anciens esclaves, d'hérétiques, de prostituées, de survivants du néolithique, assortis d'une brochette de lépreux et de pestiférés, juchés sur des chameaux faméliques, errant sur les terres bibliques. Le plus étrange : personne ne s'était soucié d'eux. Ils étaient là, pas vraiment invisibles, croisant des camps ou des caravanes pleines d'Amorites, de Hittites, de Jébusites, de Périzzites, de Guirgachites – la lie du pays de Canaan, une bande de psychopathes prêts à sauter sur tout ce qui bouge… et Safek et ses fidèles étaient passés tranquillement, en échangeant des cadeaux de bienvenue, étant même invités à partager un cuissot de chèvre et boire un *hin* ou deux de vin. Safek, qui se souvenait que les rencontres avec les peuples voisins s'étaient terminées en bain de sang, n'en revenait pas, jusqu'à ce que les paroles de Dieu lui reviennent en mémoire : « Nous n'avions pas de ville pour donner un nom à notre peuple, ni de roi pour désigner des capitaines, faire de nous des soldats ; nous n'avions aucune loi à suivre – à l'exception d'une seule : sanctifie ton cœur par le doute ; le doute pour Dieu, car s'il y a un Dieu, seul Dieu le sait. Alors nous suivîmes Safek, et nous fûmes sauvés. »

Et ici – dans la cantation 42, que je reçus par mail en pièce jointe – il y avait une digression, où il était question d'un des fidèles de Safek subissant un long calvaire : il est un juste parmi les justes et personne ne comprend pourquoi lui, entre tous, a dû perdre sa femme et ses enfants puis être couvert d'ulcères, frappé de fièvre, de cécité, et encore rongé par les envies de suicide, les déliriums, et ne plus voir l'existence que sous un jour noir. Et alors qu'il narre son martyre, il est frappé par la foudre, attaqué par un lion, et son cœur explose de chagrin dans sa poitrine. Personne ne comprend le sens de tout ça et tout le monde se tourne vers Safek pour avoir une explication. Après tout, il leur avait dit que s'ils suivaient les consignes de Dieu, tout irait bien, mais après ce qui était arrivé à Job – car oui, c'était lui, vous l'aviez deviné ! – ils avaient plutôt l'impression que personne ne veillait sur personne. Tous étaient tentés de rebrousser chemin et de prier le démon, puisque aucune prière n'avait pu soulager le sort de Job. Mieux valait prier et être en sécurité plutôt que douter et souffrir. Sur ce, Safek vit tout rouge. Pas même en tant que roi Agag, quand il avait vu tout son peuple taillé en pièces sur le mont Séïr, il n'avait connu telle épreuve. De rage, Safek brandit son épée, menaçant de décapiter tous ceux qui s'étaient agenouillés pour prier. À ce stade de l'histoire, un nouveau personnage entre en scène, un certain Eliphaz, présenté comme le frère de Safek. Voilà, sortant de nulle part, voilà que Safek avait un frère ! Alors que Safek arpente le désert pour flanquer des taloches aux repentants et défendre son peuple contre les maraudeurs, les voleurs, les bellicistes, Eliphaz, suivant les consignes de Dieu, explique calmement à tous que personne ne leur a promis qu'ils ne connaîtraient ni l'affliction, ni la pauvreté, ni la famine, ni la souffrance, ni le chagrin, ni même la simple malchance – rien de tout cela ne faisait partie du marché ! Ils étaient les jouets du destin comme n'importe qui. Seule et unique différence : ils ne diraient pas que c'était la faute de Dieu. Ils ne prononceraient pas cette offense. Que savaient-ils de Dieu ? demandait Eliphaz, sinon qu'Il n'existait pas, car s'Il existait, Il n'aurait pas permis toutes les saloperies qu'avait endurées le pauvre Job. Et pendant un long moment, il poursuivit ainsi le fil de sa pensée en proférant une série d'énigmes du genre : « Est-ce toi qui donnes au cheval sa force ? Est-ce toi qui as habillé son cou d'une crinière ? Est-ce toi qui le fais bondir comme une sauterelle ? Le souffle fier de ses narines est effrayant. » Alors un grand silence tombe dans le camp, pendant que les mouches bourdonnent sur le cadavre de Job.

— Où avez-vous eu ça ? demanda Sookhart en relevant les yeux. Je consulte votre page bio tous les jours. Ça n'y est pas.

— On me l'a envoyé par e-mail.

— Qui ça ?

— Paul C. O'Rourke.

Sookhart lisait une sortie papier de la pièce jointe que « Paul C. O'Rourke » avait incluse dans son courrier : un scan d'un texte de deux colonnes écrit sur un rouleau de parchemin tout effiloché ou grignoté sur le bord supérieur. Au dire de Sookhart, c'était rédigé en araméen. La traduction se trouvait dans une autre pièce jointe, et suivait la numérotation des vers de la cantation, avec les noms des personnes et des lieux donnés avec des signes diacritiques. Safek était écrit « Să-fĕk ». Les Amalécites étaient écrits « Ă-măl-ė-kītes ».

— Ce qui est intéressant ici, c'est..., commença-t-il, sans terminer sa phrase, en se penchant à nouveau sur les documents. Ce qui est intéressant ici, c'est..., répéta-t-il.

Il tira sur les poils de son avant-bras, les tint un moment dressés entre son majeur et son index comme un coiffeur s'apprêtant à égaliser une mèche, puis les caressa à nouveau. Après cinq bonnes minutes de réflexion, il retira ses lunettes, se redressa sur son siège et me scruta du regard.

— Il y a toujours eu un débat concernant la paternité du Livre de Job, déclara-t-il. Certains termes et locutions semblent, effectivement, d'origine araméenne, et l'absence de toute référence historique dans le Livre de Job incite les spécialistes à penser que l'origine du texte n'est pas hébraïque. L'auteur a très certainement vécu avant Moïse. Ce qui est intéressant ici, c'est ce personnage : Eliphaz. Il est, avec Job, la seule figure qu'on retrouve également dans la Bible. Il y est caractérisé différemment, bien sûr, mais le nom est le même.

— Et pourquoi est-ce intéressant ?

— Il se trouve que Eliphaz vient de la ville de Témân, dans le royaume d'Édom. Et Amalek était le petit-fils d'Esaü, chef de la tribu des Édomites. Les Édomites et les Amalécites ont des liens de parenté.

Je le regardais fixement, comme un demeuré. Il fit une nouvelle tentative :

— Le récit de la création dans la Genèse, comme vous le savez peut-être, reprend le mythe babylonien décrit dans l'*Enuma Elish*. Et, bien entendu, l'histoire du Déluge s'inspire de l'*Épopée de Gilgamesh*, voire de la mythologie hindoue. Chez les Indiens ce sont des récits plus sommaires que ceux que l'on connaît dans la Bible. Toutefois, ils ont été indéniablement écrits avant. Ce sont des *urtexts*, des prototextes.

— D'accord. Il y a eu des emprunts, des plagiats. Un joli merdier.

— Non, vous n'y êtes pas. (D'un coup de rein, il rapprocha sa chaise du bureau.) Si le Livre de Job a été écrit à l'origine en araméen, comme c'est fort probable, et si c'est un texte édomite, comme nous avons de bonnes raisons de le croire – puisque Eliphaz est né dans une ville du royaume d'Édom –, et si les deux tribus, les Édomites et les Amalécites, sont aussi intimement liées que nous le pensons – toutes les deux en guerre contre les Enfants d'Israël et toutes les deux réfugiées au mont Séïr –, alors ce qu'on a là, sous les yeux… cette copie de ce rouleau de parchemin, ce scan de mauvaise qualité… si c'est un original – je parle du parchemin – et si la traduction est fidèle, alors ça pourrait bien être, oui ça pourrait bien être…

Il s'interrompit.

— Ça pourrait bien être quoi ?

— Le premier manuscrit du Livre de Job.

* * *

Connie n'était pas aussi belle que ça. Certes, elle avait tous les attributs de la beauté. Ses cheveux, ses yeux noisette mouchetés d'or. Et ses seins magnifiques, une merveille de poitrine mise en valeur par tous les chemisiers, blazers et vestes d'hiver, et je ne parle pas des tee-shirts ou des petits hauts en été ! Regarder Connie préparer les œufs seins nus, ce qu'elle fit un matin à ma demande, alors que je la mitraillais sous tous les angles en m'étant engagé à effacer toutes les photos, avait suffi à me transporter d'allégresse pour toute la journée. Elle était incroyablement bien proportionnée, une perfection canonique. Elle pouvait porter n'importe quoi, comme ces mannequins, suivre à sa fantaisie toutes les modes du moment parce qu'aucune rondeur excessive ne viendrait gâcher l'impression finale. Tout lui allait. Pas de problème de taille ou de tour de hanche pour lui voler son plaisir. Et elle n'avait nul besoin de détester les autres femmes, ni de les traiter de salopes ou de putes parce qu'elles rentraient dans un 34. Sa peau était tendue comme la peau d'un tambour, couleur cire d'abeille, et son nombril devenait ovale quand elle levait les bras pour retirer un pull. Mais si on y regardait de plus près ou qu'on la scrutait, nuit après nuit, année après année, on finissait par remarquer que son nez était un peu trop grand et un peu trop proche de la bouche, ce qui lui mangeait en quelque sorte la lèvre supérieure, et nuisait à l'harmonie générale, à la symétrie de son visage. C'était un problème. Je pouvais passer outre ce détail quand on était ensemble, parce que m'arrêter à ça aurait été une preuve de mesquinerie. Me focaliser sur cette imperfection, ç'aurait été donner trop d'importance au superficiel plutôt que de reconnaître l'essentiel, ces composantes délicates et précieuses qu'il fallait chérir et choyer, tels la complicité, le respect. Comment lui reprocher un défaut dont elle n'était pas responsable ? Une simple question d'héritage paternel. Un aléa de la génétique. Howard Plotz n'avait pratiquement plus de lèvre supérieure !

Chaque fois que, malgré moi, je prêtais trop attention à cette particularité physique chez elle, à cette ressemblance masculine, même si le modèle était Howard mon héros, je m'efforçais de penser à autre chose. Aux seins de Connie, à son intelligence, à sa tendresse envers moi. Mais après notre rupture, ce maxillaire tronqué, je ne voyais plus que lui ! Et au lieu de regarder ailleurs, je scrutais ce petit loupé, me félicitant en secret parce que Connie et moi c'était fini et que je n'aurais pas à supporter la vue de cette disgrâce jusqu'à la fin de mes jours.

Et maintenant, en plus de ce défaut dans sa plastique parfaite, voilà qu'elle était croyante !

Je repassai au cabinet après mon rendez-vous avec Sookhart. Je m'installai dans la salle d'attente et lançai un regard noir à Connie. Son défaut facial paraissait plus prononcé encore. C'était si violent que je faillis détourner les yeux. Dire que je trouvais ce visage si beau ! C'était la preuve patente que Connie était humaine après tout, comme nous autres. Si j'avais su qu'en secret elle croyait en Dieu alors que je la regardais s'affairer derrière le comptoir, aurais-je été autant sous le charme ? Si elle avait été honnête sur son théisme, et si je m'étais montré plus à l'écoute, plus perméable comme je l'avais été avec Sam et les Santracroce, aurais-je supporté d'entendre un sermon ou deux, aurais-je « ouvert mon cœur », comme ils disent ? Aurais-je pris le temps de réfléchir, sans passion ni préjugé, au fait de laisser entrer Dieu dans ma vie, de Le laisser m'aimer ? Peut-être serait-ce moi qui aurais fait table rase, qui aurais été prêt à changer ?

Mais elle n'avait pas été honnête. Et de mon côté je ne m'étais pas montré ouvert. Et je m'en félicitais aujourd'hui. Je m'étais comporté comme un idiot devant les Plotz, certes, mais ç'aurait pu être pire. J'aurais pu me convertir ! J'aurais pu passer une audition pour être chantre à l'office. Mais maintenant qu'étaient les Plotz pour moi ? Qu'était le judaïsme ? Que m'importait Job et son premier manuscrit ? Et surtout, qu'était Connie comparée à Clara, la fille à la casquette des Sox qui avait tendrement et patiemment remonté mon arbre généalogique pour partager avec moi ses découvertes ? Je ne me souvenais pas très bien de son visage, comme s'il était auréolé de brume. Mais à côté de Connie derrière le comptoir, sous la lumière disgracieuse de la réception, sur ce fond d'étagères et de dossiers médicaux, et avec ce nez qui lui masquait la lèvre, Clara était une beauté spectrale, une perfection. Et soudain, je compris que je n'étais plus amoureux de Connie. J'en avais fini avec elle. Je n'en revenais pas ! Je ne me rappelais même plus ce que je ressentais juste après notre rupture, quand je pleurais et pleurais encore, en me demandant comment j'allais pouvoir survivre à ça.

Quelqu'un vint s'asseoir à côté de moi et interrompit le fil de mes pensées. Je tournai la tête. C'était Connie !

Je jetai un coup d'œil vers la réception. Il n'y avait plus personne. Elle s'était levée, avait contourné le comptoir, traversé la salle d'attente pour s'installer sur la chaise à côté de moi, et pendant tout ce temps-là je scrutais son visage. Parfois, je me crois là, en plein dans l'instant présent, alors que je suis plongé dans mes pensées et que je ne vois plus ce qui se passe devant mes yeux.

— Bonjour, dit-elle.

— Bonjour.

Et puis elle fit un truc inattendu. Elle avança le bras au-dessus de mon coude, qui était planté dans l'accoudoir, et me prit la main. Elle la retourna et posa son autre main sur ma paume, pour serrer ma main entre les deux siennes. Elle avait pivoté sur son siège ; son genou droit touchait mon genou gauche, et elle avait avancé aussi sa jambe gauche pour pouvoir me faire face. Elle souriait, mais ce sourire-là n'augurait rien de bon. On y lisait l'effort, la contraction des muscles retroussant le coin des lèvres. « J'ai quelque chose à te dire », souffla-t-elle. Quand quelqu'un disait ça, c'était souvent une mauvaise nouvelle qu'on aurait préféré justement ne pas connaître. « Je vois quelqu'un. »

Le petit enchantement des jours stoppa net, pour toujours.

Il s'appelait Ben. Il était poète. Entre elle et lui, c'était sérieux.

Je n'ai rien dit, puis j'ai dit : « Comment ça "sérieux" ? »

Elle n'a rien dit puis elle a dit : « Sérieux. Inutile de te faire un dessin. »

Je n'ai rien dit, puis j'ai dit : « Tu es amoureuse de lui ? »

Elle n'a rien dit, le temps que je comprenne que la réponse était oui. Puis elle a dit : « Je ne sais pas. Cela fait trop peu de temps. »

Je n'ai rien dit, puis j'ai dit : « Il est juif ? »

Elle n'a rien dit. J'ai pensé que la question l'agaçait peut-être, et qu'elle allait lâcher ma main. Mais elle a continué à la serrer dans les siennes. « C'est important ? »

Bien sûr que c'était important ! Il croyait sans doute en Dieu, lui aussi ! Mais je n'ai rien dit et puis j'ai dit : « Je suis content pour toi. »

D'abord elle n'a rien dit. « Ça va aller ? »

Je n'ai rien dit non plus. « Bien sûr que ça va aller. » Et je l'ai regardée et j'ai souri. Je n'avais aucun contrôle sur ce sourire, et sur ce qu'il pouvait lui révéler.

J'aurais préféré que ça se passe autrement. J'aurais préféré être un type meilleur que ça depuis le début. Et, par-dessus tout, j'aurais préféré mieux me connaître. Quand je me racontais des mensonges, par exemple que je n'étais plus amoureux d'elle, j'aurais préféré être plus lucide, juste un peu plus.

8.

Quelques mois après avoir ouvert mon premier cabinet à Chelsea, j'avais écrit à Samantha Santacroce. Une lettre à l'ancienne, adressée chez ses parents, parce que c'était le meilleur moyen qu'elle lui parvienne où qu'elle soit, qu'elle habite au bout de la rue, de l'autre côté de la ville ou à défaut dans sa chambre de petite fille. Je prétendais ne pas savoir pourquoi je lui écrivais, mais la raison était évidente : je voulais qu'elle sache que j'avais dorénavant mon cabinet, et que je réussissais dans mon métier, que je pouvais laisser derrière moi la misère de mon enfance et de ma vie dans le Maine. Elle avait eu tort, lui disais-je en filigrane, de m'avoir quitté parce que j'avais révélé mon athéisme à la table des Santacroce et elle aurait dû m'épouser. Quelques semaines plus tard, je reçus une réponse, par e-mail – sur mon compte YazFanOne, que j'avais depuis l'arrivée de l'Internet bas-débit –, une réponse que je lus et relus, comme si j'étais un poilu au fond de sa tranchée et que je recevais une lettre d'amour de ma promise. « Tu voulais seulement faire partie de ma vie ? demandait-elle. Que veux-tu dire par là ? Tu as eu toutes les occasions de faire partie de ma famille. Tu le sais, non ? Il te suffisait d'accepter mes parents tels qu'ils étaient, mais cela n'a jamais semblé t'intéresser beaucoup. Ils n'allaient pas cesser de se rendre à l'église pour te faire plaisir, Paul, et ça c'était rien par rapport à toutes tes exigences d'alors. Tu voulais que tout le monde pense comme toi. Tu avais des opinions très arrêtées, et tu n'en as jamais bougé. Autant que je m'en souvienne, tu t'intéressais davantage à toi, plutôt qu'à faire "partie de ma vie". Et parfois, tu n'étais pas, du moins à l'époque, le garçon le plus facile à vivre. Mais je suis sûre, maintenant, avec tout qui te sourit, que les choses ont changé. »

Comme je n'en étais pas aussi persuadé, je n'ai pas répondu.

J'avais vu un titre sur un magazine people quand j'étais avec Connie dans la salle d'attente. « Harper et Bryn sont une famille XXL. » L'hétérosexualité de Harper avait été sur la sellette, alors que Bryn avait connu une descente aux enfers quand ses trois premiers enfants lui avaient été retirés pendant la saison finale de *Bryn*. Mais aujourd'hui, ils étaient de nouveau ensemble, selon une source « bien informée » et un « proche », et ils attendaient un enfant. J'étais content que tout s'arrange pour eux, après avoir fait pendant tant d'années la Une de tous les journaux à scandales. D'accord, il y avait un peu de jalousie. Harper et Bryn étaient une famille XXL. Pour eux rien n'était plus important – ni les mauvaises langues, ni les paparazzis, ni les kilos en trop, ni même les arrestations ne pouvaient entacher leur bonheur – alors que moi j'avais abandonné tour à tour toutes les familles qui avaient croisé mon chemin. J'avais lâché Sam et les Santacroce, et aujourd'hui, j'avais abandonné Connie et les Plotz. Connie était avec Ben, et je ne serais jamais un Plotz ; ils ne seraient jamais plus ma famille. Réflexion absurde au demeurant, puisque je n'avais jamais fait partie du clan ! Seuls les Plotz pouvaient être des Plotz. Je ne serais jamais devenu un Plotz même si j'avais épousé Connie, parce que j'étais un O'Rourke.

Ils n'auraient jamais accepté un O'Rourke – pas parce que j'étais un goy, mais parce qu'en ma qualité de O'Rourke, j'avais des manières et des comportements qui creusaient un fossé infranchissable entre eux et moi. Et aujourd'hui, je devais me faire à l'idée que je n'étais pas même un O'Rourke. J'étais un Boruch de Bialystok (je ne savais même pas où ça se trouvait !), et au dire de ma déesse à la casquette des Red Sox, je n'étais pas même un Boruch de Bialystok, mais autre chose, de plus exotique encore. Harper et Bryn, eux, savaient qui ils étaient. Ils étaient une famille XXL. Mais moi ? Qui étais-je ?

— Docteur O'Rourke ?

C'était Connie, sur le pas de la porte.

— Quand vous aurez une minute…

Je terminai les soins sur mon patient et la rejoignis dans le couloir.

— Mon oncle est là. Il veut te voir.

— Ton oncle ?

— Stuart.

— Stuart ? répétai-je en retirant ma blouse blanche. Ici ? Ton oncle Stuart est ici ? Cela fait si longtemps que je ne l'ai pas vu. Pourquoi ? Qu'est-ce qu'il veut ?

— Je n'ai rien dit. Il l'a découvert tout seul.

— Découvert quoi ?

— J'ai essayé de te l'expliquer.

Je ne l'écoutais plus ; j'étais à me demander de quoi j'avais l'air, si j'étais présentable, si je paraissais calme et serein.

Quand mon père traversait une crise maniaque, il me soulevait de terre et me serrait dans ses grands bras. En observant Stuart, de ma cachette derrière le comptoir de la réception, j'avais envie de faire la même chose : le prendre dans mes bras. Il était assis seul, les mains posées sur les genoux. Patient. Non, surtout pas d'embrassades ! On ne prend pas dans ses bras un homme comme lui, même si c'était ce que je rêvais de faire. Au moment où, tout excité, je reculais d'un pas pour contourner le bureau et aller à sa rencontre, je faillis marcher sur le pied de Connie. Elle était là, derrière moi ! Elle m'avait vu épier l'oncle Stuart, caché derrière la vitre de la réception. Maintenant qu'elle m'avait dit qu'elle fréquentait quelqu'un, elle me voyait tel que j'étais ! Et mesurait la chance qu'elle avait d'être débarrassée de moi ! Bien sûr, mon excitation était absurde, je le savais aussi. La présence de Stuart aurait dû plutôt m'envahir de tristesse et de remords, certainement pas de joie.

Il se leva pour m'accueillir. Tu fais un pas, tu t'arrêtes, et tu lui tends la main, point barre, me répétai-je. Tout autre marque d'affection serait déplacée. Mais ce fut plus fort que moi. Je fis un pas de plus et refermai mes bras autour de ses épaules. Il n'avait pas la stature de mon père et il resta quasiment de marbre. Je le serrai comme ça pas trop longtemps, deux trois secondes, je suppose, mais même ça c'était déjà trop, puis je le lâchai, en ne pouvant m'empêcher de lui donner deux tapes dans le dos, comme s'il était un vieux copain de golf et non l'homme à côté duquel j'espérais être assis au Seder de Pâque.

— Stuart ! Je suis tellement content de vous revoir !

Il sourit. Peut-être était-ce seulement en réponse à mon enthousiasme… mais il y avait un peu de chaleur et de sincérité dans ce sourire.

— Qu'est-ce qui vous amène ? demandai-je.

— Il y a un endroit où on peut parler ?

— Bien sûr !

Alors que je le conduisais dans une salle d'examen, je lui expliquai, d'une voix un peu trop forte, que lorsque j'avais quitté mon cabinet de Chelsea et conçu celui-ci, à mon grand regret, je ne m'étais pas prévu de bureau privé.

— Nous allons devoir parler ici, dis-je en ouvrant la porte de l'une de nos unités de soins.

Une fois dans la pièce, je lui approchai un tabouret. Il s'assit aussitôt et se pencha vers moi, les mains jointes. Je croisai les bras et m'adossai au fauteuil. À nouveau, j'étais saisi par l'aura d'autorité qui émanait de cet homme. Évidemment, je sortis une idiotie :

— Vous avez décidé d'accepter mon offre ?

— Quelle offre ?

— Détartrage. Radiographie. Tout gratuit. Histoire de s'assurer que tout est en ordre.

— Non, répondit-il.

Non, il venait discuter de ce qui était publié en mon nom sur le Web. Je changeai de jambe d'appui, mal à l'aise.

— J'espère que Connie vous a dit que ce n'est pas moi qui écris ces choses. Je n'y suis pour rien.

— Oui, elle me l'a dit.

— Tant mieux. Parce que ce n'est pas moi.

Il était d'une immobilité surnaturelle sur ce tabouret, qui pourtant ne demandait qu'à tourner sur son axe.

— Vous savez qui en est l'auteur ?

— Précisément, vous voulez dire ?

— C'est forcément quelqu'un. Vous avez un nom, un indice quelconque ?

C'était sans doute la même personne avec laquelle je conversais par e-mails. Mais cette personne dans ma messagerie portait mon nom, et je ne voulais pas le dire à Stuart. Et j'espérais que Connie ne le lui avait pas raconté.

— Non, répondis-je. C'est arrivé comme ça. D'abord un site web. Puis Facebook, puis Twitter.

— Connie m'a dit que vous étiez troublé, pour ne pas dire convaincu par certains passages.

— Moi ?

— À savoir que les Amalécites auraient survécu et entrepris une métamorphose.

— Je suis un athée de la première heure.

— Certes. Mais que vous croyiez ou non en l'existence de Dieu, c'est sans rapport avec la question de l'existence de ce peuple. Vous savez qui sont les Amalécites ?

— Un peu. Pas vraiment.

— Amalek aujourd'hui ne représente pas seulement un ennemi des Juifs des temps bibliques, il est le symbole de l'ennemi éternellement irréconciliable. L'antisémitisme sous toutes ses formes, sous tous ses visages : les synagogues profanées, les kamikazes, les incitations à la haine. On peut les comparer aux nazis. Amalek fut le premier nazi de l'histoire.

Il sortit un mouchoir, se vida les narines, puis le rangea dans sa poche. Comment ne pas admirer un homme qui pouvait se moucher avec autant d'élégance ?

— Amalek est un mythe vivant chez les radicaux et les fondamentalistes, reprit-il. Il est aussi une métaphore. Amalek peut représenter la tentation. L'apostasie. Le doute.

— Le doute ?

— Ne le prenez pas mal. Je ne pense pas que vous détestiez les Juifs comme Amalek parce que vous doutez de l'existence de Dieu.

— Je ne déteste pas du tout les Juifs.

— Jamais cette idée ne m'a effleuré l'esprit.

— Alors vous savez que ce n'est pas moi qui ai écrit ces choses.

— Si vous le dites, je veux bien vous croire.

— Ce n'est pas moi.

— Mais ce qui est écrit en votre nom reste dérangeant pour beaucoup de personnes, moi le premier.

Il sortit son ego-Machine et, dans le silence, se connecta à mon compte Twitter. Sans un mot, il me tendit le téléphone :

> Le problème du Juif, c'est que sa souffrance a été doublée par un Dieu absent.

> Le Juif refuse d'être éclairé par le doute parce que sans Dieu, sa souffrance n'aurait aucun sens.

Je lui rendis son smartphone.

— Stuart, je trouve ces tweets abjects.

— Mais vous êtes athée. Vous devez être d'accord avec le fond.

— Non, je les trouve abjects.

— Pourquoi donc ?

— Le Juif par-ci, le Juif par-là. Je ne suis pas Juif mais, même à moi, ça me fiche des sueurs froides.

— Et pourtant quelqu'un a écrit ces commentaires.

— J'ignore de qui il s'agit.

— Vous pensez vraiment être apparenté à ces gens ?

— Non. Bien sûr que non… c'est invraisemblable.

— Vous vous souvenez du jour où vous êtes venu me trouver à mon bureau ?

J'eus un moment d'hésitation. Connie nous entendait-elle ? J'étais sûr qu'elle écoutait à la porte. Les parois des salles qui ne montaient pas jusqu'au plafond y étaient une invite subliminale. Et Betsy Convoy devait se trouver à côté d'elle.

— Oui, répondis-je à voix basse.

— Quand vous m'avez posé des questions sur Ezra ?

Je hochai la tête. Ça m'embêtait que Connie sache que j'étais venu voir Stuart pour lui demander comment je pouvais ressembler à l'oncle Ezzie. Lui ressembler sur le fond, s'entend. À savoir comment être un « Juif athée pratiquant ». Il n'en était rien ressorti, sinon un léger embarras de ma part, devant mon ignorance des bases mêmes du judaïsme et de la marche du monde en général. Comment pouvais-je oser imiter Ezzie ? J'avais dû présenter mes excuses auprès de Stuart. Et avais filé la queue entre les jambes. Puis, pendant des mois et des mois, alors que je cherchais le sommeil allongé dans mon lit, je me rappelai d'un coup ma visite insensée, et la patience de Stuart devant mon questionnement. Mon cœur tressautait dans ma poitrine et je me levai en état de choc, empli d'horreur et de contrition.

— Vous avez appris une ou deux choses sur le judaïsme entre-temps, poursuivit-il. Vous savez ce qu'est une mitzvah, à présent, n'est-ce pas ?

Soudain, je fus téléporté au mariage de la sœur de Connie, à cette table déserte dans la pénombre, alors que la musique cessait, et qu'il m'avait demandé ce qu'était un philosémite. Après cet épisode, je m'étais juré de ne plus répondre aux questions de quelqu'un qui en savait davantage que moi sur le judaïsme.

— Je crois, oui. Est-ce que je peux être honnête avec vous, oncle Stuart ?

« Oncle Stuart ! » Ça m'avait échappé ! Et je ne pouvais plus rien y faire ! C'était sorti tout seul ! Impossible d'effacer ces mots, pas plus que « Maintenant, il va me falloir un échantillon de vos selles ». Et cette fois, je ne pouvais pas dire que c'était une blague. Je me sentis devenir rouge pivoine. Je cessai de respirer. Je voulais me cacher dans un trou de souris, mais j'attendis en me demandant s'il allait relever ou avoir pitié de moi et faire comme si de rien n'était.

— Faites. L'honnêteté, c'est toujours le bon choix.

Il avait eu pitié !

— Merci, Stuart. Pardon. De quoi parlions-nous ?

— D'une mitzvah.

— Ah oui. Je pense savoir aujourd'hui ce que c'est, mais évidemment vous en savez bien plus long que moi.

— Une mitzvah est une loi. Il y a six cent treize mitzvot à suivre selon la Torah. Nous les prenons très au sérieux. Toutes, chaque jour. Ce sont des lois morales, mais aussi des commandements divins. Et il y en a trois (il tendit le pouce, l'index et le majeur) qui concernent Amalek.

Ses trois doigts restèrent dressés en l'air.

— Souviens-toi de ce qu'a fait Amalek en Égypte, poursuivit-il en tapotant son pouce. (Puis il toucha son index.) N'oublie jamais le mal que t'a fait Amalek. (Puis enfin son majeur.) Et détruis la graine d'Amalek. Cela semble dur, c'est pour cela que tant de gens essaient de les adoucir, d'en faire des métaphores. Mais d'autres pensent que nous avons affaire à un ennemi réel, une menace pour notre existence, et ce à chaque génération. Chaque génération doit savoir qui est l'Amalek de son temps, et chaque génération doit se préparer à lutter. Cette mise au point étant faite, savez-vous qui est ce Grant Arthur ?

— Qui ça ?

— Connie m'a donné ce nom. Vous ne le connaissez pas ?

— On m'en a un peu parlé.

Il se leva du tabouret et fit un pas vers moi. Il laissa le silence s'installer pendant une minute entière pendant que je pensais toujours à ma gaffe. Comment avais-je pu l'appeler « oncle Stuart ».

— Grant Arthur se faisait appeler David Oded Goldberg en 1980, déclara-t-il.

— Comment savez-vous ça ?

— Internet. Évidemment. Savez-vous pourquoi il a changé de nom ?

— Je le connais à peine. Je ne sais quasiment rien sur lui.

Il m'expliqua deux ou trois choses sur Grant Arthur. Je haussai les épaules. Il détourna les yeux. Quand il me regarda de nouveau, il avait un sourire serein, plein d'humilité. J'entendais le bourdonnement grave de son souffle tranquille qui passait dans ses narines. Il me tendit la main. Je la serrai. Puis il me remercia et quitta le cabinet.

* * *

« Je sais qui vous êtes », écrivis-je.

> J'ai des amis qui se sont renseignés. Vous vous appelez Grant Arthur. Vous êtes né à New York en 1960. Votre famille a de l'argent. Vous avez déménagé à Los Angeles et avez changé de nom pour devenir David Oded Goldberg en 1980. Peu de temps après, vous avez été arrêté pour avoir harcelé un rabbin nommé Osher Mendelsohn. Mendelsohn a porté plainte contre vous et le tribunal vous a interdit de vous approcher de lui. Je veux savoir pourquoi. Pourquoi avez-vous changé de nom ? Pourquoi un rabbin a-t-il dû faire appel à la justice ? Que lui avez-vous fait ?

* * *

Cette nuit-là, je me rendis dans une boîte du New Jersey appelée Les Hippocampes. J'y étais déjà venu une ou deux fois. C'était un bâtiment aux murs aveugles dans les faubourgs de Newark. Les voitures passaient sur l'autoroute à cent mètres de là. C'était juste derrière un parking jonché de débris de verre, flanqué d'une cabine téléphonique mutilée. À l'intérieur, les habitués regardaient les girations des trois hippocampes en question : une grosse, une noire, et une avec des tatouages. Un DJ manchot en chemise hawaïenne, coiffé d'une casquette avec l'écusson « Sauvez nos prisonniers de guerre du Vietnam », tapait son micro contre sa poitrine à chaque fin de morceau, encourageant tout le monde à y aller de son obole. « Ces dames ne dansent pas la cueca. Elles ont des gosses à nourrir ! » Génial ! Des strip-teaseuses avec une famille.

La musique passa du gangsta-rap à Sting. Il y eu d'autres coups de pectoraux dans le micro. Je m'approchai de la fille tatouée. Elle était seins nus, assise à une table vide, son visage éclairé en contre-plongée par la lueur blafarde de son ego-Machine. Je me présentai : « Steve. » « Narcy », répondit-elle. On s'est serré la main. Quelques minutes plus tard, quand elle eut terminé d'envoyer son texto, elle vint à ma table pour me faire une lap dance. Elle avait une frange à la Betty Page et un piercing au nombril. Au creux des reins, elle avait un tatouage représentant une pièce de jeux d'échecs, un fou à l'encre noire. Au fil de la danse, son regard se fit de plus en plus fixe et concentré. On avait l'impression que son corps avait sa vie propre, qu'elle était spectatrice, comme tous les clients, de chaque mouvement qu'effectuait son bassin. « D'où venez-vous, Narcy ? » Et pour toute réponse, elle s'est mise à chantonner. « *In the pines, in the pines, where the sun don't ever shine.* » Elle s'est reculée et m'a montré ses tétons. Ils étaient auréolés de décorations celtiques. Elle jouait la montre. Elle était pressée de pouvoir se déshabiller et d'en finir. Elle a ôté son haut et a commencé à se tripoter les seins, à les pincer, à les tordre. J'avais mal pour elle. Je ne voyais pas comment cela pouvait être agréable. Je faillis lui dire d'arrêter. « Alors comme ça, vous venez des pins ? » j'ai dit. Elle a plaqué ses mamelons contre mon nez et mes mains sur ses fesses puis s'est écartée de moi se voulant malicieuse, mais on n'y croyait pas du tout. Regarder son striptease, c'était comme se faire masser par une débutante frappée de cécité. « Mais d'où êtes-vous, en vrai ? Votre famille ? Quelles sont les origines de votre famille ? » Elle a interrompu son numéro : « Tu veux la danse ou non ? » J'ai hoché la tête. Elle s'est retournée et s'est penchée en avant, ses mèches fourchues traînant sur le sol de ciment, pour me gratifier d'un ballottement de fesses énergique.

Je passai le reste de la soirée à regarder tour à tour les filles sur scène et les habitués pressés tout autour. On eût dit des chiens stupides, couvant leur liasse de un dollar comme autant de sésames, hagards dans la lumière pourpre, et attendant minuit sans but ni prières. Ils étaient les restes abandonnés d'une soupe primitive, jetés sur le rivage, perdus sous l'œil vide et froid de la lune. Et j'étais parmi eux, contrit, honteux, n'en revenant toujours pas d'avoir appelé Stuart « Oncle Stuart ».

Mon téléphone sonna à trois heures du matin – dix heures à Tel Aviv. C'était Grant Arthur.

* * *

Le lendemain matin, je vins m'adosser au comptoir de la réception et entrepris de parler à Connie du titre du journal people que j'avais vu la veille.

— Si j'avais été plus comme Harper…, commençai-je.

— Qui ça ?

— Harper.

— Qui est Harper ?

— Harper et Bryn.

— Bryn ?

— Tu ne connais pas Bryn ? Bryn de *Bryn* ?

Elle me regarda avec de grands yeux comme si je tentais de communiquer alors que j'étais terrassé par un infarctus.

— Mais de quoi tu parles ?

— Mais si… Harper a été homo pendant un temps. Bryn, c'est cette star du porno qui a trouvé Dieu. Le « Porn-Again » comme elle dit. Ça ne t'évoque rien ?

— J'ai l'impression que tu vis dans un monde parallèle.

— Je te montrerai le magazine. Passons. Bref, si j'avais davantage ressemblé à Harper… Si j'avais été plus famille, tu vois.

— Harper est un père de famille ?

— D'une grande famille. Ils sont toute une tribu. Et ce ne sont pas des citoyens modèles. On ne s'attendrait pas à ce que des gens comme ça aient envie d'avoir des gosses. Vraiment, Harper et Bryn, ça ne te dit rien ?

— Non, Paul. Rien du tout.

— Pas grave. Ça n'a aucune importance pour notre discussion. Quand j'ai vu ce que pouvait représenter une famille pour ces deux-là et que j'ai lu le titre en couverture…

— Comment peux-tu lire ce genre de torchons ?

— Mais je ne les lis pas !

— Ce n'est pourtant pas l'impression que j'ai.

— Je peux continuer ?

— Vas-y. Je t'écoute.

— Si j'avais été prêt à avoir des enfants, repris-je, tu penses que ça aurait pu marcher entre nous ?

— Répète ça ?

— Si j'avais été prêt à…

— Quelle importance ? Tu n'en voulais pas. Et ce n'est pas près de changer. Pourquoi cette question purement hypothétique ? Le sujet était tabou à l'époque. Et maintenant tu me demandes si ça aurait fait une différence, alors que cela n'a jamais été une option ? C'est comme me demander si les choses auraient été différentes si tu avais été une tout autre personne. La réponse est oui. Si tu avais été quelqu'un d'entièrement différent et que ce quelqu'un avait voulu avoir des enfants avec moi, évidemment qu'il y aurait eu une chance que ça colle entre nous !

Je suis parti. Puis je suis revenu.

— Et cette autre personne, c'est Ben, poursuivit-elle comme s'il n'y avait pas eu d'interruption dans la conversation. Il est comme toi, sauf qu'il est totalement différent. Au moins lui, sur le papier, il veut des enfants. Lui au moins accepte d'évoquer le sujet. Tu l'as ta réponse. La réponse est oui, et elle s'appelle Ben.

— Je sais que c'est toi qui as parlé à ton oncle des tweets.

— Non, ce n'est pas moi, Paul.

— Je t'avais demandé de ne rien dire, en particulier à Stuart. J'ai cru qu'il venait pour un check-up, mais pas du tout. Il était là parce que quelqu'un lui a raconté que j'étais un gros antisémite sur Twitter.

— Je ne lui ai jamais dit ça. Tu veux vraiment savoir ce que je lui ai dit ? Que quelqu'un te manipulait. Voilà.

— Et qui lui a donné le nom de Grant Arthur ?

— Moi, évidemment. Parce que tu es sous l'influence de quelqu'un, Paul. Bizarrement, ta fureur, ton courroux du début, tout a disparu d'un coup. Et maintenant tu passes ton temps le nez dans tes e-mails et tu es incapable de te concentrer sur ton travail. Je parie que tu ne t'intéresses même plus aux Red Sox. Tu peux me dire où ils en sont dans le championnat ?

Silence de ma part.

— Combien de victoires ? Combien de défaites ?

Silence encore.

— Voilà pourquoi je lui ai donné ce nom. J'ai entendu Frushtick le prononcer, alors j'ai passé l'info à Stuart. Il a mené son enquête et a découvert toute cette histoire. Et ça n'a rien à voir avec le fait que je sois sa nièce, quoi que tu puisses en penser. La raison est toute simple : Stuart, comme beaucoup d'autres gens, surveille ce que des fous furieux peuvent écrire en ligne sur les Juifs. En particulier quand l'illuminé en question te ressemble un peu trop.

Je me suis penché vers elle.

— Je sais tout de Grant Arthur. En tout cas bien plus que ton oncle. Je sais pourquoi il a déménagé à Los Angeles. Je sais de qui il est tombé amoureux et pourquoi il a tenté de se convertir au judaïsme. Et je sais aussi, quand il a eu le cœur brisé, qu'il a fait des trucs stupides qui lui ont valu quelques problèmes avec la police.

— Comment as-tu eu ces infos ?

— Il était perdu. Il ne savait plus qui il était. Ce n'est pas un criminel. Juste un pauvre gars qui est tombé amoureux de la mauvaise fille. Un type pas très différent de moi.

Je suis parti. Puis je suis revenu.

— Et, pour ton information : moi aussi, je sors avec quelqu'un. Elle s'appelle Narcy et c'est une danseuse.

Sur ce, je m'en allai retrouver mes patients. Je fis quand même un détour par la salle d'attente pour récupérer le magazine avec Harper et Bryn en couverture. Je voulais le montrer à Connie. Malheureusement, impossible de remettre la main dessus ! Quelqu'un avait dû le prendre. C'était un véritable fléau dans les cabinets dentaires. Les patients volaient les magazines !

* * *

Mercer m'avait raconté son séjour à Séïr et venait de m'annoncer qu'il comptait s'y installer définitivement. On se trouvait dans un bar tranquille, pas de télé dans un coin, nos ego-Machines dans nos poches, rien que nous et l'alcool, et le serveur, et la musique d'un juke-box en sourdine. Tout le monde parlait à voix basse, faisait tinter ses glaçons dans les verres. Je lui annonçai que j'avais eu un appel de Grant Arthur. Connaissait-il son histoire pathétique avec la fille du rabbin ?

— Mirav Mendelsohn ? Bien sûr que je suis au courant. C'est la première chose qu'il raconte.

— Il avait l'air d'en pincer vraiment pour elle.

— Il se cherchait à l'époque. Il ne savait rien de son passé, ni de sa famille.

— Vous avez déjà été amoureux comme ça ?

— Amoureux de quelqu'un qui n'est pas fait pour soi, vous voulez dire ?

— Quelqu'un qui est un mauvais choix, parce qu'en fait vous voulez plus que ça, plus qu'une simple petite amie.

— Et vous ?

Je lui parlai de Sam et des Santacroce, et de Connie et des Plotz.

— Il paraît que c'est très courant. Peut-être. Je n'en sais rien. Mais oui, ça m'est arrivé une fois.

Mercer venait de débarquer en ville, sans un sou en poche, sans ami, quand il s'était retrouvé devant les portes d'un temple du feu dans le Queens.

— Un temple du feu ?

— C'est le lieu de culte des zoroastriens. Vous connaissez le zoroastrisme ?

— Pas plus que le reste.

Il était venu là-bas après s'être documenté sur les religions à travers le monde. Il trouvait dans le zoroastrisme un charme ancien. Selon les adeptes, il y avait eu la lumière, puis les ténèbres, et la lumière et les ténèbres se livraient bataille. Du moins c'est ce qu'il avait cru comprendre à l'époque. En traînant dans les parages du temple, il avait fait la connaissance du grand prêtre, un certain Cyrus Mazda, qui se chargeait d'entretenir le feu dans un trou. Mercer avait été fasciné par la moustache de Mazda, ses deux moitiés se repoussant l'une l'autre, dans une parfaite symétrie, comme deux aimants de même polarité. Rapidement, Mercer avait repéré une fille appartenant à la congrégation, et il en était tombé raide amoureux. C'était une Iranienne de deuxième génération, totalement occidentalisée, qui se rebellait contre ses parents, contre les grands dogmes comme contre des peccadilles. Elle et Mercer s'étaient fréquentés. Ils s'envoyaient en l'air dans le métro, ils complotaient, concevaient les plans les plus fous pour s'enfuir tous les deux. Quand la réalité les avait rattrapés… Les zoroastriens pur jus n'acceptaient pas les mariages mixtes. Les unions étaient arrangées, nouveau monde ou pas. La belle de Mercer avait été mariée avant qu'il n'atteigne vingt ans et Mercer s'en était allé avec son cœur en charpie, ses rêves en lambeaux, pour faire fortune sur les marchés financiers. Son objectif : revenir au temple du feu une fois bien argenté et faire une grande donation, histoire de leur faire regretter de l'avoir chassé comme un malpropre. La désaffection des fidèles n'était pas le seul fléau qui frappait les zoroastriens ; ils n'avaient pas d'argent, ni pour l'éducation, ni pour s'étendre au-delà des limites du Queens.

— Et c'est ce que vous avez fait ?

— Pas au premier million gagné. J'avais bien trop à faire alors. Et la blessure avait guéri. Mon cœur s'était même endurci dans mon malheur. Mais quand j'ai sabré la centaine, j'ai acheté un temple dans le New Jersey. Anonymement, toutefois.

— Vous vous êtes vengé « anonymement » ?

— Je n'avais plus rien à prouver alors, et nul désir de gloire. Et comme je l'ai dit, l'important ce n'était pas la fille. C'était le combat de la lumière contre les ténèbres, la voir victorieuse. C'était l'homme à la moustache, avec sa robe blanche et son écharpe dorée, ce gardien du feu. Et le Dari. J'adorais entendre le Dari, ses sonorités.

Il fit signe au serveur. L'homme ténébreux prit une bouteille sur une étagère, remplit nos verres de notre élixir miraculeux puis s'en retourna à son ego-Machine.

— J'en conclus que vous n'étiez pas chrétien.

— Je l'étais de naissance.

Il avait été baptisé et avait fait sa communion à treize ans. Et on lui avait donné une Bible à son nom. Il n'y avait aucune obligation ni devoir moral à la lire. Alors, il l'avait rangée et ne l'avait jamais ouverte. Jésus-Christ était à la fois un privilège de naissance et un ami. Il veillait personnellement sur Mercer. Quand Mercer avait peur, Il se penchait sur lui pour le protéger. Quand il faisait une mauvaise action, Il le contemplait avec de la peine et de la honte dans le cœur. Quand Mercer cherchait le pardon, Il le lui accordait. Pour perpétuer cet amour, on ne lui demandait qu'une chose, une seule : avoir la foi. Pas de sacrifice, pas de rituel, pas de consigne de vie, sinon cette simple inclination de l'âme, et en échange il avait la garantie de recevoir la grâce de Dieu. Peu importait qu'il connût le tréfonds de son cœur ; il n'y avait pas urgence. Par une simple reconnaissance de foi, il avait l'absolution sur terre, la garantie du paradis ensuite, et des cadeaux à Noël.

— J'ai de bons souvenirs de l'église, disait-il. Les gens étaient gentils. Et je me rappelle avoir tenté une fois de prier après la mort de ma mère. J'avais joint mes mains, incliné la tête. Et puis, soudain je m'étais dit : Si Jésus-Christ est là, ce n'est pas un idiot. Il sait. Il sait très bien ce qui t'arrive. Alors évite-nous ce spectacle pathétique, à toi comme à lui. Relève-toi !

La porte du bar s'ouvrit et un groupe braillard entra. Ils commandèrent à boire et allèrent s'agglutiner autour du billard. Pendant le reste de notre conversation, on entendit les boules claquer, parfois des cris de victoires, parfois des lamentations.

— Pour être honnête, reprit Mercer, je crois que je les ai essayées toutes.

— Toutes quoi ?

— Toutes les religions.

Il y avait eu, bien sûr, un long passage par le bouddhisme, avec des retraites annuelles à Kyoto pour étudier avec un maître qui avait été soldat d'infanterie pendant la Seconde Guerre mondiale. Mercer, qui avait fait grandir sa fortune pendant trois décennies, s'offrait tous les ans un retour aux sources. Pendant dix jours, il ne faisait rien d'autre que méditer sur un tatami et faire l'aumône dans les rues. C'était une quête, disait-il, son chemin personnel, une recherche qui se devait d'être sans fin. « Pendant douze ans, j'ai fait des séjours à Kyoto. Cela m'a aidé à ouvrir les yeux, mais à la fin j'étais toujours aussi vide à l'intérieur. Vous savez ce que je pense au final du bouddhisme ? Ils ont les bonnes réponses aux mauvaises questions. »

Il avait fricoté avec le jaïnisme, avec l'anthroposophie, le krishnamurtisme. Il aimait bien le judaïsme. Il admirait le Coran. Il se moquait de la dianétique. Et n'avait aucun respect pour ce qu'il appelait les « Églises ouvertes à tout le monde » : l'unitarisme, le bahaïsme et autres bonheurs simples de l'humanité. Il lui fallait une religion plus « agressive », où il fallait regarder la Bête dans les yeux, où les bénédictions étaient des appels à la justice transcendés par la grâce, et la mort rien d'autre que ce qu'elle était, une chose avec laquelle on pouvait s'arranger, voire négocier, et qu'on pouvait pourquoi pas surmonter.

— J'ai évité le pire, reprit Mercer. Je ne connaîtrai jamais la souffrance. Je ne connaîtrai plus jamais l'inconfort, si je le veux. Mais je mourrai à la fin. Je mourrai quand même, et peut-être d'une façon horrible. Et quant à la suite, personne ne sait ce qui nous attend.

Demeurait la grande question, celle sans réponse, celle que rien ni personne ne pouvait atténuer : pourquoi suis-je ici ? Pourquoi ?

— J'aurais bien aimé être chrétien. J'aurais eu quelqu'un à ma gauche et quelqu'un à ma droite, prêts à répondre à toutes mes questions. Quel que soit le problème, trois *pater* et deux *ave*, quelques mots avec Jésus, et c'est la paix éternelle assurée.

Il fit à nouveau signe au serveur pour qu'il remplisse nos verres.

— Ma meilleure expérience, cela a été une session de cinq jours… comment appellent-ils ça déjà ? Une sorte de déconditionnement, mais ce n'est pas ce terme qu'ils emploient.

— Un déconditionnement ?

— À un moment, je me suis dit, allez tous vous faire foutre. Je n'en pouvais plus. Ça me hantait jour et nuit. De chasseur, j'étais devenu proie. Je perdais mon temps à m'inquiéter de toutes ces conneries. Je voulais tirer un trait, ne plus avoir cette chose dans ma tête que j'appelais Jésus. Autrement dit : Dieu. La voix de Dieu. Mais comme j'avais été élevé en chrétien dès ma naissance, je disais Jésus. Le jugement de Jésus, la protection de Jésus, la parole de Jésus, Jésus qui me chuchotait : « Apprends à changer ton regard sur le monde. » Quel que soit le problème. Grand ou petit. Le Christ était toujours là. À faire ses petites croix. À tenir les comptes. Vous avez connu cette voix, qui vous dit tout le temps ce qui est bien ou mal ?

— Bien sûr. Mais souvent, elle est à côté de la plaque.

— Une « réorientation » ! voilà comment ils appelaient ça. C'est comme une cure de désintox. Ils sont en Californie. Quand un truc barré n'est pas en Asie, c'est qu'il est en Californie ! Je suis donc allé là-bas pour une réorientation. Ils ont toute une équipe, des comportementalistes, des neuroscientifiques, des philosophes, des athéistes. L'idée est de cesser de penser que cette voix est le moyen pour Dieu de vous voir accomplir Son œuvre et se souvenir de ce qu'elle est tout simplement : notre bonne vieille conscience. Une chose naturelle à cent pour cent. Un cadeau de l'évolution. Ils vous branchent à des appareils, vous font des scanners du cerveau. Vous questionnez Dieu. Vous étudiez les atrocités. Ils vous montrent en accéléré l'œuvre du temps sur des animaux morts. « L'interdépendance du vivant », c'était leur truc.

— Vous me faites marcher, c'est ça ?

— Vous pensez que je pourrais inventer une chose pareille ?

— Je ne sais pas. Et ça a marché ?

— Pendant un temps. Mais chassez le naturel, il revient au galop. Alors vous y retournez pour une piqûre de rappel. Ils recommandent un séjour chez eux une fois par an. Regardez sur Internet. Ça fait fureur. Et ils ont de superbes chambres avec vue sur l'océan.

Il fit signe à nouveau au serveur pour une autre tournée.

— Pourquoi vous êtes-vous imposé ça ?

Il me jeta un regard en coin.

— Vous voulez vraiment le savoir ?

— Bien sûr.

Mercer attendait à la station qu'une rame de la ligne C arrive quand soudain il s'était écroulé. Il avait dix-huit ans, il était fauché, en première année à Columbia. C'était la fin de l'hiver et les métros étaient rares. Le quai était bondé. Les gens autour de lui s'écartèrent. Pour tous, c'était une chute, mais pour Mercer, ce fut une lévitation. Il vit la petite foule rassemblée autour de son corps gisant au sol. Derrière lui, quelque chose le soulevait de terre, le rendait léger comme un nuage. Une présence… Elle était là, immanquable, mais il ne pouvait se retourner. C'était une lumière. Il contemplait, sourire aux lèvres, le petit cercle autour de lui, qui s'inquiétait déjà de savoir s'il était contagieux. Ils ne pouvaient le voir sourire. Ils voyaient un gamin qui venait de tomber à genoux puis qui avait basculé en arrière. Mercer, au-dessus d'eux, là où tout était devenu esprit, savait tout d'eux : leurs inquiétudes, leurs rancœurs, leurs colères contre la ville. Et le sourire qu'il avait pour eux était plein de miséricorde. Il connaissait même leurs noms, et où ils habitaient. Mercer se trouvait pris dans un instant d'éternité, à la fois point sans dimension (et ça c'était le meilleur, se disait-il, n'être rien, juste un point) et à la fois siècles de vide et de feu, ères glaciaires, et silences sans fin d'abysses inconnus. En langage commun, c'était une épiphanie, une révélation, une extase mystique. Le métro arriva. Les gens eurent chacun leur débat interne. Fallait-il prévenir quelqu'un ? Ou oublier et monter dans la rame ? Les plus altruistes le tirèrent loin des rails. L'être

– la présence ? l'entité ? – qui était entré en contact avec lui, qui l'avait arraché de son corps, se retira. Mercer ne flottait plus. Il sentit à nouveau le ciment du quai dans son dos, le froid traversant son manteau. Les rames allant et venant. Et cette absence de Dieu, ce vide, naquit là, à cet instant, et ne le quitta plus.

— Quand j'ai eu vingt-huit ans, reprit-il, j'ai décidé d'en avoir le cœur net. Depuis ce jour bizarre sur le quai, cette idée me titillait, mais je n'avais jamais osé sauter le pas. Bref, j'ai pris le métro jusqu'à Brooklyn, jusqu'à une rue, un immeuble où je n'étais jamais venu. Je ne pensais pas trouver la femme que je cherchais, mais il y avait son nom sur l'interphone. Je lui ai dit « vous vous souvenez de moi ? » et elle a hoché la tête, mais elle avait du mal à me situer. Cela faisait quand même dix ans.

— Dix ans ?

— Depuis qu'on s'était vus sur le quai. Elle se trouvait dans la foule ce jour-là.

— Comment saviez-vous où elle habitait ?

— Je vous l'ai dit. Je connaissais leurs noms et leurs adresses à tous.

Mercer aurait pu s'en aller alors, tourner les talons sitôt qu'il avait eu la confirmation qu'il cherchait, mais elle l'avait invité à entrer. Il l'avait suivie dans l'escalier qui menait à son appartement. Elle lui avait offert du café et lui avait demandé si on avait retrouvé l'homme.

— Quel homme ?

— L'homme qui vous a agressé.

Le type avait traversé le quai à moitié nu, frappé Mercer avec une bouilloire en cuivre, puis avait continué son chemin.

— Vous marchiez tranquillement et ce type vous a asséné un grand coup sur le crâne, s'étonnait-elle encore.

— Ce n'est pas le souvenir que j'ai.

— Et c'est quoi votre souvenir ?

— Je connais votre nom et votre adresse, n'est-ce pas ? Comment c'est possible ? Expliquez-moi ça.

— J'ai donné mes coordonnées à la police. C'est comme ça que vous avez dû les récupérer.

Vingt ans plus tard, quand Grant Arthur lui expliqua l'origine des Ulms, Mercer était prêt à l'écouter. Dieu ne leur était jamais réapparu non plus. Ni pour les réprimander. Ni pour les éclairer. Ni pour les réconforter. Ni pour les sauver.

— Cela fait plus de trois mille ans, et Dieu n'est pas revenu pour eux. Pour moi, cela faisait trente années. Qui comprend mieux les vertus du doute que celui qui a été une fois en Sa présence et qui ne peut plus s'en souvenir parce que sa mémoire a été effacée ?

Il détourna la tête.

— Tout ça doit vous paraître insensé.

— Parfois des choses étranges se produisent, concédai-je.

Il me regarda, les yeux lourds. Je me souvins qu'il était arrivé au bar bien avant moi et que j'avais plusieurs verres de retard sur lui.

— Pourtant je suis resté sceptique, reprit-il. J'ai même engagé une détective pour enquêter sur Grant Arthur. Une Asiatique. Ça me fait penser que j'ai oublié d'interrompre ses paiements.

— Comment peut-on douter de l'existence de Dieu après qu'Il vous est apparu ?

— Vous ne l'avez pas lue ?

— Lu quoi ?

— La cantation 240.

— Non.

— Lisez-la. Vous comprendrez.

— Qu'est-ce qu'elle dit cette cantation 240 ?

Il vida son verre et en commanda un autre.

— C'est difficile à résumer. Ce serait réducteur.

— Donnez-moi les grandes lignes.

— Je regrette. Mais je ne peux pas. Et je n'essaierai même pas. Ce ne serait pas bien. Je ne vous ferai pas ça. On ne peut se contenter de l'avoir en deuxième main. Il vous faudra aller à Séïr.

Il souleva son verre et le fit se balancer entre ses doigts comme un pendule, le liquide ondulant devant ses yeux ; on avait l'impression qu'il regardait une autre réalité derrière ces remous ambrés.

— Je ne veux plus affronter de nouvelles questions, annonça-t-il. Je me suis trop questionné déjà. Cela n'apporte que du malheur. (Il se tourna vers moi. Sa tête oscillait un peu, comme une fleur sur sa tige.) Je ne suis pas chrétien. Ni bouddhiste. Pas plus zoroastrien. Ou athée. Je n'attends pas non plus la venue du vaisseau mère. (Il vida son verre.) Je suis une pute, Paul. Une racoleuse qui a passé la tête à toutes les portières de voiture qui se sont présentées. J'en ai assez. Tout ce que je veux, c'est être moi-même.

Il fit signe au serveur.

— Être ignoré de Dieu à la toute fin, ce doit être terrifiant. Mais l'être durant toute sa vie… c'est ça l'enfer.

* * *

Le week-end arriva. Je traînai avec McGowan. On entra dans un bar pour vider quelques bières. Il me fit un cours de rattrapage pour les Red Sox. Je lui racontai que je n'arrivais pas à m'ôter de la tête cette photo de Harper et Bryn filant le parfait bonheur. C'est sûr, ils allaient faire des emplettes ensemble, berçaient leurs gosses dans leurs landaus, leur faisaient des coquillettes au fromage ou leur donnaient le bain ! McGowan ne savait pas qui étaient Harper et Bryn. Il était facile de rater le coche à notre époque, le rassurai-je.

— Qui sont ces gens ?

— Si on enlève le côté « people », ce sont des gens normaux. Pourquoi est-ce que je ne peux pas être comme eux ?

— Parce que tu n'es pas quelqu'un de normal. Tu es totalement barré.

— Merci du compliment.

— Tu es barré, Paul. Complètement. Je maintiens. Et en pleine dépression. Pour toi, être en harmonie avec le monde, c'est regarder un match des Red Sox. Et tu prends ton travail bien trop au sérieux.

— Ce n'est pas vrai. Je le prends à sa juste mesure.

— Tu penses trop aux gens. C'est plus fort que toi. Tu vois leurs échecs, leurs défauts. Tu devrais les considérer comme de simples bouches ouvertes, sans corps, sans âme.

— C'est ce que je m'évertue à faire.

— Tu essaies. Mais tu n'y parviens pas.

Je le trouvais un peu dur avec moi. Je voulais juste remercier ce brave type de m'avoir ramené chez moi l'autre jour.

— Tu as raison. Je suis fou à lier.

Le dimanche, je partis à Ploughkeepsie, pour me rendre à la Sarah Harvest Dodd Home, la maison de retraite où se trouvait ma maman. J'aurais aimé dire qu'on a eu une conversation sympathique et que j'en suis ressorti heureux, mais son cerveau était grillé depuis plus de cinq ans. Elle ne pouvait plus pisser, déféquer, ou manger toute seule. Elle fredonnait beaucoup et passait son temps devant la télé. Elle était comme d'habitude. De plus en plus vieille. Je la trouvai installée dans un fauteuil roulant dans une pièce avec des rideaux aux imprimés fleuris où trônait une table de ping-pong sans filet. Je me suis assis à côté d'elle et ai commencé à lui poser mes questions habituelles. « Comment tu te sens ? » Pas de réponse. « Tu es bien installée ? » Pas de réponse. « Je t'ai manqué ? » Pas de réponse. « Qu'est-ce que tu as mangé à midi ? » Pas de réponse. « Qu'est-ce que tu regardes à la télé ? » Pas de réponse. « On s'occupe bien de toi ? » Pas de réponse. « Est-ce que tu as besoin de quelque chose, maman ? Rien vraiment ? » Pas de réponse. Je me suis mis alors à lui parler de moi : « Je vais bien. Le cabinet tourne bien. Tout le monde semble content. J'ai de mauvaises nouvelles, malheureusement. Connie et moi, on s'est séparés. On était déjà séparés depuis un moment, mais cette fois c'est pour de bon. Elle voit quelqu'un d'autre. Je suis heureux pour elle, du moins autant qu'on peut l'être. Enfin, j'essaie. Tu te souviens de Connie ? Non, bien sûr que non. Elle est venue quelques fois te rendre visite. Elle t'aimait bien. Vraiment. Elle te coiffait les cheveux. Elle fait toujours des trucs idiots comme ça. Cela te faisait fondre en larmes. » J'ai pris sa main. « M'man ? » Pas de réponse. Elle avait la tête tournée, presque dans l'axe de la télévision. « Tu te souviens quand je n'arrivais pas à dormir ? » Pas de réponse. « Après la mort de papa et que je ne pouvais pas dormir ? » Pas de réponse. « Et puis, un soir, tu m'as parlé des Chinois ? » Pas de réponse. « J'avais tellement peur d'être la dernière personne éveillée sur terre. Je ne sais pas pourquoi cela me terrifiait autant, mais c'était plus fort que moi. Et ce soir-là, tu m'as dit que je ne pouvais pas être le seul réveillé, parce que tous les gens en Chine étaient en train de se lever parce que c'était le matin chez eux. Tu te souviens ? » Pas de réponse. « Cela m'a aidé, tu sais. Je te l'ai dit que ça m'a aidé ? » Pas de réponse. « Même si à l'époque les Chinois me paraissaient être des gens bizarres, tu sais, à cause de leurs yeux et tout ça. J'aurais dû te le dire avant que tu ne perdes la tête. » Pas de réponse. « Je te demande pardon de t'avoir empêchée de dormir. Tu as tout fait pour que ça aille. Tu as fait le maximum. Je ne t'ai jamais dit que tu t'étais bien débrouillée, n'est-ce pas ? » Pas de réponse. « Je ne t'ai jamais remerciée. » Pas de réponse. « Je peux te dire merci, maintenant ? » Pas de réponse. « Je peux t'embrasser, maman ? Là, juste sur le front ? » Pas de réponse. Je lui fis un baiser. Pas de réponse. « Encore aujourd'hui, quand je n'arrive pas à dormir, cela m'aide de penser aux Chinois. Et c'est grâce à toi. Et quand je m'endors enfin, je dors comme un bébé, maman. Toutes les nuits, maintenant je dors bien. Grâce à toi. »

9.

Sookhart appela. Il avait des nouvelles.

— J'ai trouvé un exemplaire.

— Des Cantavétiques ?

— Je suis aussi surpris que vous. Médusé, pour tout dire. Jamais de ma vie, je n'aurais imaginé… et les implications sont, pour le moins, sidérantes.

— Comment avez-vous mis la main dessus ?

— Le vendeur a contacté un collègue qui faisait des recherches pour moi.

— Ce vendeur, qui est-ce ?

— Il préfère rester incognito. Ce qui est fréquent dans ce genre d'affaires. Je suis sûr que vous comprenez.

— Mais le document est authentique ?

— Authentique et complet. J'ai cru comprendre que c'est une copie qui vient de Hongrie, datant du milieu du XVIIIe.

— Écrit en araméen ?

— Non. Rédigé en yiddish, curieusement.

C'était surprenant, en effet.

— Et vous comprenez le yiddish ? demandai-je.

— Non, mon cher. Plus personne ne lit le yiddish. Mais il ne faut pas vous inquiéter. Nous trouverons un spécialiste de cette langue, et vous aurez la traduction. À condition que vous nous disiez de quoi ça parle.

Il y eut un silence.

— Alors ? On achète ou pas ?

* * *

« Aujourd'hui n'a pas été une journée facile », écrivit-il.

Notre homme à tout faire est venu me voir. Il s'occupe du terrain, entretient les maisons. Il sait retirer la moisissure des murs, installer de nouvelles lampes, mais il connaît aussi par cœur Kierkegaard et les Psaumes. Cela fait sept ans qu'il est ici et qu'il y est heureux. Mais dernièrement, il fait des cauchemars. Il rêve de sa femme. Elle lui dit des choses sur Dieu. Elle lui raconte comment est le paradis. Les rêves sont très réalistes. Au réveil, ils continuent à le hanter. Il sent la présence de son épouse dans la chambre avec lui. Il m'a demandé mon opinion sur les morts. Je lui ai répété ce que disent les Cantavétiques. Les morts sont morts. Il a acquiescé. C'est un homme réfléchi et j'ai vu sa lutte intérieure. Il sait que dans d'autres cultures les morts sont vivants et heureux, qu'ils restent parmi nous, qu'ils veillent sur les vivants. Il m'a demandé si je ne pensais pas que ce serait mieux ainsi, être séparé du monde des morts par une fine membrane que les trépassés pourraient traverser au besoin. Ce qu'on appelle des miracles. Je lui ai dit ce que disent les Cantavétiques. Il n'existe pas de miracles. Il n'y a que les hommes. Mais je ne suis pas parvenu à le libérer de ses cauchemars.

Il va nous quitter, je pense. C'est déjà arrivé. Nous sommes nos pires ennemis. Nous nous détournons du doute. Pour devenir croyants. Et nous sommes chaque jour moins nombreux.

Je vous en prie, venez nous voir.

Le même après-midi, je traitai un nouveau patient, un vieil homme avec des gencives en compote. Il s'appelait Eddie. Un drôle de nom pour un octogénaire. Mais bon, si on s'appelait Eddie à dix ans, on s'appelait toujours Eddie à quatre-vingts. Je m'étais à peine assis qu'il m'annonça qu'il voyait le même dentiste depuis trente-sept ans : le Dr Rappaport. Ce dentiste ne m'était pas inconnu. Il avait bonne réputation. Il avait (et c'était pour cela qu'on le connaissait tous) une hygiéniste dentaire un peu spéciale qui demandait aux patients de lui tenir ses instruments pendant qu'elle les soignait. « Prenez-moi ça ! » ordonnait-elle en tendant tel ou tel instrument alors qu'elle était en plein détartrage. Et le patient s'exécutait, perplexe, se retrouvant avec une collection d'outils dans les mains, avant de se rendre compte qu'elle n'avait qu'un bras. Parce qu'elle était une hygiéniste dentaire manchote – et très compétente, à ce qu'on m'a dit, même comparée à des hygiénistes à deux bras. On peut être manchot et golfeur, manchot et batteur – pourquoi pas manchote et hygiéniste dentaire ? Les défis que pouvaient relever les gens m'étonnaient toujours. Bref, trois semaines avant le rendez-vous de mon octogénaire avec Rappaport, son cabinet l'avait appelé pour lui apprendre que son dentiste était mort. Il allait devoir se trouver quelqu'un d'autre. Mais après trente-sept ans, Eddie, qui avait quatre-vingt-un ans et pesait cinquante kilos, n'avait aucune envie de chercher un nouveau dentiste. Il était très content de Rappaport. Il avait pris bien soin de ses dents durant quasiment la moitié de sa vie. Il ne pouvait être mort. Il ne pouvait mourir. Ce grand jeune homme avec sa blouse blanche et son beau bronzage, comment pouvait-il être mort ? « Il avait, au bas mot, vingt ans de moins que moi ! » s'indignait Eddie pour qui, je le compris, son check-up biannuel était l'occasion de soulager sa solitude. Parce que Eddie était un grand bavard.

L'après-midi était chargé, mais ce pauvre papy serait mort dans six mois, alors je posai mon crochet de berger et décidai de l'écouter. Je me tournai vers Abby, pour avoir son soutien moral, mais encore une fois Abby s'était volatilisée. C'était sa remplaçante lilliputienne, celle que je n'aimais pas. Où était encore passée Abby ? Elle était là ce matin. Elle n'était jamais venue me parler, pas même pour me demander un après-midi de congé. Au lieu de ça, elle allait trouver Connie. Comme si je n'étais que l'homme de ménage ici, le type revêche qui traînait son seau et sa serpillière, et non pas le patron. Qu'avais-je à faire de l'avis de cette intérimaire demi-portion ! C'était l'assentiment d'Abby que je cherchais ; la lilliputienne devait avoir cette expression maussade même au repos, mais j'y vis quand même une forme de reproche. Pourquoi ne portait-elle pas de masque, d'abord ? Se fichait-elle d'avaler ou d'inhaler les miasmes et dépôts alimentaires des patients ? Jamais Abby n'aurait omis de porter un masque. Je reportai mon attention sur mon patient dont le visage – loin d'être au repos puisque Eddie continuait à parler du Dr Rappaport – était à la fois beau et mélancolique, avec un air d'enfant perdu. Il avait les yeux remarquablement grands pour un homme de son âge, d'un blanc immaculé. C'était une infamie de plus de la vieillesse ! disait-il. La chimio, l'incontinence, et maintenant voir mourir son dentiste ! Quel dentiste peut-il passer l'arme à gauche comme ça ? Ceux des vieux, évidemment ! Mais cela restait une mauvaise surprise. Il y a des rendez-vous récurrents qui attestent que la vie poursuit son cours, qu'elle ne va pas s'arrêter de sitôt. Et retrouver son dentiste tous les six mois pour un checkup en était un de taille. Quand Eddie avait appris que le Dr Rappaport avait eu une crise cardiaque, malgré sa jeunesse relative et sa bonne forme, et qu'il ne verrait plus jamais aucun patient, le vieil homme avait compris que lui aussi allait mourir. Il l'avait toujours su, mais si la mort avait frappé ainsi le Dr Rappaport, c'est qu'elle allait bientôt le frapper lui. C'était l'une de ces considérations, une de plus, qui l'avait entraîné dans la spirale de la dépression. Il avait cessé de prendre soin de lui, cessé d'aller chez le médecin, cessé de faire ses exercices pour empêcher son arthrite de s'étendre, et cessé de se nettoyer les dents au fil dentaire. Il avait fallu l'insistance opiniâtre d'un ami médecin pour qu'il accepte de prendre des antidépresseurs et de refaire sa gymnastique. Mais entre-temps, son état de santé s'était détérioré. Son arthrite avait empiré. Il ne pouvait plus dérouler le fil dentaire de sa bobine, ni l'enrouler entre ses doigts et le faire passer entre ses dents. Même monté sur une brossette, cela lui était impossible, parce qu'il était incapable de tenir la poignée. Il s'était curé les dents tous les soirs pendant près de cinquante ans jusqu'à la mort de Rappaport, et maintenant c'était au-dessus de ses forces. Un simple coup d'œil à ses mains était édifiant. Tous ses doigts étaient tordus comme des crosses de hockey. On ne pouvait rien faire avec des mains pareilles, pas même tourner une poignée de porte ou ouvrir un bocal. Ses doigts semblaient sur le point de se souder, comme les dents chez les très vieux, et ses deux moignons vrillés, un au bout de chaque poignet, ne lui serviraient définitivement plus à rien, sinon à se désigner l'un l'autre quand ils seraient posés, inutiles et vains, sur ses genoux. Il fallait que j'appelle Connie pour qu'elle voie ça, que je lui demande si elle jugeait toujours aussi vital de se passer de la crème sur les mains toutes les dix minutes ! Il fallait que j'appelle Betsy Convoy aussi. Que je lui demande pourquoi on devait se priver du plaisir d'une cigarette puisque la fin était toujours la même pour tous. Après les mains, je leur montrerai les dents d'Eddie et leur exposerai sa situation pathétique : un demi-siècle de bons et loyaux curages au fil dentaire, et voilà que tout était gâché parce que son dentiste était mort.

Quand finalement je lui fis ouvrir la bouche pour l'examiner, je constatai l'exactitude des observations que Betsy avait portées sur sa fiche : rétractation osseuse, déchaussements, poches parodontales entre sept et huit millimètres. Avec des trous de cette profondeur, je ne donnais pas cher des dents. Mais pas question de le voir abandonner un demi-siècle d'hygiène dentaire ! Je retirai mon crochet de berger de sa bouche, lui fis un sourire et posai ma main sur sa frêle épaule.

— Eddie… je ne peux pas vous laisser comme ça.

* * *

Connie était au comptoir de la réception, occupée à faire du rangement.

— Où est Connie ? lui demandai-je.

— Devant toi.

— Pardon, je me mélange les pinceaux… Je veux dire Abby. Où est Abby ? Elle était ici ce matin.

D'un coup, Connie eut l'air très occupée.

— Connie ?

— Oui ?…

— Où est Abby ?

— Elle a démissionné.

— Quoi ?

— Abby a démissionné.

— Mais pourquoi ?

Elle évitait mon regard.

— Connie, s'il te plaît, pose tes dossiers. Regarde-moi nom de Dieu ! (Elle se figea.) Comment ça, elle a démissionné ? Pourquoi ? Pourquoi ?

— Elle a pris un nouveau job. Pour avoir de nouvelles opportunités.

— De nouvelles opportunités ? Abby ?

— Oui. Abby ! Cela te paraît aussi incroyable que ça ?

— Quelles nouvelles opportunités ? Elle ne m'a pas donné de préavis. Les gens préviennent dans ces cas-là. Ça ne ressemble pas à Abby.

— Non, elle n'a pas donné de préavis. Mais elle a prévenu qu'elle prenait sa pause déjeuner.

— Dis-moi que ce n'est pas vrai.

— Elle est partie, Paul. Elle en avait assez.

— Assez de quoi ? Attends un peu… En avoir assez, ça n'a rien à voir avec chercher de nouvelles opportunités.

— Les deux ne sont pas absolument antagonistes.

Il était temps de mettre toutes les chances de son côté pour sa carrière de comédienne, m'expliqua Connie. Et pour ce faire, elle avait besoin d'un travail avec plus de flexibilité. Ce n'était pas la première fois qu'on me disait qu'Abby voulait devenir actrice. J'aurais pu en rester là. Plein de gens quittaient leur emploi pour les prétextes les plus farfelus, et quand on avait deux sous de jugeote on n'essayait pas de creuser la question, parce qu'on ne savait jamais ce qu'on allait exhumer. Mais cela avait été plus fort que moi. Pourquoi Abby ne m'avait-elle pas prévenu ? Cela dépassait mon entendement. C'était une simple question de courtoisie. Abby était taciturne mais pas impolie. J'ai insisté, et insisté encore, jusqu'à ce que Connie m'avoue qu'Abby était partie à cause de moi, parce que j'étais pénible dans le travail. D'accord, mais ce n'était pas la révélation du siècle. Et aussi, ajouta Connie, à cause de ce que j'avais posté sur Twitter ; elle n'avait pas aimé ce qu'elle avait lu, en tout cas pas ce qu'écrivait mon alter ego. Elle avait donc décidé de partir sans demander son reste.

— Mais ce n'est pas moi l'auteur ! Elle le sait, non ?

— Faut croire que non.

— Mais tu lui as dit, n'est-ce pas ?

— Oui. Je lui ai dit.

— Alors ? Où est le problème ?

— Soit elle ne m'a pas cru, soit cela ne change rien.

— Mais Abby n'est même pas juive !

— Quel rapport ?

— Si quelqu'un devrait donner sa démission pour ça, c'est toi. Pas Abby. Abby est presbytérienne, ou méthodiste, ou un truc du genre !

— Une presbytérienne ou une méthodiste ? Qu'est-ce que tu en sais ? Il y a cinq minutes encore, tu ignorais qu'elle était actrice.

— Depuis quand est-elle actrice, d'abord ?

— Paul, on n'a pas besoin d'être juif pour ne pas supporter l'antisémitisme. C'est d'ailleurs un rejet assez général aux États-Unis, ces temps-ci.

— Mais si tu lis mes tweets, tous à la file, on s'aperçoit qu'ils sont plutôt antimusulmans. Ou antichrétiens. Anti-toutes les religions, en fait.

— Quand tu chercheras sa remplaçante, tu n'auras qu'à mettre ça dans l'annonce.

— Qu'est-ce que Abby connaît au juste du judaïsme ? Sait-elle même à quoi ressemble le véritable antisémitisme ?

— Le « véritable » antisémitisme ?

Elle me regarda comme si j'étais soudain perdu pour la terre entière.

— Quoi ? Qu'est-ce que j'ai dit ?

— Tu sais ce que m'a enseigné cet imposteur, celui qui se fait passer pour toi ?

Je lâchai un soupir puis lui fis signe que j'étais tout ouïe.

— Les seules personnes qualifiées pour dire ce qui est réellement antisémite ou pas, ce sont les Juifs. Ce qui n'est pas ton cas.

Je m'en allai et rejoignis Darla, l'intérimaire lilliputienne qui, apparemment, n'avait pas de problème pour travailler avec un antisémite. On s'était mutuellement si mal jugés Abby et moi. Comment était-ce possible après tant de jours, tant d'heures passées à seulement un mètre l'un de l'autre ? Abby, partie ? Inconcevable ! Et sans même me dire au revoir ? À un moment, à la mi-journée, elle avait dû partir en catimini ou claquer la porte ostensiblement, et je ne me suis pas même posé de questions sur son absence ; au contraire, je l'ai même appréciée ; c'était toujours agréable cette rupture du quotidien quand l'une ou l'autre partait déjeuner. J'ignorais que je n'aurais plus jamais l'occasion de lui dire entre quatre yeux que j'étais désolé d'être un vrai connard. Désolé d'être toujours aussi morose. Désolé d'être aussi cinglant, froid, austère, méprisant, distant, insensible à ce qu'elle pouvait penser ou ressentir. Pas étonnant qu'elle ne soit pas venue me trouver, pas étonnant qu'elle ait pris ses cliques et ses claques.

Abby était partie !

* * *

Allais-je perdre aussi Betsy Convoy ? Ç'eût été une catastrophe ! Sans elle, le cabinet ne pouvait tourner. À bien des égards, Betsy était le cabinet O'Rourke.

Quand je la trouvai, elle était en train de lancer la stérilisation de la journée.

— Betsy. Je voudrais vous parler de la démission de Abby.

Elle arrêta tout ce qu'elle faisait, tendit les bras vers moi et me prit la main. Je sentais ses petites phalanges habiles sous sa peau.

— Je ne vous ai jamais dit que vous étiez un bon dentiste, déclara-t-elle.

Pendant sa première année au cabinet, Betsy Convoy, avec ses pouvoirs de Superwoman, avait le don de me tétaniser. Je voulais juste un petit signe de reconnaissance de sa part, qu'elle me dise qu'elle avait la sensation de travailler avec quelqu'un qui en valait le coup. Elle était une hygiéniste dentaire hors pair. Avec le temps, je m'étais habitué à sa perfection, comme si elle allait de soi. Elle était devenue l'implacable Mrs. Convoy, la grenouille de bénitier, la casseuse de couilles de première. Et voilà qu'elle était là, des années plus tard, à prononcer les paroles que j'attendais depuis si longtemps.

— Merci, Betsy.

— Mon mari, que son âme repose en paix, était aussi un bon dentiste. Mais il n'était pas de votre trempe. J'ai travaillé avec beaucoup d'excellents dentistes au fil du temps. Aucun d'eux ne vous arrive à la cheville.

— Je suis honoré que vous me disiez ça.

Elle me fit un sourire.

Puis elle lâcha ma main et recommença à stériliser les instruments.

— Mais en ce qui concerne le départ d'Abby ? insistai-je.

— Elle veut se chercher d'autres opportunités. Elle a toujours voulu être actrice.

— Mais ce n'est pas la seule raison.

Je lui expliquai ce qu'on écrivait sur Twitter en mon nom. Je sortis mon ego-Machine et lui lus les derniers tweets.

— Cela ne vous intrigue pas ? lui demandai-je.

— Pourquoi devrais-je l'être ?

— Parce que ces messages sont signés de mon nom.

— Vous les avez écrits ?

— Non. Mais vous n'avez pas de doute ?

— Pourquoi en aurais-je ?

— Pourquoi ? Betsy, nombre de ces tweets peuvent paraître antisémites. Ce qui peut laisser croire que je le suis.

— Vous êtes antisémite ?

— Bien sûr que non. Mais au vu de ce qu'il y a sur Internet, on pourrait le croire. Cela ne vous intéresse pas de savoir si je le suis ou non, antisémite ?

— Mais vous venez de dire que vous ne l'êtes pas.

— Mais j'ai été obligé de venir vous trouver pour vous le certifier. Lorsque vous avez appris pourquoi Abby partait, pourquoi n'êtes-vous pas venue me parler ? Il y avait de quoi être inquiet ? Il s'agit quand même du préjugé le plus horrible de l'histoire humaine.

— Mais je vous connais. Je sais que vous n'êtes pas comme ça.

— Il demeure néanmoins un petit epsilon pour que vous vous trompiez sur mon compte, n'est-ce pas ?

— Je ne comprends pas où vous voulez en venir, Paul. Vous êtes antisémite, oui ou non ?

— Le problème, c'est votre manque de curiosité ! Vous ne montrez aucune inquiétude ! Et si j'étais réellement antisémite ?

— Mais vous avez dit que vous ne l'étiez pas.

— Vous pouvez le prouver ?

— J'ai des stérilisations à finir, Paul. Si vous voulez à tout prix me convaincre que vous êtes antisémite, vous savez où me trouver.

— Prouvez-moi que je n'en suis pas un ! m'écriai-je. Regardez sur Internet et prouvez-le-moi !

Elle quitta la pièce. Le sujet était clos pour la journée.

* * *

Mon dernier patient, un directeur commercial, avait trois caries. Au moment où je lui annonçai qu'il fallait les soigner on m'appela à la réception. À mon retour dans la salle d'examen, il m'annonça :

— Je ne crois pas que je vais vous laisser y toucher.

La radio était toujours affichée à l'écran. On voyait parfaitement les lésions. J'examinai à nouveau sa fiche. Il était parfaitement couvert par son assurance. Il n'avait aucune raison financière de ne pas se faire traiter. Et il était évident qu'il faisait attention à sa santé buccodentaire. Sinon, il n'aurait pas pris rendez-vous.

— D'accord. Mais un jour ou l'autre il faudra s'en occuper. Cela ne va pas s'arranger avec le temps.

Il hocha la tête.

— C'est la douleur qui vous inquiète ?

Il me regarda avec des yeux ronds.

— Boucher une carie n'a jamais fait mal, n'est-ce pas ?

— Non. C'est précisément la raison pour laquelle je pose la question. Ce n'est pas douloureux du tout. On vous anesthésie.

— C'est bien ce que je pensais. Non, ce n'est pas par peur de la douleur.

— Juste par curiosité : si ce n'est pas à cause de la douleur, pourquoi ne voulez-vous pas qu'on soigne ces dents ? Ça va s'aggraver avec le temps et, là, vous aurez mal.

— Parce que, pour l'instant, je me sens bien. Je ne sais pas que j'ai des caries.

— Pourtant vous en avez. Je vous ai montré la radio. Regardez, elles sont bel et bien là.

Je lui présentais une seconde fois le cliché.

— Inutile de me montrer encore cette image. Je les ai bien vues la première fois. Je vous crois.

— Alors si vous me croyez et que vous voyez qu'il y a un problème, pourquoi ne pas le régler ? Vous avez trois caries.

— Parce que je ne les sens pas.

— Vous ne les sentez pas ?

— Non. Je ne les sens pas.

Commençant à m'agacer, je poussai un grognement.

— D'accord. Mais donnez-moi deux minutes pour vous expliquer. Regardez cet écran. Vous voyez ces zones sombres ? Une, deux, trois. Trois caries !

— Oui, c'est ce que disent vos rayons X. Et c'est sûrement parfaitement exact. Mais je vous expose juste mon ressenti.

— Et c'est quoi votre « ressenti » ?

— Pour l'instant, que je n'ai pas de caries. Je me sens bien.

— Mais on ne sent pas toujours leur présence. C'est pour ça qu'on fait des radios. Pour mettre en évidence ce qu'on ne sent pas !

— Votre démarche est tout à fait respectable. Mais ce n'est pas mon approche.

— Pas « votre approche » ? Ce sont des radiographies aux rayons X. C'est irréfutable, pour tout le monde. Ça s'appelle l'approche scientifique.

— Et c'est très bien. Mais, moi, ce qui m'importe, c'est ce que je ressens, et pour l'instant, je ne ressens rien.

— Pourquoi donc êtes-vous venu ? Si vous vous sentez bien et que vous ne voulez pas prendre en compte ce que dit une radio, pourquoi avoir pris rendez-vous ?

— Parce que c'est ce qu'on est censés faire. Un bilan tous les six mois.

— Docteur O'Rourke ?

C'était Connie. Elle se tenait sur le seuil.

— Si vous voulez bien m'excuser un instant, annonçai-je au directeur commercial.

Je la rejoignis dans le couloir. Elle tombait à point nommé.

— Ce type ne veut pas suivre mes conseils ! lui murmurai-je. Il ne veut pas que je soigne ses caries, parce qu'il ne les sent pas, parce qu'il a la sensation qu'il n'a pas de caries ! Il dit qu'il ne ressent rien. Alors à quoi bon les soigner ? Je lui ai montré les trous sur la radio et il me répond que l'on n'a pas la même approche. Mon approche, c'est celle de la science ! La sienne c'est de tâter sa gencive avec sa langue et si tout lui semble OK alors au diable les radios et les avis médicaux ! Et quand je lui demande pourquoi il vient s'il se sent si bien, il me dit que c'est ce que la société attend de lui. Voir son dentiste tous les six mois ! Comment peut-on avoir un raisonnement aussi tordu ? C'est comme ça que les gens composent avec la réalité ? C'est aussi simple que ça ?

— Mon oncle Stuart est ici. Il veut te voir.

Ça m'a arrêté tout net.

— Encore ?

Il n'y avait personne dans la salle d'attente. Hormis l'oncle Stuart et une Asiatique assise à côté de lui, avec des lunettes de soleil perchées sur son front. Ils se levèrent de concert. Les lunettes retombèrent sur le nez de la femme, et Stuart fit les présentations. Elle s'appelait Wendy Chu et elle travaillait pour Mercer.

— Vous connaissez Pete Mercer ? demandai-je à Stuart.

— Pas personnellement. Je connais juste Wendy.

Wendy paraissait si fluette et jeune derrière ses Ray Ban qu'on l'imaginait facilement encore au CP à tracer des lignes de « A » dans un cahier. Elle me tendit sa carte. C'était donc elle la détective que Mercer avait engagée. Sur le carton, il était écrit « Chu Investigations ». Je relevai les yeux vers elle. Il était loin le temps des privés à la Dashiell Hammett, avec leurs feutres et leurs portes de bureau en verre dépoli !

— Et Wendy, comment l'avez-vous connue ? dis-je à l'oncle Stuart

Wendy répondit pour lui :

— Les rencontres sont inévitables quand deux personnes cherchent la même femme.

— Quelle femme ?

— Paul, reprit Stuart, on est venu vous demander une faveur. On aimerait vous emmener à Brooklyn quand vous aurez terminé votre journée.

— Pour y faire quoi ?

— Rencontrer quelqu'un. Un souhait de M. Mercer, répondit Wendy.

— Et Mercer, justement, où il est ? m'enquis-je.

— Son rôle s'arrête là.

— Quel rôle ?

La détective me regarda, impassible, derrière ses lunettes de soleil.

— J'ai encore un patient.

— On va vous attendre, répondit-elle, en se rasseyant.

— À quoi ça rime tout cela ?

— Faites-nous ce plaisir, répondit-il. Venez avec nous à Brooklyn.

Je partis retrouver mon directeur commercial, toujours installé dans le fauteuil. Je m'assis à côté de lui, l'observai un moment puis levai les mains avec fatalisme.

— Qu'est-ce que vous faites encore ici ?

Il parut perplexe.

— Vous m'avez demandé d'attendre.

— D'accord, mais pourquoi m'écoutez-vous ?

— Parce que vous êtes mon dentiste.

— Donc, vous attendez quand je vous dis d'attendre, mais si je vous dis de vous faire soigner les dents, vous refusez ?

— Je vous ai expliqué, ces caries je ne les sens pas.

— Mais elles sont là !

— Oui, sur les radios.

— Tout juste ! Sur les radios !

— Mais pas dans mon esprit.

* * *

On prit la voiture de Wendy pour se rendre à Brooklyn et rejoindre le quartier juif de Crown Heights. Les enseignes aux vitrines et sur les marquises étaient pour la plupart rédigées en hébreu. Des femmes, toutes habillées de noir, poussaient sur les trottoirs des landaus (pas des poussettes, mais des voitures d'enfants à l'ancienne avec de grandes roues à rayons), des hommes avec des chapeaux, des manteaux, des barbes (tout ça également noir) montaient et descendaient de monospaces, l'oreille rivée à leurs téléphones portables, et un nombre incalculable de marmots de tous âges, malgré la sévérité de leurs habits et de leurs papillotes, jouaient sur les perrons et au coin des rues comme tous les enfants du monde. Le soleil se couchait. Les maisons étaient propres et ordonnées. À l'exception de quelques voitures aux vitres teintées passant dans une pulsation d'infrabasses, on se serait cru au XVIIe siècle.

En chemin, j'avais appris que j'allais rencontrer Mirav Mendelsohn, la femme dont Grant Arthur avait été amoureux. Pourquoi une telle rencontre ? Mystère. J'avais précisé à Stuart que je connaissais déjà toute l'histoire. Mirav, originaire d'une famille juive orthodoxe de Los Angeles, était tombée amoureuse de Grant Arthur. Quand les siens avaient découvert qu'elle fréquentait un goy, ils l'avaient chassée de la communauté. Ils avaient même observé la Shiv'ah, comme si elle était morte. Au fil du temps, Arthur avait fait des découvertes sur ses ancêtres, et sur ses origines. Une chose en entraînant une autre, il avait fini par quitter Mirav et la vie qu'ils avaient construite tous les deux à Los Angeles, pour s'adonner entièrement à sa nouvelle mission : retrouver les Ulms et les rassembler après leur diaspora.

— Tout ça est une bien jolie histoire, répondit Wendy, mais il manque quelques morceaux.

L'oncle Stuart me raconta que Mirav avait finalement abandonné le judaïsme, épousé un industriel, et divorcé après avoir élevé ses deux enfants. En 2007, l'appel des racines devenant trop fort, elle avait repris son nom, Mendelsohn, et réintégré la communauté orthodoxe. Elle habitait désormais le centre hassidique et enseignait les traditions à des femmes nouvellement converties.

L'endroit était une sorte de campus, ou de complexe résidentiel, avec synagogue, école, dortoirs, où les prétendantes à une nouvelle vie recevaient l'enseignement de l'orthodoxie juive. Mirav était en charge des cours du soir.

Les femmes terminaient la classe par un chant. On attendit dans le couloir. Jamais je n'oublierai cette mélodie et ses variations de tempo, ni les couacs des débutantes, tandis qu'une voix s'élevait au-dessus du lot. Une voix pleine de joie, puissante, qui guidait les autres et leur montrait le chemin, une voix qui rendait grâce au Créateur, tandis que les autres dérapaient, gloussaient, puis revenaient vite à l'unisson. Grâce à cette voix unique, lumineuse et envoûtante comme une étoile, l'espace de quelques instants, la chorale touchait parfois au sublime. Et cette voix, c'était celle de Mirav.

Une fois les novices parties, Wendy fit les présentations. Mirav nous conduisit dans une salle commune. Ça sentait les vieux livres et le café brûlé. Les murs étaient décorés de différentes iconographies juives : des images de menorahs et de sevivons, des dessins représentant des rouleaux de la Torah couverts de caractères hébreux, des silhouettes penchées au pied du mur des Lamentations, des châles de prière tourbillonnant sous les bourrasques d'un vent surnaturel, des banquets débordant de victuailles, des familles qui dansaient, faisant la fête. Mon préféré : un grand collage représentant l'arche de Noé, pleine à craquer, avec tous les animaux de la terre – plus un dragon ! – voguant sur une mer turquoise des tropiques.

Mirav portait un fichu de soie sur la tête avec des motifs cachemire et une longue jupe noire. Je la trouvais sympathique, franche et directe. Elle nous parlait avec grand sérieux puis chassait cette austérité d'un rire cristallin. Elle donnait l'impression d'être une personne consciente de la misère du monde mais qui savait néanmoins garder sa joie de vivre. J'ai toujours été sensible à ce genre de personnes. Je les aime dans l'instant, même si je les connais à peine.

— Vous voulez du café ? proposa-t-elle.

Tout le monde refusa.

— Nous vous remercions encore d'avoir accepté de nous recevoir, déclara l'oncle Stuart. Je sais que vous avez déjà narré votre histoire à M. Mercer ce matin, mais nous aimerions que vous la racontiez à nouveau, pour moi et Paul.

— Pas de problème. Ce n'est pas très compliqué.

Elle nous ramena en 1979.

L'oncle de Mirav avait une supérette à Los Angeles, pas très loin de là où habitaient ses parents. Elle s'y rendait à pied tous les après-midi pour faire des courses. Un jour, en rentrant chez elle, Grant Arthur l'aborda et lui offrit de porter ses sacs. Il avait un jean à pattes d'éléphant et le genre de chemise que seul John Travolta pouvait oser enfiler. Il lui demanda si elle était juive. Elle lui répondit oui. Il lui demanda comment était sa vie, dans quelle église elle allait, si cela l'embêtait de ne pas fêter Noël. Elle lui apprit que son père était le rabbin de la congrégation Shalom B'nai Israel et que Noël ne lui avait manqué que lorsqu'elle était petite. Il voulait savoir si les Juifs avaient réellement un régime alimentaire différent des chrétiens. Qu'est-ce qu'ils mangeaient au juste ?

— Au début, nous confia Mirav, j'ai cru qu'il se moquait de moi. Mais non. Ce garçon était sans malice. Juste curieux et passionné. Il était l'innocence même.

La fois suivante, lorsqu'elle était retournée à la supérette de son oncle, il était apparu dès qu'elle avait quitté la boutique. Il devait la suivre. Mais elle n'en eut jamais la preuve. Il lui avait annoncé qu'il avait trouvé un rabbin, le rabbin Youklus de Anshe Emes qui avait accepté de superviser sa conversion au judaïsme. Le rabbin Youklus allait tout lui apprendre. Arthur savait déjà tout du shabbat, qui se faisait le samedi. C'était une grande différence entre le judaïsme et le christianisme, disait-il. Pour les chrétiens, le jour du repos était le dimanche, et ils ne faisaient pas ripaille la veille, à moins qu'il n'y ait une fête ou un dîner de bienfaisance. Le rabbin Youklus avait promis de l'inviter un jour pour le shabbat. Connaissait-elle toutes les prières qu'il fallait dire quand les bougies étaient allumées ? Et les chants ? Et les bénédictions ? Il aimait « tous ces rituels et ces machins que faisaient les Juifs », comme il disait. Il était impatient d'entrer dans la maison du rabbin pour assister à tout ça. Elle aimait l'écouter. Il égayait ses jours, il lui donnait l'impression qu'elle était un être exceptionnel, et c'était tout nouveau pour elle. Elle avait dix-sept ans.

— Jamais je ne lui ai demandé ce qui était venu en premier pour lui, dit-elle en s'adressant à moi. Son intérêt pour le judaïsme ou son intérêt pour moi. Je ne suis pas sûre que cela ait une importance. Même aujourd'hui. Peut-être ai-je été une source d'inspiration pour lui, un exemple ? Ou peut-être lui ai-je fait perdre la raison !

Elle rit de bon cœur et se tourna vers Stuart :

— C'est ce qu'on est censés faire quand on tombe amoureux, non ? Se faire perdre mutuellement la raison ?

L'oncle Stuart lui rendit son sourire comme si, lui aussi, avait connu ça.

— Mais non, poursuivit-elle. Je n'ai jamais cru que le judaïsme était un moyen pour lui, « une porte d'entrée », ou je ne sais quoi. Ni l'inverse : que c'était moi le sésame pour atteindre le trésor qu'il convoitait. Je pense qu'il m'appréciait, mais aussi qu'il n'habitait pas ce quartier, ce quartier particulier, par hasard. Il voulait devenir juif.

— Je sais déjà tout ça, répondis-je. Il me l'a dit.

Mirav se tourna encore vers Stuart.

— Je continue ?

— Oui, s'il vous plaît.

Un jour, sur le chemin du retour entre la supérette et la maison, ils avaient fait un détour pour pouvoir continuer à parler. Arthur ne voyait pas comment on pouvait être un vrai Juif au vu de tout ce qu'il y avait à savoir. Il fallait connaître la Bible. Le Talmud. Et toutes ces lois – il y en avait tellement. Et connaître l'Histoire. Et savoir par cœur toutes les prières et les bénédictions ! Et si on voulait faire les choses vraiment bien, il fallait aussi apprendre l'hébreu. Il pensait que l'hébreu était une vieille langue dans laquelle la Bible avait été écrite, mais le rabbin lui avait expliqué que l'hébreu était la langue d'Israël, la langue des Juifs. Et il y avait aussi le yiddish. Il avait demandé à Mirav si elle parlait le yiddish. Et quelle était la différence entre le yiddish et l'hébreu.

« Ce sont deux langues totalement différentes », avait-elle répondu.

« Tu vois, c'est bien ce que je disais ! Il faut parler en plus deux langues et étudier l'Ancien Testament, et connaître tous les jours saints, et d'où ils viennent, et pourquoi ils sont si importants. Cela fait beaucoup. »

« Il n'est pas obligatoire de parler yiddish. »

« Ce n'est pas grave, je l'apprendrai. (Il avait désigné une maison de plain-pied.) C'est là que je vis. »

Elle était construite sur une pelouse en pente. Des azalées en fleurs décoraient le bas des murs sous les fenêtres. Une allée dallée menait du portail à la porte d'entrée, bordée de tulipes. C'était une maison d'adultes.

« Tu habites avec tes parents ? » avait-elle demandé.

« Non. »

« Avec quelqu'un ? »

« Non. Tout seul. »

« Quel âge as-tu ? »

« Dix-neuf ans. »

Il allait falloir trois mois à Mirav pour trouver le courage de monter cette allée jusqu'au perron et d'appuyer sur la sonnette. Mais alors, il y aurait une mezouzah accrochée à la porte. Et tous les deux auraient fait bien des détours en revenant de la supérette, des boucles de plus en plus longues qui auraient valu à Mirav nombre de regards inquisiteurs de la part de sa mère. Elle savait qu'il valait mieux ne rien dire. Grant n'était pas le genre de garçon que sa famille avait en tête pour elle. Son père n'aurait pu accepter que quelqu'un né au sud de West Hollywood ou au nord de Wilshire, ou dans un kibboutz en Galilée. Ses cousins étaient dans la confidence, et la couvraient. C'était la première fois qu'elle parvenait à cacher un secret aussi longtemps.

— Nous étions une petite communauté, expliqua-t-elle. Très fermée, pour ne pas dire obtuse. Et regardez où je suis maintenant ! (Cette fois, elle rit d'elle-même.) Retour à la case départ. Mais c'était différent quand j'étais jeune. Ce n'était pas la même époque. La génération des shtetl était encore en vie. Et ils ne se mêlaient pas trop aux John Travolta. Ils étaient du genre à dire « Goy un jour, goy toujours ». Une mentalité que nous n'avons plus, même ici à Crown Heights. À l'époque, ils ne savaient que faire des convertis.

Grant avait commencé par appeler les choses par leur vrai nom : plus « église », mais « temple », plus « Ancien Testament » mais « Torah ». Il avait changé de vêtement, optant pour un modeste costume sombre. Il avait cessé de se raser. Il portait la kippa, et plus tard le talit katan. Après sa sortie du lycée, Mirav était allée travailler chez son oncle pendant que Grant passait ses journées à lire la Torah et ses commentaires. Le jeune homme s'était révélé un étudiant brillant. Un jour, il était venu la saluer en hébreu. Il avait changé de professeur. Dorénavant il étudiait avec le rabbin Repulski du Temple d'Elohim, qui lui correspondait mieux et qui lui parlait d'Israël. Il était fasciné par le pays. Il voulait le visiter, vivre là-bas. Comment un pays avait pu naître aussi vite ? Cela dépassait son entendement. Mais le temps n'avait pas la même mesure, disait-il, quand on perdait six millions de personnes dans un holocauste.

« C'est comme quand on roule sur une autoroute, disait-il, et qu'on voit un énorme machin attaché sur une remorque, avec ce panneau : "CONVOI EXCEPTIONNEL", et qu'on se demande si on n'a pas la berlue quand on s'approche, parce que oui, c'est bien une maison que traîne ce camion, une vraie maison, et tout ça roule à cent à l'heure sur l'autoroute ! C'est ça Israël : une maison qu'ils font avancer très vite. »

« Je n'ai jamais vu toutes ces choses », avait-elle répondu.

Elle habitait pourtant Los Angeles, mais elle n'était jamais allée sur une autoroute.

Quelques jours plus tard, après avoir encore étudié, Grant lui avait déclaré :

« Mirav, l'Holocauste n'est pas la raison pour laquelle l'État d'Israël a été créé ! L'idée d'Israël est née bien avant. Et pas même chez les religieux. Ce sont des Juifs séculiers, des intellectuels, qui ont compris son importance. Ils savaient que la haskala était une condamnation à mort. La haskala, tu sais ce que c'est ? Bref, ce sont des gens comme Moses Hess qui ont lancé l'idée d'un État-nation juif. Hess, Pinsker et Herzl. »

Herzl, cela lui disait quelque chose. Pas les autres. Elle avait passé dix-sept ans sous la tutelle de Osher Mendelsohn, mais en quelques mois d'études Grant Arthur en savait plus qu'elle sur son peuple.

— Grant était véritablement très doué, nous dit-elle trente ans plus tard. Il a appris l'hébreu en six mois. J'étais impressionnée. Je me rappelle sa réponse, face à mon étonnement : « Si Ben-Yehoudah a pu inventer l'hébreu en un an, je peux bien l'apprendre en six mois. » Et, à cette époque, il n'avait participé qu'à un seul shabbat.

Elle ne pouvait l'inviter. Ni le présenter à ses parents. Peu importait qu'il eût étudié la Torah, peu importait qu'il parle couramment l'hébreu, il ne serait jamais un Juif. Les libéraux, ces congrégations qui ne séparaient pas les femmes des hommes dans les synagogues, pouvaient le convertir. Mais aux yeux de Osher Mendelsohn, rabbin de Shalom B'nai Israël, un traditionaliste qui se souvenait de la folie qui avait embrasé l'Europe, un homme qui était né au moment où la fracture entre Juifs et non-Juifs était à son paroxysme, Grant Arthur ne serait jamais un Juif – parce qu'il n'était pas né Juif.

Et un jour, Grant Arthur avait annoncé à Mirav : « Je vais devenir rabbin. »

À l'époque, elle avait franchi le seuil de sa maison. Elle avait vu sa chambre (du pas de la porte seulement) et le matelas posé à même le sol. Il y avait un drap blanc étendu dessus. Le seul drap, et le matelas était le seul lit. Il y avait une chaise de jardin dans une pièce, un pouf poire dans une autre, et quelques verres et assiettes dépareillés. L'armoire était vide, les placards aussi. Comment un garçon de cet âge pouvait-il vivre ainsi ? Il lui avait fallu du temps pour se faire à cette idée. Sans literie, sans vaisselle en porcelaine, sans meubles, sans frères ni sœurs, sans une dizaine de cousins à squatter la cuisine. Ce contraste était déchirant : il avait une maison mais il était incapable d'en faire un foyer. Elle en avait eu les larmes aux yeux. Elle s'était donc chargée d'apporter, en catimini, les petites touches qui manquaient à cette demeure : des rideaux de tulle, une menorah sur la cheminée, un couvre-lit, des ramequins et saladiers, des verres assortis. Et de reconnaissance, Grant en avait pleuré en l'embrassant. Personne ne l'avait jamais aimé ainsi, disait-il. Elle aurait voulu en savoir davantage, mais il ne lui en avait pas raconté davantage. Personne ne l'avait jamais aimé. Point barre. Elle aussi avait pleuré en l'embrassant. Chaque fois qu'elle s'en allait et le laissait dans cette maison, dans ces pièces vides, dans son ermitage de livres, son cœur battait à l'unisson du sien. Jamais elle n'avait été aussi proche de quelqu'un. C'est comme s'il avait respiré à travers elle.

C'était la maison du vide jusqu'au jour où, en entrant, elle avait découvert un tableau dans un cadre à dorures. Un Chagall. On y voyait une vache et un violon, des têtes de bouc, un ciel bleu roi, une lune et son halo, des maisons sur des collines, une chaise renversée, une femme pelotonnée sur un nuage. Elle ne connaissait rien à la peinture, ni aux écoles, ni aux mouvements picturaux, mais elle connaissait Chagall. Par son père. Elle savait également que les Chagall, on les trouvait dans les musées.

« Qu'est-ce que ce tableau fait ici ? »

« Tu l'aimes ? »

« C'est un vrai ? »

« Bien sûr. »

« Où l'as-tu eu ? Combien il coûte ? »

« C'est ma grand-mère qui l'a acheté. Enfin, elle est morte, mais je profite de l'argent qu'elle m'a laissé. Tu penses que ton père l'aimera ? »

Il lui avait expliqué le choc que pouvait produire la vue de ce tableau d'un prix inestimable dans une maison où il y avait pour moins de cinquante dollars de meubles. Elle savait Grant hors norme. Mais jamais elle n'aurait imaginé qu'il venait d'une famille aussi riche. Son père était avocat à Manhattan et sa mère était une haute figure du Bottin mondain. Grant ne leur avait pas parlé depuis plus d'un an.

— Il était plongé dans l'histoire à cette époque, nous expliqua Mirav. Les shtelts, les Zones de résidence. Les Cosaques et les Tartares. Il était très affecté par tout ça. Plus que de raison. Ces choses le révoltaient, emplissaient son cœur de pitié et d'un petit quelque chose de plus… une sorte d'appel romantique. Pas pour les persécutions. Mais pour la période. Une étrange fascination, presque amoureuse. Je crois que Chagall était sa façon de faire partie de cette histoire, de se l'approprier.

Et aussi d'impressionner le père de sa dulcinée. À cette époque, il avait annoncé au rabbin Blomberg de Ya Avraham son souhait de faire le séminaire après sa conversion. Il mangeait casher, faisait le shabbat et observait les six cent treize mitzvot comme les Juifs traditionalistes. Il pensait que sa conversion et ses études, son empathie pour les Juifs et son Chagall, prouveraient sa dévotion à l'homme qu'il voulait pour beau-père. Il n'était peut-être pas né Juif, mais même chez les orthodoxes, selon la loi, un converti était l'égal d'un Juif aux yeux de Dieu.

« Peu importe ce que dit la loi, lui expliquait Mirav, ou ce qui est juste aux yeux de Dieu. Mon père ne va pas l'entendre de cette oreille. »

Ils étaient assis au bout de la table qu'on venait de livrer, en merisier massif, assez grande pour accueillir seize personnes : le support non seulement de la menorah mais également de ses rêves de repas du shabbat, avec sa jeune épouse et les siens.

« Donc pour Dieu et l'État d'Israël, je suis considéré comme un Juif, mais pour le rabbin Mendelsohn, ton père, je suis né goy et goy je mourrai, c'est ça ? Cela n'a aucun sens, Mirav. Cet homme n'a donc aucun respect pour la Halakha ? »

« La Halakha ? Tu ne m'as pas écoutée, Grant. Cela n'a rien à voir avec la loi ou la coutume. Tu veux épouser sa fille. Sa fille ! Mon père veut que mon époux soit un Juif de souche. Et si tu mets en avant la loi, je suis sûre qu'il te trouvera une mitzvah qui interdit le mariage avec un goy. »

« Je ne suis plus un goy. »

« Tant que tu n'es pas passé devant le Beth-Din, tu es un goy. »

Depuis près d'un an, alors qu'il n'était pas encore déclaré Juif, Grant portait pieusement la barbe, se couvrait la tête où qu'il aille et s'était lui-même circoncis. Il parlait comme s'il avait été Juif toute sa vie, une vie entière de dévotion au judaïsme.

« Cela n'a donc aucune importance, avait-il répondu avec calme, que j'aie fait tout ça par choix, que je l'aie fait avec passion, avec amour, que je n'aime rien de plus sur terre que le peuple juif ? Nulle part je ne suis plus heureux que dans une synagogue ! Je suis venu au judaïsme pour sa sagesse et sa beauté et j'ai juré de lui consacrer toute ma vie. Cela n'a aucune importance, avait-il poursuivi, que je veuille avoir des enfants, des enfants juifs, des petits-enfants pour ton père que j'élèverai dans la tradition et la loi des Juifs ? Tout cela, je l'ai choisi librement, mais tu me dis que ton père préférera toujours te marier à n'importe quel quidam, pourvu qu'il soit Juif de sang ? »

« Tu sais qui se trouve au premier rang durant les offices ? Qui il a devant lui ? avait-elle demandé. Des gens qui ont fui l'Europe juste avant l'arrivée des nazis. L'un d'entre eux est même un survivant des camps. Ces gens se souviennent que leurs villages ont été attaqués par des non-Juifs. Mon père est arrivé de Kiev et… »

« Je sais qu'il vient de Kiev. »

« Il a vu ce qui est arrivé à sa famille. À son père, à ses oncles. Il était encore enfant. Tu connais l'histoire, Grant, d'accord, mais lui, il l'a vécue. »

« Cela ne me rend pas indigne pour autant. »

« Si, aux yeux de mon père et des hommes de sa congrégation. »

« À tes yeux aussi ? »

« Non, pas aux miens. Nous irons en Israël. Nous y fonderons une famille. »

« Et perdre celle que tu as ici ? »

« Ce n'est pas si important, si nous avons la nôtre. »

« Pas d'invitation dans votre maison ? Pas de shabbat ? Pas de seders ? Pas de fêtes avec tes oncles et tes tantes ? Pas de place pour moi à Shalom B'nai Israel ? »

« Je connais mon père. Il ne l'acceptera pas. »

« À quoi bon, alors ? »

Cette remarque amère l'avait troublée. Qu'est-ce qui l'inquiétait au juste ? Qu'elle perde sa famille ou qu'elle soit perdue pour lui ? Mais comment pourrait-il souffrir de perdre une chose qu'il n'avait jamais eue ? Hormis les deux cousins dans la confidence, Grant n'avait rencontré aucun proche de Mirav.

Puis, un après-midi, le rabbin Mendelsohn était venu sonner chez Grant.

Même si les deux jeunes gens s'attendaient depuis longtemps à cette confrontation, ils étaient loin d'être prêts. Le père avait demandé à sa fille de faire les présentations, puis s'était enquis des parents de Grant.

« Mes parents habitent New York, monsieur. »

« Vous vivez seul ici ? »

Le garçon avait hoché la tête.

« Puis-je entrer un moment ? »

« Bien sûr. »

Osher Mendelsohn s'était arrêté dans l'entrée et avait complimenté Grant pour sa maison. Il n'avait rien dit de ce qu'il pensait de l'aménagement intérieur ni du Chagall qui trônait dans le salon. Il avait observé la pièce avec sa cheminée, son pouf poire et les piles de livres au sol.

« Pouvons-nous nous asseoir ? » avait demandé le rabbin.

« Juste tous les deux ? Ou avec Mirav ? »

« Tu veux te joindre à nous, ma fille ? »

« Si tu le désires, papa. »

« Oui. Cela me semble utile. »

Ils avaient pris place à la nouvelle table de la salle à manger tandis que Grant Arthur filait en cuisine. Il voulait offrir à boire au rabbin. C'était un réflexe naturel, acquis dès l'enfance, tout comme Mirav avait appris les prières à dire au moment d'allumer la menorah. Savoir recevoir un invité. C'était son héritage à lui, le legs de ses parents. Mais il n'y avait qu'un fond de lait dans le réfrigérateur. Alors il était sorti de la maison par la porte de derrière et avait foncé à la supérette qui appartenait au beau-frère du rabbin. Il avait acheté trois jus de fruit différents, deux sortes de sodas, du thé, du café. Mais après le sprint du retour, la porte avait claqué, l'enfermant dehors. Il avait été obligé de passer par la porte d'entrée, à la surprise de Mirav et de son père, toujours assis à table, qui attendaient de le voir revenir de la cuisine. Il s'était esquivé à nouveau, en leur demandant encore un peu de patience, avait déballé ses courses et était revenu sur le pas de la porte pour s'enquérir de ce qu'ils voulaient boire. Mirav n'avait pas soif, son père avait juste réclamé un verre d'eau.

Enfin, Grant les avait rejoints et s'était installé au bout de la grande table destinée à accueillir sa future famille

« J'ai cru comprendre, avait commencé Osher Mendelsohn, que vous connaissez le rabbin Youklus de Anshe Emes. »

« Oui, monsieur. »

« Youklus dit que vous voulez devenir Juif. »

« Oui, c'est ce que je veux. »

« Au dire de Youklus, vous êtes un jeune homme très brillant. Peut-être même un génie. Visiblement, vous lui avez fait forte impression. »

« J'ai consacré mes jours et mes nuits à l'étude du judaïsme, monsieur. Et je compte bien continuer. Et être digne de cette quête. Mes modèles sont le rabbin Akiva et Spinoza. »

« Voilà un noble but. »

« J'ai appris l'hébreu, et j'étudie la Torah au moins six heures par jour. Mon poète favori est Heinrich Heine. Il n'était pas un bon Juif, mais il a écrit de très beaux vers. »

« J'ai cru comprendre également, avait poursuivi le rabbin, que vous avez officiellement changé de nom. C'est le rabbin Blomberg de Yad Avraham qui m'a raconté ça. »

« La procédure est en cours, monsieur. »

« Avec qui étudiez-vous aujourd'hui ? »

« Avec le rabbin Rotblatt. Du Temple d'Israël. »

« Ah oui. C'est exact. Rotblatt m'a dit que vous vouliez entrer au séminaire après votre conversion ? »

« Oui. J'espère devenir rabbin. Comme vous. »

« Voilà un noble but », avait répété Osher Mendelsohn. Il avait bu une gorgée d'eau et reposé son verre.

« Vous avez là une bien jolie table », avait-il fait remarquer en prenant le temps d'admirer les motifs du bois.

« Je vous remercie, monsieur. »

« Et cette peinture au mur. C'est une belle reproduction. »

« Oh, non, ce n'est pas une reproduction. »

Le rabbin avait contemplé la toile un moment, avant de regarder à nouveau le jeune homme.

« Et vous voulez épouser ma fille, jeune homme ? »

« Oui, monsieur. Je le veux. »

« Cela vous dérange si je vous pose quelques questions sur vos études. Ce n'est pas pour vous mettre à l'épreuve, je vous l'assure. Nous sommes dans votre maison et je n'ai nullement l'intention d'être discourtois envers vous, puisque vous êtes mon hôte. Je veux juste avoir une idée de ce que vous savez, puisque vous envisagez de rejoindre ma famille. »

« Posez-moi les questions que vous voulez, je vous en prie. »

« Savez-vous ce qu'est un seder ? »

« Le seder est le rituel le plus important de la fête de Pessa'h, la Pâque, où on commémore l'exode d'Égypte et le début de l'alliance entre Dieu et le peuple juif. »

« Vous avez déjà participé à un seder ? »

« Je me permets de préciser que "seder" signifie "ordre" et que cet ordre, ou rituel, est décrit dans la haggada, ou "récit". J'ai assisté une fois à un seder, à l'invitation du rabbin Greenberg. Et cette expérience m'a transformé à jamais. »

« Greenberg ? »

« Du temple Sinaï, à Long Beach. »

« Je ne connais pas ce rabbin. »

« Il a eu l'extrême gentillesse de m'inviter à mon premier seder. Je ne saurais lui dire ma reconnaissance pour ce moment essentiel dans mon existence. »

« Puis-je vous demander de me parler de la fête de Chavouot, de ce qu'elle signifie, éventuellement, pour vous ? »

« Chavouot marque la fin du décompte de l'Omer, qui commence à la fin de Pâque et dure sept semaines. On y commémore la Révélation du Sinaï, quand Dieu a donné la Torah aux Juifs, faisant d'eux à jamais le peuple élu. J'ai participé cette année à une veillée d'études pendant Chavouot. Il s'agissait de montrer notre amour et notre compréhension intime de la Torah. Ce fut pour moi, là encore, une révélation. »

« C'était aussi avec le rabbin Greenberg ? »

« Non, monsieur. Avec le rabbin Maddox. »

« Avec le temps, vous avez côtoyé beaucoup de rabbins. »

« Oui, monsieur. »

Osher Mendelsohn s'était laissé aller contre le dossier de sa chaise.

« Puis-je vous poser encore une question ? Une dernière ? »

« Bien sûr. Je vous en prie. »

« Croyez-vous en Dieu ? »

Jamais Mirav n'avait songé à lui demander ça. Grant Arthur s'était métamorphosé pour devenir Juif. Pour quoi, sinon pour Dieu ?

« Non, monsieur. »

« Non ? » s'était exclamée Mirav.

« Vous êtes athée, c'est bien ça ? » avait insisté le père.

« C'est ce que vous a dit le rabbin Youklus ? »

« Youklus. Blomberg, Rotblatt, Maddox, Repulski. Aucun d'entre eux ne peut vous recommander devant un Beth-Din parce que vous ne croyez pas en Dieu. Si c'était le cas, vous seriez déjà juif, et paré pour le séminaire. »

Il s'était tu. Dans le silence, le rabbin et le jeune homme s'étaient regardés.

« Comment pouvez-vous croire en Dieu, avait fini par demander Arthur, quand on connaît comme vous l'histoire de votre peuple ? »

« L'histoire de mon peuple est son combat pour conserver l'alliance de Dieu, avait répondu l'homme de foi. Sans Lui, nous ne sommes rien. »

« C'est à cause de Dieu que vous êtes dans ce pétrin. »

« Dieu est chacun de mes souffles. »

Trente ans plus tard, Mirav nous raconta comment son père perdit son calme quand Arthur voulut lui expliquer que Dieu était la source de tous ses problèmes.

« Vous n'avez rien à faire dans une synagogue ! avait lancé le rabbin en se levant. Et vous faites honte à la Torah ! »

« Je ne suis pas le seul Juif athée. »

« Vous n'êtes pas juif et vous ne le serez jamais ! »

Le rabbin Mendelsohn s'était tourné vers sa fille en lui disant que si elle n'était pas rentrée dans une heure, la maison lui serait à jamais bannie.

— C'était la première fois que je rencontrais quelqu'un qui niait l'existence de Dieu, nous expliqua-t-elle dans la salle commune, trente ans plus tard. Et il l'avait nié devant mon père ! C'était si choquant, si violent, plus encore que s'il l'avait frappé au visage. Et comme vous l'imaginez, c'était comme si mon père était venu me traiter de putain – en pire. Je me sentais plus sale encore. J'étais emplie de honte, outragée, et pourtant encore amoureuse. J'étais blessée et trahie. Je ne savais plus quoi penser.

— Vous êtes rentrée chez vos parents ce soir-là ? demanda l'oncle Stuart.

— Oui. Mon regard sur Grant avait changé depuis qu'il avait révélé son athéisme. D'un seul coup, il s'était installé une distance. J'ai été une femme mariée, vous savez, puis j'ai divorcé. Alors la distance dans un couple, l'impression de ne plus reconnaître l'autre, je sais ce que c'est ! Quand on est mariés, ça peut prendre du temps. Avec Grant, ce fut immédiat. Dans mon monde, Dieu était un fait universel, c'était aussi simple que ça. Comment pouvait-on être une bonne personne et en même temps ne pas croire en Dieu ?

Mais le lendemain, à la pause déjeuner, presque malgré elle, elle était retournée à la source de sa confusion. Quand il avait ouvert la porte, il portait la kippa et la barbe. Un Juif comme un autre, mais désormais dépourvu de son essence. D'un coup, il paraissait déguisé, costumé. Une parodie de Juif. Elle avait vu ce qu'il y avait de clownesque, à cause de cette impiété. Une aberration que son père avait aussitôt remarquée la veille. Pourquoi Grant portait-il cet accoutrement ?

« Entre, je t'en prie. »

« Je ne peux pas. »

« S'il te plaît. J'ai passé la nuit la plus horrible de ma vie. »

« Pourquoi es-tu habillé comme ça ? »

« Comment ça ? »

« Comme un Juif. »

« Mirav, je t'en prie. »

Il avait ouvert sa porte en grand.

Elle avait eu l'impression d'être Jezabel pénétrant dans la maison de Satan, et qu'elle allait être dévorée par les chiens. On ne retrouverait d'elle que ses pieds et ses mains.

« Je veux comprendre pourquoi. Pourquoi cette comédie. »

« C'est ce que tu crois ? Que je joue la comédie ? Que je fais semblant ? »

« Je ne vois pas d'autres termes. »

« La “dévotion” ? »

« La dévotion ? Envers qui ? Envers quoi ? »

« Envers toi. Et ton père. Et tous les Juifs. »

« Mais les Juifs sont juifs parce que leur dévotion, elle est pour Dieu ! »

« Les Juifs sont juifs parce qu'ils se dévouent aux autres Juifs. »

« Tu mélanges tout ! »

« Mirav, sais-tu tous les efforts que cela m'a demandé pour devenir juif, comme cela est plus difficile pour moi que pour ton père ? Tout ce que j'ai dû sacrifier pour… »

Par réflexe, elle l'avait repoussé. Mais il était revenu à la charge :

« Lui, il a eu Kiev ! Et sa naissance et son éducation ! »

« Et toi, tu as un Chagall au mur ! Tu peux avoir tout ce que tu veux. »

« Non. Pas tout. »

Le premier incident avait eu lieu quelques nuits plus tard quand il s'était planté devant la façade des Mendelsohn et avait appelé le maître des lieux :

« Rabbin Mendelsohn ! Rabbin Osher Mendelsohn ! Je suis tous les commandements de Dieu, non ? Tous ! Je paie la dîme ! Je jeûne ! Je fête la révélation au Sinaï ! Je suis circoncis ! J'ai appris l'hébreu pour vous ! Et changé mon nom ! Et laissé pousser mes cheveux ! Que Dieu existe ou pas, ne suis-je pas une personne vertueuse à Ses yeux ? Venez à votre fenêtre et dites-moi ce que vous voyez. Qu'est-ce qui en moi n'est pas juif ? Dites-le-moi ! Dites-le ! »

Le rabbin avait appelé la police.

« Pourquoi me rejetez-vous ? avait continué Arthur. Qu'ai-je fait de mal ? Vous aimez le judaïsme et vous voulez le protéger ? Faut-il que vous vous fassiez chrétien pour ouvrir les yeux ? Sortez, Osher Mendelsohn, venez avec moi, avec le chrétien, et regardez les Juifs tels que je les vois. Regardez à la lumière des bougies les visages de ceux que vous aimez. Entendez les vers qui nous lient. Regardez la fraternité qui fait de vous des Juifs. Alors vous aimerez réellement le judaïsme ! »

Des gyrophares clignotaient dans la rue. Grant Arthur ne s'était pas enfui. La police l'avait réprimandé et ordonné de ne pas recommencer.

Plus tard, Mirav lui avait demandé :

« Pourquoi étudies-tu la Torah ? Je ne comprends pas. C'est une perte de temps. »

« Tu penses que sans Dieu la Torah est moins belle ? Qu'elle est moins riche d'enseignement ? »

« Mais Dieu est partout dans la Torah »

« Non. C'est la bonté des Juifs qui est partout. Leurs tentations, leur sottise, leur humanité. Leur intelligence, leur compassion. Leur combat. Leur générosité. Ils n'ont pas besoin de Dieu pour tout ça. »

« Mais c'est Dieu qui en est à l'origine. »

« La grandeur des Juifs, voilà leur véritable source. Dieu ne crée que la peur. »

Arthur était revenu se planter devant la maison du rabbin Mendelsohn, lui demandant de lui pardonner son impolitesse. « Où est votre Dieu en ce moment ? avait-il crié sa voix portant dans toutes les pièces par les fenêtres ouvertes. Qu'Il me foudroie si mes actions Lui déplaisent. Si je ne suis pas un Juif, qu'Il me tue maintenant ! » Il avait marqué un temps. « Pourquoi ne me foudroie-t-Il pas ? Cela signifie donc que je suis un Juif ? Ou qu'Il n'est simplement pas là ? Ou qu'Il se croise les bras et laisse encore une fois les Juifs subir un nouvel affront des goyim ? Combien d'affronts allez-vous encore endurer avant que vous ne tourniez le dos à votre Dieu, rabbin Mendelsohn ? Guillaume de Norwich ne vous a donc pas suffi ? Ni l'Inquisition ? Ni les pogroms ? ni les chambres à gaz ? Qu'Il me foudroie, rabbin, si je ne hais pas autant les antisémites que vous ! Qu'Il me foudroie si je ne vous aime pas comme un frère ! Vous ne comprenez donc pas pourquoi je vous aime, rabbin ? Seriez-vous donc aveugle parce que vous êtes né Juif ? »

Cette fois, Arthur était parti avant l'arrivée des policiers. Ils avaient déclaré au rabbin qu'ils iraient trouver le garçon et auraient une sérieuse discussion avec lui. Mais si le rabbin voulait vraiment avoir la paix, il ferait mieux de trouver un avocat et de demander une injonction du juge lui interdisant de s'approcher de la maison.

« Toute ta vie, on t'a dit qu'il fallait croire en Dieu, expliquait Grant à Mirav. Ton père est un rabbin, un homme pieux. Tu assistes aux offices. Tu écoutes les sermons. On t'a appris à craindre Dieu, à l'aimer, à le respecter, à lui obéir. Ce n'est pas étonnant que tu me considères désormais comme un étranger, que tu me haïsses. »

« Je ne te hais pas. Je suis ici, non ? »

« Tu viens cinq minutes, et tu t'en vas. »

« Mais je viens. »

« Tu ne m'embrasses plus. »

« Je ne peux pas t'embrasser parce que je ne te comprends pas. »

« C'est simple. Dieu est une relique inutile. »

« C'est toi qui le dis. Comment ça une relique ? »

« Pourquoi as-tu besoin de Dieu puisque tu as le judaïsme ? Pourquoi souiller quelque chose d'aussi beau ? »

« Mais il ne peut y avoir de judaïsme sans Lui ! »

« Tu sais pourquoi on fait sonner le chofar ? Sa véritable signification ? » avait-il demandé.

Elle le détestait quand il versait dans l'ésotérisme.

« Bien sûr. Cela annonce le début des fêtes et… c'est pour réveiller l'âme… »

« Non. Tu es à Los Angeles au XXe siècle. Sonner le chofar à Los Angeles au XXe siècle a la même signification que du temps du Premier Temple à Gezer et Dibon. La véritable utilité du chofar, c'est d'unir les Juifs de Los Angeles aux Juifs de Gezer. On sonne le chofar pour les gens, pas pour Dieu. »

« Non. Ce n'est pas vrai. »

Stuart, dans la salle du centre religieux, était un peu perdu.

— Pourquoi continuiez-vous à le voir ?

— Je ne sais pas, répondit-elle. C'était plus fort que moi. J'étais comme aimantée. J'étais encore amoureuse. Il avait menti, ou passé sous silence certaines choses, pour dire ça gentiment, et je voulais des réponses. Il me faisait un peu peur, mais j'aimais bien l'écouter, c'était excitant intellectuellement. Et maintenant qu'il pouvait s'exprimer ouvertement, il avait beaucoup à dire. J'étais jeune. J'étais naïve. J'étais ébranlée par beaucoup de ses propos et cela me forçait à réfléchir. Était-il nécessaire que la personne que j'aime croie en Dieu ? Pourquoi exiger ça ? Parce que moi j'étais croyante ? Croyais-je réellement en Dieu, d'ailleurs ? En quoi, en qui, avais-je la foi au juste ? Cela ne suffisait donc pas qu'il soit juif ? Mais était-il juif ? Il était différent, ça c'était sûr. Et déterminé. Et il avait envie de moi. J'étais sous son charme. J'avais vécu dans un environnement très protégé, et je découvrais que j'aimais les gens libres. Pourquoi je revenais vers lui ? Parce qu'il avait le don de me révéler à moi-même, voilà.

Mirav continuait de travailler pour la supérette de son oncle. Un jour son père était entré dans le bureau. Les deux cousins qui travaillaient avec elle s'étaient aussitôt levés et avaient quitté la pièce. Puis son oncle, à son tour, était sorti du bureau. Et son père s'était assis sur une chaise au milieu de la pièce. Il l'avait regardée un long moment. Quand il s'était mis à parler, sa voix était sourde, tout juste audible à cette distance.

« Tu l'as entendu dire qu'il ne croyait pas en Dieu et pourtant tu le vois encore ? (Long silence.) Il vient devant chez nous, fait du tapage, se donne en spectacle ; il nous menace même, comme si nous vivions encore dans le ghetto il y a cent ans. Et pourtant tu choisis de faire honte à toi-même et à notre famille. »

« Ce n'est pas si simple, papa. »

« Tu t'es donnée à un homme avant d'être mariée. »

« Non, papa, nous n'avons jamais… »

« Tu t'es donnée à ce profane qui n'est pas ton mari, et tu continues à le voir alors que tu sais qui il est et qu'il n'est pas croyant. Dis-moi qui est cet homme sinon Satan déguisé en Juif ? »

« Je pense qu'il est perdu, papa. »

« C'est un imposteur, Mirav. Et tu devrais ouvrir les yeux. (Le rabbin se leva.) Tu dois choisir. L'imposteur ou ta famille. »

Sur ces mots, il avait quitté la pièce. Quelques minutes plus tard, tout le monde était revenu reprendre son travail comme si de rien n'était.

Le troisième et dernier esclandre d'Arthur avait eu lieu le vendredi soir après l'office, juste avant le repas de shabbat. Les Mendelsohn venaient de s'installer à table quand la voix du garçon avait résonné dans la maison. « Je veux être accepté ! criait-il. Je veux être choisi par Dieu, et élu.

Je veux rompre le pain avec vous les Mendelsohn. Être accueilli dans votre maison. Accordez-moi vos traditions, je les propagerai. Donnez-moi vos trésors, et je les protégerai jusqu'à la fin de mes jours. Vous les Juifs, continuait-il de crier, vous ne connaissez pas votre chance ! Vous avez vos femmes, vos filles, vos pères et fils ! Vous êtes bénis par la vie. » Le rabbin avait une nouvelle fois appelé la police pendant que le reste de la famille regardait à la fenêtre la silhouette sur la pelouse. Mirav s'était aperçue qu'il avait apporté le Chagall. « Laissez-moi acheter la hallah ! Laissez-moi me joindre au Miniane ! Laissez-moi lire dans le rouleau ! Acceptez-moi parmi vous ! Vous allez me rejeter à cause d'une erreur de naissance ? Ce n'est pas ma faute ! J'aime les Juifs ! » Il avait continué ainsi à les implorer jusqu'à l'arrivée de la police. Il avait brandi le Chagall en disant : « Je l'ai acheté pour vous, rabbin Mendelsohn. » Puis il l'avait adossé avec précaution contre un arbre. « Je vous ai vu l'admirer. » Les policiers lui avaient passé les menottes et l'avaient embarqué. Grant Arthur n'avait pas respecté l'injonction du juge prononcée deux jours plus tôt.

Mirav Mendelsohn vécut avec Grant pendant les cinq mois qui avaient suivi sa libération sur parole. Elle allait faire les courses. Elle meublait peu à peu la maison avec le nécessaire vital. Les vendredis, ils allaient aux cérémonies (Arthur avait obtenu une dispense pour pouvoir s'y rendre). Cela se passait loin, dans une synagogue de la Valley, puis ils rentraient à la maison, s'échangeaient les bénédictions et célébraient shabbat par un repas, puis ils entonnaient les chants traditionnels du Siddour.

Mais ce n'était jamais facile, nous confia Mirav. Dès le début, une ombre planait sur eux. Comme une malédiction.

Par la logique, la persuasion, la force de caractère, Grant la faisait s'interroger sur sa croyance en Dieu. Avec des arguments, du bon sens, des pirouettes sémantiques, il lui montrait à quel point sa foi était fragile. En s'appuyant sur des faits historiques, il lui montrait l'absurdité de sa dévotion. Passons en revue toutes les atrocités, une à une, lui disait-il. C'était là les preuves cumulées de l'absence de Dieu ! Morceau par morceau, il avait démonté quasiment vingt ans d'éducation.

Sans Dieu, elle avait encore moins de raisons de rentrer chez les siens. Une fois lucide, on ne retournait pas vers les chimères et les superstitions. On commence sa réadaptation – non sans amertume –, on remonte le chemin de la vérité, et l'aigreur vire au mépris.

— J'ai fait beaucoup de mal à ma famille, nous confia Mirav. Certes, eux aussi. Mais leur réaction et leur comportement étaient prévisibles. Le poids de la coutume. Cela n'excuse rien, mais explique tout. Mais ce que j'ai fait, moi, il n'y avait rien pour le justifier.

Son retour au monde profane fut brutal. En quelques mois, elle avait remis en cause toute son éducation, et commençait à se demander pourquoi elle continuait de porter ces habits qu'on lui imposait depuis l'enfance, pourquoi elle devait cacher ses cheveux ou assister aux cérémonies, ou bénir les bougies, ou psalmodier des chants. D'un coup, mille gestes et coutumes lui paraissaient d'une absurdité sans fond. C'était à cause d'Arthur si elle avait abandonné, un à un, ces rites qui la reliaient à ses racines, si elle les trouvait soudain vides et creux. Arthur n'avait pas prévu ça. Elle refusait désormais de se vêtir comme le voulait la tradition, de l'accompagner à la synagogue, et ne cuisinait plus pour shabbat.

« Pourquoi tu nous fais ça ? » s'offusquait-il.

« Quoi ? Qu'est-ce que je fais ? Je ne fais rien justement. »

« Mais tu as des obligations ! »

« Envers qui ? »

« Envers moi. Envers les autres. »

« Qui ça ? Quels autres ? Tu vois des gens autour de nous ? »

« Tu es juive ! s'écria-t-il. Tu as des obligations envers les Juifs ! »

« Qu'est-ce qui fait de moi une Juive ? »

« Tu es née juive ! »

« Et j'ai grandi ! Alors dis-moi ? Dis-moi ce qui fait de moi une Juive ? »

Ce n'était pas une question rhétorique. Arthur était venu au judaïsme en athée pour trouver des compagnons parmi les Juifs, des rites et des coutumes qui lui étaient nécessaires pour ordonner et enrichir sa vie misérable. Quant à elle, elle était venue à l'athéisme pour trouver le néant, un abîme vertigineux là où autrefois il y avait un édifice, une liberté abyssale, là où autrefois il y avait un ordre et des règles. Elle connaissait la raison de sa judaïcité, une raison implacable : elle était née de mère juive. Mais sans Dieu, en quoi le judaïsme avait-il une influence sur sa vie ?

Certes, elle ne savait plus très bien en quoi elle était juive, mais elle savait encore moins ce qui faisait de lui un Juif. Un jour, après un an de vie commune, elle l'avait regardé d'un autre œil : elle l'avait observé coiffé d'une kippa, le châle de prière sur la tête, avec les téfilines, occupé à lire la Torah en se balançant d'avant en arrière. Un spectacle qu'elle avait vu mille fois, un rite dont la nécessité était évidente, automatique, irréfutable, tellement naturel qu'elle n'y avait jamais prêté réellement attention. Mais ce jour-là, elle en avait eu le souffle coupé. C'était si bizarre : regarder un goy athée pratiquer avec ferveur la prière juive.

« Qu'est-ce que tu fais ? » demanda-t-elle, d'une voix pleine de mépris.

« Je prie. »

« D'accord. Mais pourquoi ? »

Il n'avait pas répondu. Il avait remis en question ses motivations et ses croyances, mais elle, elle n'en avait pas le droit. C'était un sujet tabou. N'empêche qu'il n'était pas juif ! Il n'y avait pas de mot pour décrire ce qu'il était au juste – ou alors un « transjuif » ? Toutes les épreuves qu'il avait endurées pour opérer sa métamorphose – l'abandon familial, la solitude, l'aliénation – étaient *terra interdicta*. C'était effacé, oblitéré. Il avait posé la kippa sur sa tête et il était né. Son père avait raison, avait-elle compris, même s'ils étaient arrivés à la même conclusion par des chemins opposés. Grant Arthur était un imposteur.

— Il y avait quelque chose de faux en lui, une félonie originelle, nous expliqua-t-elle.

— Arthur vous a-t-il parlé d'un peuple biblique appelé les Amalécites ? s'enquit Wendy.

— Oui.

— Et des Ulms ?

— Oui. Après la mort de son père, après son séjour à New York. Il est revenu changé. Il a arrêté de lire la Torah et a passé de plus en plus de temps à la bibliothèque. Il faisait des recherches sur son histoire personnelle, son arbre généalogique. Il avait découvert qu'il appartenait à un peuple, dont l'histoire s'était perdue ou quelque chose comme ça.

Ç'avait été la goutte de trop. Le seul cousin qui acceptait encore de parler à Mirav lui avait prêté deux cents dollars. Elle était montée dans un car et n'avait plus jamais revu Grant Arthur. Elle était arrivée à Manhattan avec un jean et une chemise country comme celle que portait Debra Winger dans *Urban Cowboy,* avec des boutons en fausse nacre.

— Une question me brûlait les lèvres ce matin, reprit Wendy, quand vous avez raconté tout ça à M. Mercer. Pourquoi êtes-vous revenue au judaïsme ?

— Houlà ! lâcha Mirav dans un rire qui chassa la tension du moment. C'est une longue et triste histoire ! Je n'ai aucune envie de vous miner le moral. Pour résumer, disons : mariage, divorce, erreurs, regrets. Trente ans de vide spirituel. (Elle rit à nouveau.) Je me suis rendu compte que Grant avait raison finalement. La vie est plus belle quand on la vit comme un Juif.

* * *

— Cette histoire à laquelle vous êtes mêlé…, commença Stuart.

— Je ne suis mêlé à rien du tout, répliquai-je.

— Vous croyez ?

— Ne me dites pas que vous vous faites du souci pour moi. Vous vous seriez donné tout ce mal, rien que pour moi ? C'est curieux, parce que j'ai plutôt l'impression que vous ne m'aimez pas beaucoup.

— Je voulais que vous sachiez la vérité.

— Quelle vérité ?

— Vous avez entendu ce qu'a dit Mirav ?

— J'ai appris les détails d'une histoire d'amour que je connaissais déjà. Arthur avait dix-neuf ans. C'était juste un gamin, un gamin perdu.

— Aujourd'hui, ce n'est plus un gamin, intervint Wendy. Et il sait parfaitement ce qu'il fait.

— Vous ne savez rien de lui, lançai-je à Wendy. Vous n'en avez aucune idée. (Je me tournai vers Stuart.) Et vous non plus.

— C'est le cerveau de l'opération, répondit-elle.

— Le cerveau ? Il passe son temps dans les archives, à reconstituer des arbres généalogiques, dis-je. C'est plutôt un rat de bibliothèque !

— Bien, votre dentiste est maintenant au courant, déclara-t-elle à Stuart. Mon boulot s'arrête là.

Sur ce, elle s'en alla.

Stuart se tourna alors vers Mirav.

— Vous voulez bien me laisser un moment avec Paul ?

— Bien sûr.

Elle quitta la pièce à son tour. Cela me faisait bizarre de me retrouver seul avec l'oncle Stuart dans cette salle d'un centre religieux orthodoxe de Crown Heights.

— Cela ne vous trouble pas, tout ce que vous avez appris ?

— Comme je vous l'ai dit, j'étais déjà au courant.

— Au courant de tout ? Comme elle l'a présenté ?

Je bougeai sur ma chaise, mal à l'aise.

— Peut-être pas exactement comme ça. Mais il y a toujours deux versions d'une histoire.

— La vérité n'est pas simplement une facette ou l'autre. La vérité n'est pas une question de point de vue.

— Et bien sûr vous savez où elle est cette vérité ! D'avance, vous opteriez pour la version de Mirav, quelles que soient les différences dans l'histoire.

— Et ces différences, quelles sont-elles ?

— C'est lui qui l'a quittée, par exemple. Ce n'est pas elle qui a rompu, mais lui. Et tout ce qu'elle nous a raconté, cela s'est passé avant la mort de son père, avant qu'il ne fasse sa confession sur son lit de mort. Arthur était perdu quand il était amoureux de Mirav. Ce n'est que lorsqu'ils se sont séparés qu'il a découvert la vérité sur lui-même.

— C'est ce que vous croyez ?

— C'est ce qu'il m'a dit. Il n'a rien caché à Mirav.

Stuart me regarda avec une déception amère.

— Croyez ce que vous voulez, articula-t-il. Mais ils n'ont pas le monopole de la souffrance. La souffrance appartient aux Juifs qui l'ont endurée. Elle appartient aux morts, aux sans noms, aux disparus qui ont été éradiqués de cette terre sans laisser de trace, aux oubliés de l'Histoire. Ils ne peuvent emprunter cette souffrance et en disposer à leur guise. Ils n'ont pas le droit d'en faire une farce.

— Jamais, je n'ai voulu vous décevoir, vous savez, lui dis-je.

— Soyons clair, Paul. Cela n'a rien à voir avec vous. Cela vous dépasse. Un homme renie la réalité. Il reprend une vieille légende dans la Bible et en fait un mythe ; et aujourd'hui, il prétend que ce mythe est la réalité. C'est toujours la même méthode.

* * *

Ce soir-là, je rentrai chez moi alors que les Red Sox en étaient à la cinquième manche. Je commandai à manger, me versai à boire, et attendis la fin du match pour rembobiner la cassette et revoir toute la partie depuis le début. J'appelai Mercer encore une fois, mais toujours pas de réponse.

Après le match, j'emportai la bouteille sur le balcon. Je m'installai sur un des transats et contemplai la Promenade en contrebas. Regarder ces passants déambuler devant l'East River, ces gens sur les bancs, ces amoureux de la nuit, il n'y avait rien de tel pour vous faire sentir hors du monde un vendredi soir ! Je me servis un verre et leur portai un toast. Un toast à la ville entière. « À vos pique-niques, bonnes gens, et à vos lotions solaires ! » J'observai la silhouette des gratte-ciel de Manhattan, toutes ces lumières de l'autre côté du fleuve. Les gens travaillaient encore. « À vos brain-storming et à vos infarctus ! » lançai-je aux abeilles ouvrières encore enfermées dans leur ruche d'acier. « À vos chaussettes en soie et à vos divorces ! » Ce soir-là, je trinquai comme ça pratiquement à tout. « À vous, jeune couple, qui regardez le fleuve, à vos frittatas et vos cassettes pornos ! » « À toi, photographe du dimanche, l'obsédé du flash, à toi qui crois entretenir ta légende personnelle chaque fois que quelqu'un partage tes photos. » « À toi, beauté nubile, qui gâches ta vie derrière ton ego-Machine, ta chambre aux chimères et ton miroir du monde ! » À tous, je leur portai un toast. Et je trinquai encore et encore : « À toi, supporter des Yankees qui portes ce maillot ridicule de Jeter. À tes lotions après-rasage et à tes acquittements pour viol ! » Je remplis mon verre et le vidai. « À toi, jeune cadre dynamique qui ne ramasses pas les merdes chaudes de ton loulou de Poméranie. Et à tes semblables, commerciaux et financiers crétins. À vos hordes innombrables, à votre armée sans visage. À vous, tas d'ordures qui faites couler le pays ! Puissiez-vous finir tous en cellules et pourrir comme des rats ! » « À vous, Betsy Convoy. À vos principes et votre foi, et à vos cols roulés ! » « À vous, Abby. Merci pour la leçon. Bonne chance pour vos nouvelles opportunités. » « Et à toi, Connie. À ton poète, ton Ben, et à ton futur plein de bébés souriants. » Mais je ne parvenais pas à trinquer à la santé de Stuart. En fait, j'essayais de ne pas penser à lui, ni à Mirav ni à Grant Arthur. Je buvais, levais mon verre à tous les autres, pour oublier. Je poursuivis dans cette veine jusqu'à ce qu'il me reste juste assez de vin pour un dernier toast. « Et à toi, abruti sur ton balcon, à tes flatulences au curry, à ta peur de l'onanisme et de l'asphyxie érotique. À ton manque, ton manque hurlant des autres, et à tes efforts pathétiques. À la tienne, mon pote ! » Je trinquai dans le vide. J'avais dû parler à haute voix, car ma voisine, elle aussi sur son balcon, m'observait d'un drôle d'air. Je levai mon verre vers elle. Elle tourna les talons et rentra dans ses pénates. La bouteille était terminée. J'avais trinqué à tout, et tout bu. Pendant un long moment, je regardais fixement l'enseigne VERIZON au sommet de l'un des plus hauts gratte-ciel de Manhattan, le seul immeuble arborant le nom d'une marque – une verrue cramoisie dans ce panorama. Pourquoi ces connards ont-ils choisi ce bâtiment ? Ce fut ma dernière pensée avant de sombrer dans les bras de Morphée. À mon réveil, il n'y avait plus personne sur la Promenade. Absolument personne. Je scrutai la jetée encore et encore. J'attendis. Longtemps. Quelqu'un allait bien arriver. Mais non.

Quelle heure était-il donc ? Quelle heure terrifiante ? Et pourquoi moi étais-je réveillé ? Où étaient-ils tous passés, ces inconnus à qui je trinquais ? Jamais la Promenade n'avait été aussi déserte. Aussi silencieuse. Dans une grande mégapole comme New York, une ville qui vous promet de n'être jamais seul, ce genre de lieux bourdonnait d'activité nuit et jour. Mais cette fois, j'avais l'impression d'avoir été téléporté dans une colonie sur la lune, flottant dans le vide sidéral, avec moi pour seul habitant. Cela me frappa de plein fouet durant la seconde ou deux que dura mon réveil, et ce fut une douleur insupportable. J'étais abandonné, oublié, laissé pour compte. C'est sûr, tout ce qui valait la peine d'être fait avait été accompli pendant que je dormais, et maintenant que j'étais éveillé, il ne restait plus rien. Juste un désert. Dans des moments de tel désespoir, la solution était de s'occuper l'esprit, faire quelque chose, n'importe quoi, très vite. Mon premier réflexe fut de prendre mon ego-Machine. Cela me reconnecterait au présent, me donnerait un objectif immédiat. Peut-être Connie avait-elle appelé, ou envoyé un message ? Ou Mercer ? Ou… ? Mais non. Personne. Pas d'appel ; ni SMS, ni e-mail. Rien. J'aurais été prêt à tout, ou presque, pour qu'ils reviennent – ces promeneurs, ces amoureux… Pour avoir à nouveau la possibilité d'aller flâner avec eux, de m'émerveiller devant la silhouette des gratte-ciel, de lécher une glace avec application. Et pouvoir, ensuite, quitter la Promenade serein, aller me coucher, passer une bonne nuit de sommeil – ou bien aller profiter du dernier plaisir à la mode qu'offrait la ville cette nuit-là, le nouveau *must* du soir qui me tiendrait éveillé jusqu'à l'aube, dans la liesse et non dans la terreur. Et demain se lever à nouveau de bonne heure, aller marcher sur la Promenade dans la lumière de l'aurore, et pourquoi pas acheter un gâteau pour le petit déjeuner, et un café, pour déguster tout ça tranquillement sur un banc en contemplant les eaux miroitantes ? Revenez ! Revenez tous, vous qui avez disparu dans la nuit ! Revenez, mes chers fantômes ! La journée est assez pénible comme ça ! Ne me laissez pas seul la nuit… Enfin, je parvins à bouger. Je me redressai dans mon transat, tendis l'oreille. Il y avait le chuintement du fleuve, Manhattan de l'autre côté, les derniers véhicules de la nuit filant sur la voie express, invisible sous la jetée. Comment décrire ça ? Comment dire ce que je ressentis à ce moment-là ? Ce sentiment que mon existence, et celle de cette ville, et toutes ces heures qui s'égrenaient, insouciantes et délicieuses, à travers le monde, n'avaient pas, n'avaient jamais eu, le moindre sens.

10.

— Ah vous voilà, mon garçon ! lança Sookhart en me tendant l'ouvrage.

Je le pris, l'examinai sous tous les angles. La vieille couverture de cuir était dépourvue d'inscriptions, sans titre, ni nom d'auteur. Je l'ouvris. Le dos craqua comme une noix sèche. Le livre était peut-être bien aussi ancien que le prétendait Sookhart. Tout naturellement, il s'ouvrit à la cantation 240 – ou plutôt « quelque chose » 240 : les caractères tortillés me restaient impénétrables. Je fis courir mon doigt sur les fils qui retenaient les pages entre elles. Mais quant au sens de ce qui y était écrit, mystère.

— Alors ? demanda-t-il. Qu'en pensez-vous ?

— Comment peut-on savoir qu'il est authentique ?

— Mon garçon, ouvrez les yeux. C'est l'objet le plus étrange qui me soit passé entre les mains durant toute ma carrière. Je ne reconnais pas un seul nom propre. Safek, Ulmet, Rivam, et les autres. On a l'impression que ce truc était enfoui au centre de la terre.

— C'est écrit en yiddish ?

Il hocha la tête.

— Et il est aussi ancien que ça. Vous le certifiez ?

— Cent cinquante ans, sans conteste.

— Mais comment en être sûr.

— Vous doutez de moi ?

Il paraissait vexé.

— Laissez tomber, dis-je. Aucune importance.

Sans trop savoir pourquoi (peut-être par habitude ?), je lui demandai un sac pour emporter l'ouvrage. Il fut obligé de déballer son petit déjeuner, une banane et un yaourt, qu'il venait d'acheter. Et je m'en allai avec le livre caché dans un sac de supermarché.

* * *

« J'ai été honnête avec vous depuis le début, vous en convenez ? » demanda-t-il.

> *Depuis que vous avez commencé votre enquête, ne vous ai-je pas tout dit sur Mirav ? Ne vous ai-je pas expliqué que ma relation avec elle avait eu lieu avant que je ne découvre la vérité sur mon passé, sur notre passé ? Oui, je suis tombé amoureux d'elle, et oui, je me suis dévoué au judaïsme. Mais c'était une erreur, Paul. Une passion qui m'a détourné du vrai chemin.*
>
> *Venez, Paul, venez voir ce qui reste. Faites les tests génétiques, venez chercher la dernière pièce de votre histoire familiale. Ne vous laissez pas influencer par ce qu'ils disent.*

* * *

Le lundi matin suivant, à la mi-septembre, le démantèlement de PM Capital commença. Pete Mercer se retira des marchés financiers. Il vendit ses holdings et rendit l'argent à ses clients – avec une coquette marge, au dire du *Wall Street Journal*, qui précisait que la moitié de l'argent des fonds était placée dans l'or depuis le début de la Grande Récession.

Mercer n'avait pas répondu aux dizaines de messages que je lui avais laissés.

Qu'allait-il faire à présent ? me demandai-je. Maintenant que les ordinateurs avaient été arrêtés, les portefeuilles liquidés, les traders payés et remerciés, les bureaux débarrassés, les écrans éteints, qu'allait donc faire Pete Mercer de son temps ?

Le *WSJ* annonçait que l'arrêt de PM Capital laissait à son propriétaire près de cinq milliards de dollars. C'était déjà un élément de réponse. Mercer pouvait faire ce qu'il voulait. Il possédait une fortune ! Peut-être allait-il juste continuer à travailler de chez lui, entouré de ses ordinateurs et d'un mur d'écrans, incapable qu'il était de tirer un trait sur son ancienne vie, passer simplement du demi-isolement à la réclusion parfaite ? Ou alors suivre l'exemple des nouveaux riches du moment, ces milliardaires dans les nouvelles technologies, et financer de grandes causes, des candidats politiques, ou assouvir ses passions : faire du bateau, acheter une équipe de football, éradiquer la malaria ? Ou bien prévoyait-il un retour à l'essentiel ? Prendre un sac à dos, une paire de chaussures de randonnée, et marcher, comme ces globe-trotteurs avant lui qui avaient traversé l'Inde, le Népal, le Tibet, s'asseoir au pied des bouddhas, sous des arbres cernés de monts enneigés ? Malgré la barrière du langage, Pete Mercer, baigné par les lumières du levant, finirait par trouver cette paix intérieure qui lui manquait tant. Son ancien moi, l'un des financiers les plus riches de la planète, lui semblerait appartenir à une autre vie, une vie inférieure tout en bas de l'échelle karmique. Ou peut-être allait-il se marier ? Fonder une famille ? Recentrer sa vie sur des affaires toutes simples qui occupent la vie du commun des parents : les couches, les anniversaires, les après-midi jeux. En participant à ces petits bonheurs du quotidien, il pourrait trouver sa place, une place qui lui apporterait, à sa grande surprise, une joie sans fin. Ou bien, peut-être partirait-il pour Israël, pour vivre à Séïr comme il l'avait dit ? Peut-être y était-il déjà ? Il rendrait cet endroit confortable, paradisiaque. Après tout, avec cinq milliards de dollars, rien n'était impossible. Il pouvait changer le monde !

Mais je ne pouvais deviner ce qu'il allait décider, parce qu'en fait je ne le connaissais pas. J'avais déjeuné avec lui deux fois et passé une soirée dans un bar en sa compagnie. À chacune de nos rencontres, il s'était ouvert un peu plus. Son désespoir, à fleur de peau, me décontenançait. Il pouvait commander et exiger, convoiter et acquérir, avancer et conquérir, emprunter et s'emparer, plier le monde à sa volonté, se comporter avec l'autisme implacable que confère la richesse. Mais pour déjeuner, il choisissait du gras et du pas cher. En rêvant d'un trou à rats sentant la pisse de chèvre, il donnait un Picasso. Et, comme tout le monde, il pouvait se soûler au comptoir avec des gens comme moi. Il croyait qu'on avait, lui et moi, quelque chose à partager. Et peut-être que c'était le cas. Tout l'argent du pays ne pouvait rendre cet homme heureux. À chacun ses chimères. Pour moi, *Rubber Soul*, pour lui, le billet vert ! Mais si nous étions semblables à ce point, ce qu'il choisit finalement de faire, après avoir entendu le récit de Mirav et démantelé son empire, me donna une grande claque. Il n'avait opté ni pour l'excentricité ni pour la famille. Il avait acheté un pistolet, s'était enfoncé dans les bois, et s'était tiré une balle dans la tête. Ce n'était peut-être pas productif, ni charitable, ni imaginatif, ni drôle, mais l'acte révélait l'étendue de son désespoir. Des enfants l'avaient retrouvé, après avoir entendu le coup de feu.

J'appris la nouvelle sur mon ego-Machine entre deux patients. Je me suis dirigé vers le bureau de la réception puis m'assis à côté de Connie. Elle triait des stylos dans un mug ; elle remettait le bon bouchon sur le bon stylo, jetait patiemment ceux qui n'en avaient plus, ou qui avaient séché, ou qui n'écrivaient plus parce que leurs billes étaient encrassées. Il fallait voir ses doigts virevolter au-dessus de la tasse. Il y avait là de la minutie et de la rigueur. De l'extérieur, Connie donnait toujours l'impression d'être quelqu'un de sain d'esprit, d'équilibré, mais à l'intérieur, sous son apparence irrésistible de fausse blonde, des petits maux étaient à l'œuvre, jour et nuit. Elle allait me demander ce que je faisais là, si je venais encore la harceler, pourquoi j'envahissais son petit espace. Qu'est-ce que je lui voulais, à la fin ? J'avais mon ego-Machine à la main, j'étais incapable d'articuler un mot. Pete Mercer était mort ! Deux semaines plus tôt, on était lui et moi accoudés au même bar. Il était assis à mon côté, comme aujourd'hui je l'étais avec Connie. Il me disait que sa vie était un enfer avant d'avoir rencontré Grant Arthur, avant qu'il ne lui révèle les raisons de son mal-être. Il avait dû cogiter, se poser des questions, après que Wendy Chu lui avait fait rencontrer Mirav Mendelsohn. Mais pourquoi ? Grant Arthur lui avait parlé de Mirav. « C'est la première chose qu'il raconte », m'avait-il dit au bar. Grant Arthur n'avait pas cherché à dissimuler cette histoire. Un amour comme ça, aussi passionné, aussi fou, était le symptôme de son exil spirituel. Au fond, c'était assez similaire à ce qu'avait connu Mercer avec sa fille adepte du zoroastrisme. Je voulais parler de tout ça avec Connie quand je me suis assis à côté d'elle, mais je n'avais toujours pas articulé un mot. De son côté, elle ne m'avait pas même accordé un regard, abîmée qu'elle était dans son tri de stylos. Je la regardais, mais sans la voir vraiment. Mercer voulait que Mirav me raconte son histoire avec Grant Arthur, et depuis je n'avais plus eu aucune nouvelle de lui. Pensait-il m'ouvrir les yeux ? Pensait-il que j'avais tant soif de vérité ?

Et qu'étais-je censé faire de cette vérité ? Le suivre dans les bois et faire comme lui ?

Maintenant, j'attendais au moins un « quoi ? » de la part de Connie, voire d'un deuxième, assorti d'un regard exaspéré. Puis, vu ma tête, d'un plus compassionné « qu'est-ce qu'il y a ? ». Mais elle ne se tourna même pas vers moi, aucun mot ne sortit de sa bouche. Le travail est censé vous promettre, telles les lumières d'une ville, qu'on ne sera jamais seul, mais aujourd'hui, quand je repense au jour où j'ai appris le suicide de Mercer et que je suis allé m'asseoir à côté de Connie, je comprends que c'est ce même vide qui m'a empli, celui que j'avais entrevu la nuit où je m'étais réveillé devant la Promenade déserte, quand quelque chose s'était cassé, sans crier gare, sans signe avant-coureur, et que je m'étais retrouvé seul avec mon téléphone à la main. C'était sans doute le même isolement, le même sentiment d'abandon qu'avait dû ressentir Mercer à genoux sur le sol dur et froid, avec le canon du pistolet dans sa bouche, cet idiot, à se demander peut-être à qui il manquerait ! À personne finalement – peut-être avait-ce été sa dernière pensée avant d'appuyer sur la détente. Avait-ce été aussi celle de mon père dans son bain quand il avait expiré son dernier souffle ? Aurais-je pu aider Mercer ? Aurais-je dû m'occuper de lui plutôt que lui dire au revoir devant le bar ? Lui prendre le bras, refuser de partir, et lui murmurer, fort notre union éthylique : « Doutez ! Peu importe ce qu'on dit. Arthur a été frappé par une sorte de vérité métaphysique. Peu importe comment. Foncez ! Qu'est-ce qui vous retient ? Quel autre choix avez-vous ? En tout cas, pas le suicide ! »

Quoi que je fasse (même si je ne faisais pas grand-chose sur mon siège, d'accord), je n'attirerai jamais l'attention de Connie. Une quasi-certitude. Peut-être n'en étais-je pas digne aujourd'hui. J'étais venu m'asseoir à côté d'elle pour soulager ma conscience, mais aussi parce que je voulais être auprès d'elle. Parce que c'était agréable, rassurant. Elle était la seule à me faire cet effet. Bien sûr, il y avait Betsy Convoy, mais connaissant ma bigote en chef, elle allait faire un blocage sur les conditions du trépas. Le *modus operandi* serait à ses yeux un péché capital et son auteur méritait la damnation éternelle. Et je ne voulais pas infliger à sa mémoire un tel jugement. Mais j'avais choisi Connie aussi parce qu'elle était un manifeste contre la mort, contre la mort du corps et de l'âme. Son charisme, ses cheveux bouclés, sa petite veine qui battait sous sa tempe gauche, pleine de vie et de chaleur, tout chez Connie me rappelait avec une force élémentaire en quoi le geste de Mercer était stupide. Aller ainsi dans les bois pour se tirer une balle dans la tête ! Sa présence à côté de moi me réconfortait, le bruissement de ses bras sous la blouse, l'aura de ses cheveux, les volutes de son parfum, le rayonnement de son sourire, le cocon de ses paroles, la vivacité de son esprit. Je voulais lui parler du suicide de Mercer et en adoucir le choc par le simple fait de la regarder, elle, si vivante. Mais je ne m'attendais pas à me retrouver, une fois assis à côté d'elle, incapable d'articuler un mot. Et comment aurais-je pu imaginer qu'elle ne m'accorderait pas un regard, que son esprit serait tout entier occupé à mettre de l'ordre dans une collection de stylos d'abord dans un premier pot, puis dans un second ? Elle était si loin. Aucun aspect particulier de sa beauté ne parvenait à alléger le poids qui m'oppressait depuis que j'avais appris la mort de Mercer. Sa beauté était inutile, elle n'était pas de taille cette fois. Et plus déprimant encore, elle avait perdu sa magie, comme si elle m'avait échappé, s'était transcendée et m'était devenue inaccessible. Comment Mercer avait-il pu s'enfoncer dans les bois et en finir ainsi avec la vie ? Alors qu'il y avait encore tant à faire ? Tant de choses. De quoi s'occuper, se divertir, de quoi oublier, de quoi se révolter. Il ne voulait rien de tout ça. Il voulait « être ». Être bouddhiste, chrétien, être un Ulm, tout ce qui pouvait le rapprocher de ses frères d'âmes, des égarés comme lui, des survivants. Et, découvrant qu'il ne pouvait qu'être Pete Mercer, seul avec son argent et son talent pour en amasser, il était entré dans les bois avec un pistolet chargé. Pourquoi ne pas l'avoir fait avant ? Pourquoi maintenant, après l'arrivée en scène de Mirav Mendelsohn, et non pas après son échec avec les zoroastriens, ou après son échec à Kyoto ou ses tentatives vaines de « réorientation » ? C'étaient ces échecs, toutes ces déceptions mises bout à bout qui l'avaient poussé à ça. L'argent, les possibilités, le temps... tout ça n'était rien sans la volonté. La volonté était tout, et il l'avait perdue.

Connie n'avait toujours rien dit, et moi non plus, et pourtant nous étions assis côte à côte, comme Mercer et moi l'autre soir au bar. Une amitié naissait, entre lui et moi, et aujourd'hui elle était réduite au silence, un silence aussi insondable que celui entre Connie et moi. J'étais là pour me libérer de ce poids sur mes épaules, pour ressentir à nouveau, au contact de cette femme, toute l'absurdité du suicide ; mais j'étais là aussi pour une autre raison, plus primitive, plus instinctuelle encore que mon besoin de la regarder. Cette raison échappait à mon entendement à l'époque, comme tant d'autres choses, mais, avec le recul, je commence à l'entrevoir : je voulais que quelqu'un soit près de moi, dans ma sphère, sitôt que j'avais appris la mort de Mercer ; il s'agissait de me sentir encore vivant grâce à la présence d'une autre personne, de partager mon air et mon espace. J'avais besoin de savoir que je pouvais tendre le bras et toucher cette personne si je le voulais, que je pouvais la déranger, l'agacer, la flatter, lui donner mon pardon, implorer le sien. Qu'elle soit furieuse contre moi, qu'elle m'insulte, tout ce qu'elle voulait, pourvu que cela me rappelle que j'étais vivant, vivant et pas seul au monde ! Mais durant tout ce temps, sans doute quatre ou cinq minutes entières, nous n'avons pas échangé un seul mot.

Finalement, Connie reposa le deuxième mug, se détourna sur sa chaise et éternua dans sa manche. Elle attendit, se préparant à éternuer de nouveau – ses éternuements allaient toujours par paire. Après le second, elle chercha en vain un mouchoir en papier. Alors elle se leva et se rendit aux toilettes. Je regardai la porte se refermer derrière elle. Une minute plus tard, je partis m'occuper d'une patiente. Connie avait-elle seulement remarqué ma présence tout ce temps que nous étions l'un à côté de l'autre, à portée de bras ? Qu'y avait-il eu entre nous – contre nous –, durant ces quelques minutes de proximité ? Comment deux personnes pouvaient-elles être si loin l'une de l'autre ? Après le suicide de Mercer, une évidence s'imposait : ce qui séparait un être d'un autre était aussi impénétrable que la frontière séparant les morts des vivants.

* * *

Mais, dans la salle d'examen, il se produisit un petit miracle qui dissipa d'un coup mes sombres pensées. Ce fut si violent que je faillis courir à toutes jambes retrouver Connie à la réception, pour crier son nom, pour nous ramener tous les deux à la vie.

À mon arrivée, ma patiente m'avait annoncé qu'elle était enceinte. Elle entamait tout juste son troisième mois et cela se voyait encore à peine ; mais c'était déjà évident rien qu'à la rondeur des joues, et au rose de la peau. Un sang nouveau, riche et vivace, battait dans ses carotides. Tout son visage brillait comme une pomme.

Malgré moi, j'ai toujours été attiré par les femmes enceintes, sauf les faméliques. Quand je voyais ces zombies dans le métro, avec leur ventre énorme, leur corps décharné et leurs cheveux raides et malades, je voulais leur acheter un radiateur et passer un savon à leurs parents ! Un jour, j'avais croisé une fille comme ça sur la ligne G, un squelette ambulant, enceinte jusqu'aux yeux ; j'étais allé lui demander si elle voulait que je lui offre un repas au Junior's. Elle m'avait regardé avec des yeux ronds. Comment osais-je la draguer dans le métro alors qu'elle était enceinte et portait une alliance ? Évidemment, je n'avais pas vu l'anneau, pourtant énorme. J'avais tenté de me justifier. Il n'était pas question de drague. Je voulus alors lui donner cinquante dollars pour qu'elle puisse manger à sa faim. Mais cela n'avait fait qu'aggraver la situation. Je découvris plus tard qu'il s'agissait d'un mannequin très connu et qu'il y avait des photos d'elle partout sur les panneaux publicitaires.

Pour quand était prévu l'accouchement ? En avril, répondit ma patiente. Je lui demandai d'ouvrir la bouche, tapotai sur une dent qui me semblait abîmée.

— Ça vous fait mal ?

— Non.

— Vous avez un début de carie. Mais ça peut attendre avril, que le bébé soit né. Si vous ne souffrez pas, c'est sans problème.

Et c'est toi qui dis ça ? Je n'en revenais pas. Moi, sortir de telles inepties ? – s'il n'y a pas de douleur, il n'y a pas de quoi s'inquiéter. Vous avez tout le temps. On s'occupera de ça plus tard. Profitez de la vie. Tant de jolies choses vous attendent. Tout va bien. Vous respirez la santé, et il y a un petit être en route. À quoi bon s'arrêter sur ces petites misères du quotidien ?

Voilà comment raisonnaient les autres ! D'un coup, j'avais les mêmes pensées qu'eux. J'étais à mon tour du bon côté de la barrière. Je n'étais plus un *alien*, mais là, ici et maintenant, avec eux. Comme eux. Je repris mon crochet, officiellement pour explorer à nouveau la bouche de ma patiente, mais en fait c'était pour ne pas me déconnecter de l'instant, pour faire durer le plaisir, m'immerger plus encore dans cette fusion fugace. Appartenir à cette communauté, être comme ces gens normaux qui promenaient leur chien, mettaient à jour leur statut Facebook, repoussaient leur rendez-vous chez le dentiste, préférant jouer avec le feu quitte à le payer très cher ensuite. Certains d'entre eux, comme mon directeur commercial, ne me laissaient même pas les soigner alors que leurs maux étaient pourtant bien réels, et urgents. Puisque celui-ci n'avait pas l'impression d'avoir une carie, à quoi bon s'en occuper ? Puisque l'une était enceinte, les soins attendraient jusqu'en avril. Puisque l'autre n'aimait pas se passer le fil dentaire, elle avait le droit de se dire : je m'en fiche, je le ferai un autre jour. Pas envie d'entendre que vous négligez votre santé ? Annulez donc votre rendez-vous chez le dentiste ! Et allez boire un verre. Ou allez au cinéma. Ou adoptez un chien. Ou faites un bébé et regardez-le dormir dans son berceau. Voilà donc comment ils raisonnaient tous ! Voilà pourquoi cela leur venait tout seul. C'est si simple. Si naturel.

— Si vous voulez bien m'excuser un instant..., dis-je à ma patiente.

Je me levai donc avec l'intention d'aller trouver Connie, mais elle était là, sur le seuil de la porte, à me regarder.

— Tu as besoin de moi ? demandai-je en la rejoignant dans le couloir.

— Non.

— Qu'est-ce que tu faisais ?

— Rien.

— Tu n'étais sur le pas de la porte pour rien.

— J'avais une chose à te dire. Mais on verra ça plus tard.

— Quelle chose ?

— Plus tard.

— Non, maintenant.

— Tu es avec une patiente. Ça peut attendre.

— J'ai terminé avec elle. Jamais, je n'ai eu quelqu'un en aussi bonne santé dans ce cabinet. Je sortais justement pour te dire ça. Je sais que tu détestes quand je te force à venir voir un patient, mais cette fois ce n'est ni parce qu'il est vieux, ou malade, ou mort. Regarde-la. As-tu déjà vu une personne aussi épanouie, aussi heureuse ?

Elle jeta un coup d'œil dans la salle d'examen.

— Je ne te suis pas.

— Tu ne vois rien ?

— Je vois une femme dans le fauteuil, répondit-elle.

— Elle est enceinte. Ça saute aux yeux ! Bon, ce n'est peut-être pas aussi visible, mais, crois-moi, elle est enceinte. Ce qui est important, c'est sa façon de mener sa vie. Elle a un début de carie, mais elle va attendre que le bébé soit né pour la faire soigner.

— C'est la procédure habituelle, non ?

— Si la patiente ne souffre pas, oui, c'est la procédure pour les femmes enceintes. Mais pas pour nous autres.

— Je ne te suis toujours pas.

— Pourquoi cela ne devrait-il pas être pareil pour nous ? Pourquoi ne pas nous laisser vivre ? Pourquoi ne pas juste promener le chien, envoyer des tweets, manger des scones, jouer avec le hamster, et faire du vélo, et admirer les soleils couchants, et télécharger des films et ne jamais s'inquiéter de rien ? Je n'imaginais pas que cela pouvait être si facile. Je ne le savais pas jusqu'à maintenant. Cela me paraît bien. Vraiment. Je pense en être capable. C'est à la portée de tout le monde, non ? Il faudrait être fou pour ne pas le faire, or je ne suis pas fou.

Elle me regardait fixement.

— Non, je ne suis pas fou, insistai-je. Je t'en prie. Dis oui. Revoyons-nous. En amoureux, je veux dire. Donne-moi une seconde chance. D'accord, ce n'est pas une « seconde » chance… ça fait combien ? Six ? Donne-moi une sixième chance alors, s'il te plaît ! J'ai changé. Je t'assure. Pas la peine de recommencer à zéro, d'ailleurs. Veux-tu m'épouser ? Là. Tout de suite. Je le veux. Je le veux vraiment. C'est quoi ce regard, Connie ? Pourquoi tu me regardes comme ça ? Je veux vraiment t'épouser. Je veux avoir des enfants. Je sais que j'ai dit « jamais », mais c'était avant. J'ai compris aujourd'hui. Je veux te voir comme cette femme, aussi épanouie, aussi heureuse.

— Je démissionne, Paul, dit-elle.

— Tu quoi ?

— Je démissionne.

Soudain, tout devint très silencieux.

— Tu t'en vas ? Pourquoi ?

— Tu sais très bien pourquoi.

— Mais tu es la secrétaire de direction de ce cabinet. Et je t'aime.

Elle ne répondit rien.

— C'est de la folie, repris-je. Après tout ce que je viens de te dire ? Tu ne veux pas me donner une autre chance ?

Elle esquissa un sourire, un sourire si fugace, si éphémère. C'est la vitesse avec laquelle ce sourire s'est effacé qui m'a fait le plus mal. Et j'ai détesté son geste de tendresse quand elle m'a touché le bras, la douceur de sa main.

— Terminons les affaires courantes, dit-elle. Et puis je chercherai une remplaçante.

* * *

Le reste de la journée, je me traînai comme une âme en peine. Connie publia une petite annonce en ligne dans l'heure qui suivit. Et à la fin de la semaine, on avait déjà cinq ou six candidates dans les starting-blocks. Il n'y avait aucun moyen de la faire revenir sur sa décision. Elle partait pour Philadelphie avec Ben. Il avait décroché un poste pour enseigner la poésie.

— Tu n'as pas peur de commettre une erreur ?

— Non, dit-elle. Tu veux bien regarder ces CV, s'il te plaît ?

— C'est vraiment ce que tu veux ? Vivre avec un poète ?

— Oui.

— Avec une plaque électrique ? Et des poux ?

— Une plaque électrique ? Mais de quoi parles-tu ?

— Il pourra payer le loyer ?

— Tu vas les regarder ces curriculums, oui ou non ?

Le soir, je rentrai chez moi et regardai les matches. J'avais raté tout le mois d'août et la moitié de septembre. Il me fallait rattraper mon retard et suivre les nouvelles parties. C'était une opération de grande envergure. Je bus, commandai à manger, et regardai toutes les rencontres à la file jusqu'au petit matin.

— Je ne peux pas te donner plus de temps, me déclara Connie à la fin septembre. J'ai démissionné, Paul. Je m'en vais. Tu te décides à examiner ces CV, ou dois-je le faire moi-même ?

— Je vais le faire.

Mais je n'en fis rien, évidemment.

* * *

On avait bien joué cet été et maintenu notre avance sur les Yankees tout juillet et la majeure partie d'août. Il y avait eu des gestes héroïques de Pedroia et de Ellsbury et, malgré quelques blessures, nos stats au lancer étaient honorables. Tout portait à croire qu'en septembre nous décrocherions notre place pour la série mondiale – pas pour la première fois, ni la seconde, mais pour la troisième fois en sept ans ! Mais un atavisme mystérieux, comme une vieille malédiction, sembla vouloir reprendre les rênes.

Le 1er septembre, on devançait les Yankees d'un demi-match. Mais le 2 septembre, on perdit cette avance, et on ne la regagna jamais. Tout n'était pas perdu pour autant. On pouvait passer par la bande, et c'était aussi bien. Et le 3 septembre on s'installait à la deuxième place de la division Est de la Ligue américaine, avec neuf matches d'avance sur les Rays de Tampa Bay. Il nous suffisait de rester devant ces nullos pour être assurés de jouer les séries éliminatoires. C'était quasiment gagné d'avance. Se faire doubler au poteau par les Rays, alors qu'il ne restait plus que trois semaines du championnat de division, tenait de l'impossible. À moins de faire une fin de saison catastrophique, une bérézina historique, telle qu'on n'en avait jamais vu en cent ans de baseball professionnel !

Une compétition de baseball est une longue éclosion, un processus de création d'une lenteur presque ennuyeuse, qui peut mener au sublime, comme un opéra qui, par accumulation de micro-événements, se développe et se conclut en un climax poignant. Le championnat ne semble pas avoir de fin, et soudain on se retrouve émerveillé par le chemin accompli, et par les surprises que promet encore la fin du voyage. C'est la métamorphose miraculeuse de l'ennui en tension indescriptible !

À la fin septembre, on avait tellement mal joué qu'on avait perdu notre avance sur ces peigne-culs de Rays ! Le dernier jour du championnat de division, les Red Sox et les Rays se battaient pour la deuxième place. Aujourd'hui encore, je ne comprends toujours pas notre contre-performance de cette fin de saison cette année-là. J'étais abattu, dégoûté à chaque nouvelle défaite. Mais ce n'était pas mon seul sentiment. J'étais heureux que les Sox redeviennent les Sox : une équipe maudite, toujours au bord de l'implosion. Je ne voulais pas que mon équipe perde ; mais je ne voulais pas qu'elle soit *de facto* la gagnante. Nous avions déjà eu une équipe fanfaronne, sûre de sa victoire, qui débauchait des joueurs d'autres équipes en leur offrant des ponts d'or. Notre devoir, en tant que supporters des

Red Sox de Boston, était de veiller à leur moralité. Et quand je parle de « moralité », je pèse mes mots. C'était une question de dignité humaine : en aucun cas, nous ne devions ressembler aux Yankees de New York. Je regrettais ces jours de doute, d'affliction, l'époque où la loyauté était mise à l'épreuve – car c'était là le sacerdoce du fan, sa raison d'être *in fine*. Je voulais être un bon supporter des Red Sox, le meilleur possible, et le seul moyen d'y parvenir était de célébrer notre effondrement historique, d'endurer, avec recueillement et contrition, notre septembre 2011.

À cette époque, je rendais toujours visite à mon nouveau patient. Tout le monde peut sauter un jour de curetage au fil dentaire, non sans risque certes, mais sans craindre pour autant de perdre dans la semaine toutes ses dents ! Mais ce n'était pas le cas d'Eddie. Je n'en revenais pas de le voir encore en vie alors qu'il était si tordu, si maigre et usé, avec cette peau tachetée et son squelette tout tremblant. Il m'accueillait avec sa gentillesse habituelle. Je crois qu'il m'appréciait autant que son ancien dentiste, le Dr Rappaport. On allait dans la cuisine. Il s'asseyait sur son tabouret et je me plaçais derrière lui. J'enfilais une paire de gants en latex, tirais une longueur de fil dentaire, l'enroulais à mes doigts et lui curais la bouche. Après, il se relevait et on buvait un martini. C'était pour moi comme une halte dans un bar, mais au lieu de payer le barman, je retirais les bactéries entre les dents d'Eddie.

Aujourd'hui, après six semaines de curetage au fil dentaire, il ne saignait plus. Son os avait cessé de se rétracter. Et ses gencives étaient redevenues solides.

Je ne sais pas pourquoi je me suis mis à lui rendre visite le soir, à lui offrir des soins à domicile gratuitement. Le dernier match de la saison commençait dans vingt minutes. Si je ratais le premier lancer, je serais obligé d'attendre la fin de la rencontre, de rembobiner la cassette et de tout regarder depuis le début, mais ce match-là était bien trop important pour souffrir le différé. Il méritait d'être vu en direct. J'avais quitté le cabinet assez tard, et les métros n'avançaient pas ce soir, si bien que j'étais encore chez Eddie, dans le Lower East Side, à 18 h 50.

Il me tendit mon martini.

— À la vôtre, lança-t-il.

On trinqua. Je le vis lutter contre le tremblement de sa main pour porter le verre à sa bouche.

— Je suis un peu pressé, Eddie. Je suis fan de baseball, fan d'une équipe en particulier. (Je touchai la visière de ma casquette des Red Sox.) Je les ai toujours suivis. Je ne sais pas si vous regardez le baseball, mais si vous le faites, alors vous savez que les Red Sox de Boston détiennent un record historique cette année : aucune équipe, depuis la naissance de ce sport, n'a jamais fait une fin de saison aussi calamiteuse. Cela restera dans les annales. Ils étaient en première place, devant les Yankees, et puis ils les ont laissés reprendre la tête, au pire moment qui soit. C'est quasiment une habitude chez les Sox ; ça aussi vous devez le savoir si vous regardez le championnat. Tout n'est pas perdu pour autant. Et pour tout dire, ça ne me gêne pas tant que ça, parce qu'il n'y a rien de mieux que de battre les Yankees quand on revient du fond du trou. Et on avait neuf matches d'avance sur les Rays de Tampa Bay, qui sont, comme vous le savez sans doute, une vraie équipe de merde ! On a dû perdre, rien que ce dernier mois, autant de matches que… En fait, seuls les Cubs de Chicago en 1969 ont été presque aussi lamentables ! Ils étaient les premiers quasiment depuis le début de la saison, parfois avec neuf matches d'avance. Personne ne pouvait imaginer qu'ils allaient perdre les dix-sept rencontres suivantes en septembre 1969. Dix-sept défaites d'affilée, Eddie ! Et ils ont fini deuxième. Comme vous le savez si vous suivez le baseball, personne d'autre n'a jamais joué aussi mal. Et voilà, cette année on a été aussi nuls que les Cubs en

1969. Pire même ! Parce qu'aujourd'hui, durant ce seul mois de septembre, on a perdu dix-neuf matches. Dix-neuf, Eddie ! Et pendant ce temps-là, ces nuls de Rays sont sortis de leur fosse à merde pour nous accrocher. Parce que, oui, maintenant on se retrouve à égalité avec ces trous du cul ! Et ce soir, alors que nous jouons notre dernier match à Baltimore contre les Orioles, les derniers du championnat, les Rays, eux, jouent leur dernier match contre les premiers, à savoir les Yankees. Si on gagne et que les Rays perdent, on est qualifiés pour les séries éliminatoires. Si on perd et que les Rays gagnent, les Rays sont qualifiés. On risque de jouer notre dernier match de la saison ce soir. Et parce que je suis passé vous voir, et que les métros se traînent, je ne serai pas rentré à temps pour voir le début du match, ce que je dois absolument faire pour une question de superstition.

Eddie me regardait fixement, malgré sa tremblote, les yeux grands ouverts comme un bébé.

— J'aimerais donc vous demander une faveur, repris-je. Vous avez le câble ? Et si oui, quel bouquet avez-vous ? Et si vous avez le bon bouquet, est-ce que je peux regarder les deux matches ici – celui des Red Sox et celui des Yankees, en ayant la garantie absolue que quoi qu'il se passe, qu'il y ait le feu, ou que je me comporte bizarrement, voire de façon carrément inquiétante, vous ne me jetterez pas dehors, que vous me laisserez voir les deux parties jusqu'au bout, même s'il y a des manches supplémentaires, même si cela nous emmène jusqu'à trois ou quatre heures du matin ?

— J'ai le bouquet premium, répondit Eddie de sa voix chevrotante. Et je serai ravi de passer la soirée en votre compagnie.

— Quoi qu'il se passe ?

— Quoi qu'il se passe.

— Parfait, répondis-je. Cela nous laisse vingt minutes pour trouver du poulet et du riz.

Il prépara deux nouveaux martinis pendant que je filai acheter à manger. On avala tout ça rapidement. Juste avant le début du match, Eddie s'installa dans son fauteuil de relaxation, et moi par terre, pour être au plus près de la télévision. Au milieu de la deuxième manche, il prit un bonbon, le mit dans sa bouche puis sombra dans les bras de Morphée. C'était déprimant, après toutes ces semaines de curetage, de voir ses dents baigner ainsi dans une mare de sucre. À la pause publicitaire, j'enfilai une paire de gants, récupérai le bonbon, et allai le jeter à la poubelle, sans que Eddie ne batte un cil.

Je me rassis, me familiarisant peu à peu avec ses télécommandes exotiques. Je jonglai entre les Red Sox versus les Orioles et les Yankees versus les Rays. Je soutenais les Yankees. Un comble ! Mais je n'avais pas le choix. Les Yankees devaient battre les Rays et les Red Sox devaient battre les Orioles, si on voulait avoir une chance de poursuivre le championnat. Et même si les victoires des Sox me mettaient mal à l'aise, je voulais qu'ils gagnent ce soir. Une victoire des Red Sox, c'était une victoire pour mon père. Quoiqu'il ne faille attendre aucun miracle. Même remporter la série mondiale en 2004 n'avait pas fait revenir mon père ! Cela m'avait ouvert les yeux. Nous avions réalisé l'impossible, la malédiction était brisée, on était à nouveau champions après quatre-vingt-six ans… mais rien n'avait changé. Mon père n'était plus de ce monde, il était toujours mort. Qu'est-ce que j'espérais au juste ? Pourquoi supportais-je les Sox depuis tant d'années ?

Boston marqua un point dans la troisième. Je poussai un cri et Eddie se réveilla en sursaut. Il me regarda, hagard. Il devait se demander qui j'étais et ce que je faisais dans son salon. Quelques minutes plus tard, les Orioles remontèrent à 2-1. Je commençai à me balancer d'avant en arrière, toujours assis par terre. Puis ce fut au tour des Red Sox de passer au marbre. Scutaro marqua dans la quatrième, et Pedroia frappa un *home run* côté gauche qui nous offrit un 3-2. Pendant ce temps, les Rays se faisaient laminer par les Yankees. Pour l'instant, tout allait bien.

Si mon père était encore en vie, il aurait inscrit les scores de chaque manche dans ses fiches. Il avait commencé à noter les points quand il était enfant, en écoutant à la radio les commentaires de Jim Britt sur un poste Zenith Consoltone. Je sortais ses notes parfois pendant un match, et je passais mes doigts sur les chiffres et les croix qu'il avait tracés au crayon avec sa petite main, bien avant que la maladie apparaisse. C'était une partie de l'histoire du baseball racontée par les hiéroglyphes d'un mort.

À la fin de la cinquième, je m'approchai d'Eddie. Il parlait dans son sommeil. Je me penchai sur lui. « Sonya…, marmonnait-il. Sonya… »

— Eddie… Hé, Eddie !

Il ouvrit les yeux et me chercha du regard.

— On est bientôt à la sixième manche, lui annonçai-je. Je vais devoir aller dans une autre pièce, parce que je ne regarde jamais la sixième manche. Il faut que vous suiviez le match pour moi et que vous me racontiez. Vous voulez bien faire ça pour moi ?

— Qui êtes-vous ?

— Le docteur O'Rourke. Votre nouveau dentiste. Vous pouvez regarder la sixième manche pour moi, Eddie, et me dire ce qui se passe ?

Quelques minutes plus tard, je me trouvais dans la chambre à coucher, juste derrière la porte.

— Vous êtes toujours là, Eddie ?

— Hein ?

— Gardez bien les yeux ouverts ! J'ai besoin que vous suiviez la sixième, du début jusqu'à la fin.

Dans la septième, le match fut interrompu par la pluie. J'étais revenu devant la télé, et j'écoutais Eddie appeler Sonya dans son sommeil. Quand je repassai sur les Yankees, ce fut un choc. Alaya avait remplacé Logan sur le monticule, et les Rays avaient la baraka. En un rien de temps, ils étaient remontés au score. Et un *home run* d'Evan Longoria leur assura la victoire. Nous devions à présent gagner coûte que coûte. Sinon, c'était fini pour nous.

Je revins sur le match des Sox. Nous étions au lancer, avec Papelbon. Il retira Jones. Puis Reynolds. Davis se présenta à son tour sur le marbre. Ramassé sur le monticule, le regard féroce sous la visière de sa casquette, Papelbon reçut les instructions de son receveur. C'était la fin de la neuvième manche. On était à un point de la victoire. Davis agitait sa batte, fendant l'air en attendant le lancer. Tout le stade retenait son souffle.

Si Papelbon ne parvenait pas à retirer Davis, les Red Sox auraient accompli la plus belle dégringolade dans l'histoire du baseball. L'ordre serait d'une certaine manière rétabli, le retour de bâton après une décennie de victoires miraculeuses. Mais perdre, ce n'était jamais agréable. Je serais quand même triste. Mais si on gagnait, je me sentirais encore plus mal. Je ne pourrais savourer la victoire à cause de l'effondrement moral qui allait s'ensuivre, et parce qu'une fois encore la victoire ne me ramènerait pas mon père. Donc, si on perdait, je perdais, et si on gagnait, je perdais aussi. Toute mon existence, j'avais suivi scrupuleusement les règles : porter la casquette, manger du poulet et du riz, ne pas regarder la sixième manche, enregistrer tous les matches… tout ça pour quoi ? Pour avoir le droit de souffrir dans un cas comme dans l'autre ? Ce n'était pas une vie. Il devait y avoir de l'espoir en chemin, même si la quête était désespérée. Faire des sacrifices méritait récompense, et non être une malédiction. J'avais tout perdu : le paradis des Santacroce, l'acceptation des Plotz.

Mes parents étaient morts. Connie m'avait quitté. Mes patients refusaient d'utiliser du fil dentaire, certains même que je soigne leurs caries ! Et moi, j'avais… ma volonté. Juste ma volonté. Celle de ne pas suivre Mercer, ni mon père, au fond du trou. Ma volonté d'être plus qu'un renard semblable à cent mille renards.

C'était le moment fatidique : Papelbon levait le bras, bandait ses muscles. J'éteignis la télé et quittai l'appartement de Eddie.

Épilogue

J'ai vécu à Séïr, dans un village à la pointe méridionale d'Israël, pendant vingt et un jours l'année suivante, en essayant de m'ouvrir à tout ce à quoi je m'étais fermé durant mon existence. J'ai lu les Cantavétiques en entier, entendu le récit de l'exode de ma famille fuyant la Pologne, assumé mes roulements en cuisine pour préparer à manger pour les autres rapatriés. J'ai dormi sur un lit de camp. J'ai visité la mer Morte. J'ai gratté l'intérieur de mes joues pour déterminer la probabilité de mon ascendance Ulm.

À l'aube et au crépuscule, je regardais les bédouins sur leurs dromadaires passer à l'horizon, en route vers le désert. Cachés sous des couches de vêtements sombres, ils avançaient, inexorablement, dans le silence. C'étaient les peuples les plus solitaires de la terre.

Moi, je n'étais plus seul. Plus jamais je ne serai seul. Il y avait les cours la journée dans des maisons blanchies à la chaux, le soir les débats autour du dîner. Les autres n'étaient ni des fous, ni des dévots illuminés, pas même pieux ou excentriques. Des gens plutôt proprets, polis, et plus jeunes que je ne m'y attendais. Tous unis et très motivés. Ils voulaient réhabiliter leur histoire, retrouver la complexité du doute, et ne pas oublier que l'extinction définitive était à leur porte. Beaucoup pouvaient en parler toute la nuit. À la fin de la troisième semaine, j'ai commencé à m'ennuyer ferme ; je n'en pouvais plus, comme lorsqu'on visitait les églises en Europe avec Connie. Les expressos et l'air conditionné me manquaient. Je voulais rentrer chez moi.

Cela n'explique pas pourquoi j'y suis retourné l'année suivante, et l'année suivante encore.

Sans doute avais-je besoin de me mettre en danger. J'en avais assez des faits, des faits nus, de la science implacable. Je disais : regardez où j'en suis, à chercher la vérité parmi les sceptiques, à faire des choses stupides, des trucs illogiques et déraisonnables. Regardez où j'en suis, à prendre le risque d'avoir tort !

Le tourisme est crucial en Israël. On peut louer un guide pour faire un tour à Ein Gedi, la célèbre oasis, ou à Qumrân où l'on a retrouvé les manuscrits de la mer Morte, ou à la forteresse de Massada où les Juifs rebelles, jusqu'aux derniers, ont résisté aux légions romaines. On pouvait aussi partir avec Grant Arthur dans sa petite Mazda pour se rendre sur des sites historiques inconnus, et l'écouter (avec scepticisme ou non) raconter les hauts faits historiques qui se seraient produits ici, en lieu et place de cette bretelle d'autoroute, ou sur telle ou telle colline dans le désert. Des batailles épiques avaient eu lieu juste de l'autre côté de cette clôture barbelée, disait-il. Des miracles s'étaient produits, là, exactement à l'endroit de ce transformateur électrique. Certains n'exprimaient pas le moindre doute durant ces visites. Ils croyaient à tout, et se fichaient de ce que je pouvais leur dire sur les faits et l'histoire. C'était mon problème, pas le leur.

Grant Arthur ne m'a jamais dit qu'il regrettait d'avoir fichu ma vie en l'air. « Si vous aviez besoin que je vous fasse des excuses, vous ne seriez pas là, m'a-t-il dit. Vous êtes ici.

Vous êtes heureux. De quoi devrais-je m'excuser ? » Je ne savais pas trop si je devais lui pardonner et oublier, mais il s'évertuait à me convaincre que je n'avais aucune raison de lui en tenir rigueur, pas même de lui demander : « Pourquoi moi ? » « Souvenez-vous que ce n'est pas moi qui vous ai contacté. C'est vous qui m'avez envoyé un e-mail. » Il n'avait fait que publier un site sur un cabinet dentaire où figuraient des extraits des Cantavétiques. C'est moi qui avais contacté Séïr Design pour demander la fermeture du site. « C'est le destinataire qui trouve le message, pas l'inverse, disait-il. Je n'ai pas usurpé votre identité, Paul. Je vous l'ai rendue. Et si vous en doutez, c'est que vous êtes déjà sur la bonne voie. » Arthur portait toujours un gilet beige avec des poches filet et un pantalon de brousse. Il avait une petite barbe soigneusement taillée et des dents parfaites de WASP. « La plupart des hommes vivent sur un fil entre l'espoir et la peur. L'espoir du paradis, d'un côté, et la peur du néant de l'autre. Mais intégrez le doute… Vous voyez comme cela résout tous les problèmes ? Pour l'homme comme pour Dieu ? »

Les Ulms continuèrent à croître sur la toile. J'étais tellement obnubilé à l'époque par le vol de mon identité que je n'avais pas remarqué que le sujet suscitait de plus en plus de débats. Un livre parut : *A Partial History of the Dispossessed,* de Tomas Stover, professeur à l'université de Auckland, avec des chapitres sur les Juifs, les Maoris, les Amérindiens, et sur d'autres peuples spoliés moins médiatiques, tels que les Akunsi, les Chagossiens de l'île de Diego Garcia, et bien sûr les Ulms. Des historiens critiquèrent l'ouvrage et contre-attaquèrent à coup d'articles et d'accusations publiques, ce qui détourna *ipso facto* l'attention du groupe de discussion de la page Wikipedia. Soudain, il ne s'agissait plus de débattre du massacre des Amalécites et de l'agression israélienne, mais de savoir si n'importe qui pouvait avancer des arguments plus ou moins fumeux pour réclamer une nouvelle place dans l'histoire, publier des livres sur le sujet et finalement s'y référer comme parole d'évangile. C'est cette controverse parasite qui assura la pérennité de la page Wikipedia. Aujourd'hui cette page sur les Ulms est plus ou moins stable, ses contributeurs ayant trouvé un point d'équilibre, un jeu à somme nulle, puisque Internet finissait par éroder toutes les certitudes. Mais ils continuent à la modifier, à la corriger, en rappelant à chacun de rester courtois, et surtout neutre et impartial.

La page commence ainsi : « L'Ulmisme est la tradition religieuse prédominante des Ulms, qui vit le jour avec les révélations de Grant Arthur (1960-2022) durant le Troisième Réveil. »

Les Plotz doivent toujours penser que ces tweets et ces commentaires mis en ligne en mon nom étaient réellement de moi. Je ne sais pas. Je n'ai plus eu de nouvelles de l'oncle Stuart depuis le jour où il m'a emmené à Brooklyn voir Mirav Mendelsohn. Il me manque encore, d'une certaine manière. Il comptait tant pour moi, bien plus que je n'ai jamais compté pour lui. On ne rencontre pas tous les jours des gens comme lui. Roy Belisle, Bob Santacroce, Stuart Plotz… l'un ou l'autre aurait pu devenir essentiel pour moi, être mon tout, si la vie en avait décidé autrement. Il n'aurait pas suffi de grand-chose…

Connie m'envoie de temps en temps un e-mail. Elle et son poète sont mariés et ont un fils. Une maison d'édition universitaire a publié quelques poèmes de Connie dans un petit recueil, que j'ai lu et relu, cherchant des allusions à moi, des clins d'œil. En vain. Mais je me rassure en me disant qu'elle n'a jamais versé dans l'autobiographie. Elle enseigne dans le Kentucky. « Nous sommes vraiment très heureux ici, à Lexington, écrit-elle. Comment vas-tu ? Comment va Betsy ? »

Tous les ans, Betsy parvient à me traîner au Népal dans une mission. On atterrit à Katmandou et je passe mon temps dans la région de Bodnath à soigner les dents des pauvres et des affamés, des gens qui n'ont qu'une branchette de banian pour stimuler leurs gencives. Nulle part ailleurs, on ne voit autant de gens en robe, autant de crânes rasés au nom de Dieu. Toute la journée, ils tournent des moulins à prières et vendent du beurre de yack. Où que j'aille à Bodnath, les yeux omniscients du Bouddha me regardent du haut du dôme doré du stûpa, témoin ravi de toute cette misère. J'en ai fait part à Betsy. « D'abord, Bouddha n'est pas un dieu, m'a-t-elle répondu. C'est plutôt un guide spirituel. Et deuxièmement, vous n'avez pas vu que ces yeux sont peints ? » Peints ? C'est vrai ? « Seigneur, mon garçon, comme vous pouvez être naïf ! »

Le soir, quand nous avons terminé notre journée, je me promène dans les rues poussiéreuses et moites de Katmandou, bordées d'estropiés et d'immondices. Je prends en photo, avec mon ego-Machine, les têtes de chèvres avec leurs cornes carbonisées et leur sourire torve. Elles sont à vendre à tous les coins de rues, alignées sur les étals comme autant de têtes de criminels après la décapitation. Je croise des familles entières qui vivent sur un pas de porte, des routards, des égarés, des touristes, des hommes impassibles dans des rickshaws à pédales, des chiens faméliques. Tous les bâtiments semblent à l'abandon, leur portes et fenêtres béantes ou barrées de planches. Il y a des publicités partout.

Lors de notre dernier jour en 2014, alors que je faisais une marche en solitaire avant le dîner, j'ai trouvé le seul objet que je n'avais jamais acheté de ma vie. Non, ce n'est pas une chose exotique et rare, une corne d'animal ou une pièce d'artisanat qu'on ne déniche que sur les terres natales de Bouddha. Non. Il s'agit d'un article qui vient directement des États-Unis, *made in China*, et vendu partout sur la planète ! J'avais déjà acheté un produit de ce genre, mais ce modèle en particulier, jamais je n'aurais imaginé qu'il pouvait être pour moi. À l'instant où j'ai réalisé qu'il m'était possible de l'acheter et de le porter, un frisson délicieux m'a traversé de part en part. J'étais libre, libre d'accomplir cette renaissance existentielle, de perpétrer ce geste insensé, extrême, d'en finir avec les superstitions et le tribalisme, avec cette fidélité consanguine et perverse ! L'objet en question était une casquette des Cubs de Chicago. Une chose décolorée derrière la vitrine crasseuse d'une boutique pour routards, pas très loin du jardin des Rêves. Au-dessus de la visière, au milieu d'une flaque bleue, le grand « C » écarlate, synonyme de défaite et de fiascos. Les Cubs n'avaient pas remporté les séries mondiales depuis cent cinq ans. Ce n'était pas seulement la plus longue traversée du désert en ligue majeure, c'était la plus longue dans toute l'histoire des sports étatsuniens, toutes disciplines confondues. Imaginez l'impensable : les supporter dès la pré-saison en priant pour qu'ils fassent une bonne année, suivre leurs matches avec un intérêt tout neuf, et éprouver à nouveau ce transport de l'âme que seul peut offrir le fol espoir d'une rédemption. Magnifique ! Miraculeux ! C'était mieux encore qu'une renaissance ! C'était un nouveau monde qui s'ouvrait. Voilà ce que je voulais ! Voilà ce qui me manquait ! Je suis alors entré dans le magasin et quand j'en suis ressorti, la casquette était sur ma tête, à la place de celle des Red Sox. Elle était un peu trop petite. Mais le temps arrangerait ça. J'ai laissé passer un pickup Toyota rempli de sacs de riz, puis ai repris mon chemin dans la foule.

— M'sieur ! M'sieur !

Un garçon avec un maillot Fila et un jean crasseux était apparu à côté de moi. J'étais habitué à être entouré de gosses, quémandant des roupies.

— Toi jouer ?

— Quoi ?

Il me regardait en souriant. Il avait une sorte de planche dans les mains. Je l'observai un moment. Puis je m'accroupis brusquement devant lui, le tins par les bras. C'était un petit Népalais à la peau sombre, avec de bonnes joues et un cou fin comme un poulet. Mais le plus frappant, c'était son sourire. Un don du Ciel, dirait Betsy. Ses dents étaient grandes et blanches. Ses gencives roses et pleines.

— Qui est ton dentiste ? demandai-je.

— Toi.

— Moi ?

— Oui. Toi, dentiste.

— C'est moi qui ai fait ça ?

— Toi tu dis « fais "Ahhh". Ouvre la bouche. Crache ! ».

Il détourna la tête et cracha par terre. Tous les autres gamins autour éclatèrent de rire.

— J'ai fait du bon travail, dis-je.

— Maintenant, tu joues.

La planche dans sa main était une batte de cricket improvisée. Je me relevai.

— Je ne sais pas comment on joue.

— Pas grave. Je te montre.

Il me tendit la batte. Les autres marmots s'éparpillèrent pour prendre leurs positions. Derrière moi, un petit confectionna trois colonnes avec des boîtes de bière vides. Ils appellaient ça « le guichet », je crois. Je n'ai jamais rien compris à ce sport.

Le gamin courut se mettre en place pour le lancer. Il fit signe à tous de reculer. En arrière ! En arrière ! J'avais ma casquette des Cubs de Chicago. Ils attendaient un exploit de ma part.

— Qu'est-ce que je suis censé faire ? criai-je au gamin.

— Comme au baseball. Tu frappes.

— Frapper ? C'est tout ?

— Oui. Frapper.

— D'accord.

— Prêt ? Go !

Et alors il accomplit un curieux moulinet du bras, doublé d'un tortillement du corps. Son bras se détendit d'un coup au moment du lâcher. La balle fusa vers moi, à la fois rapide et lente. Oh putain ! m'écriai-je dans ma tête. Oh putain ! Et sans comprendre ni décider quoi que ce soit, n'ayant aucun espoir de réussite, je frappai de toutes mes forces, un œil sur la balle, l'autre vers les cieux.

Récemment parus dans la même collection

Roberto Ampuero, *Quand nous étions révolutionnaires*, traduit de l'espagnol (Chili) par Anne Plantagenet.

Fernando Aramburu, *Années lentes*, traduit de l'espagnol par Serge Mestre.

Mark Behr, *L'Odeur des pommes*, traduit de l'anglais (Afrique du Sud) par Pierre Guglielmina.

Mark Behr, *Les Rois du paradis*, traduit de l'anglais (Afrique du Sud) par Dominique Defert.

Ketil Bjørnstad, *La Société des jeunes pianistes*, traduit du norvégien par Jean-Baptiste Coursaud.

Ketil Bjørnstad, *L'Appel de la rivière*, traduit du norvégien par Jean-Baptiste Coursaud.

Håkan Bravinger, *Mon cher frère*, traduit du suédois par Rémi Cassaigne.

Bonnie Jo Campbell, *Il était une rivière*, traduit de l'anglais (États-Unis) par Élisabeth Peellaert.

Lars Saabye Christensen, *Le Modèle*, traduit du norvégien par Jean-Baptiste Coursaud.

Lars Saabye Christensen, *Le Demi-frère*, traduit du norvégien par Jean-Baptiste Coursaud.

Lars Saabye Christensen, *Beatles*, traduit du norvégien par Jean-Baptiste Coursaud.

Lars Saabye Christensen, *Obsèques*, traduit du norvégien par Jean-Baptiste Coursaud.

Héctor Abad Faciolince, *Angosta*, traduit de l'espagnol (Colombie) par Anne Proenza.

Julian Fellowes, *Snobs*, traduit de l'anglais (États-Unis) par Dominique Édouard.

Joshua Ferris, *Le Pied mécanique*, traduit de l'anglais (États-Unis) par Dominique Defert.

V. V. Ganeshananthan, *Le Sari rouge*, traduit de l'anglais (États-Unis) par Sylvie Schneiter.

Marco Tullio Giordana, *La Voiture de papa*, traduit de l'italien par Nathalie Castagné.

Almudena Grandes, *Le Cœur glacé*, traduit de l'espagnol par Marianne Millon (prix Méditerranée 2009).

Almudena Grandes, *Le Lecteur de Jules Verne*, traduit de l'espagnol par Serge Mestre.

Almudena Grandes, *Inés et la joie*, traduit de l'espagnol par Serge Mestre.

Chad Harbach, *L'Art du jeu*, traduit de l'anglais (États-Unis) par Dominique Defert.

Gaute Heivoll, *Avant que je me consume*, traduit du norvégien par Jean-Baptiste Coursaud.

Kari Hotakainen, *Rue de la tranchée*, traduit du finnois par Anne Colin du Terrail.

Kari Hotakainen, *La Part de l'homme*, traduit du finnois par Anne Colin du Terrail.

Lars Husum, *Mon ami Jésus*, traduit du danois par Jean-Baptiste Coursaud.

M. Ann Jacoby, *Un génie ordinaire*, traduit de l'anglais (États-Unis) par Fabienne Gondrand.

Anna Jörgensdotter, *Discordance*, traduit du suédois par Martine Desbureaux.

Hari Kunzru, *Dieu sans les hommes*, traduit de l'anglais par Claude et Jean Demanuelli.

Vivian Lofiego, *Le Sang des papillons*, traduit de l'espagnol (Argentine) par Claude Bleton.

Naguib Mahfouz, *Impasse des deux palais*, traduit de l'arabe (Égypte) par Philippe Vigreux.

Naguib Mahfouz, *Le Palais du désir*, traduit de l'arabe (Égypte) par Philippe Vigreux.

Naguib Mahfouz, *Le Jardin du passé*, traduit de l'arabe (Égypte) par Philippe Vigreux.

Anouk Markovits, *Je suis interdite*, traduit de l'anglais par Katia Wallesky avec le concours de l'auteur.

Adam Mars-Jones, *Pied-de-mouche*, traduit de l'anglais par Richard Cunningham.

Sue Miller, *Perdue dans la forêt*, traduit de l'anglais par Béatrice Roudet-Marçu.

Neel Mukherjee, *Le Passé continu*, traduit de l'anglais par Valérie Rosier.

William Ospina, *Ursúa*, traduit de l'espagnol (Colombie) par Claude Bleton.

William Ospina, *Le Pays de la cannelle*, traduit de l'espagnol (Colombie) par Claude Bleton.

Jordi Puntí, *Bagages perdus*, traduit du catalan par Edmond Raillard.

Anna Qindlen, *Tous sans exception*, traduit de l'anglais (États-Unis) par Catherine Ludet.

Miguel Sandín, *Le Goût du mezcal*, traduit de l'espagnol par Claude Bleton.

Paul Torday, *Partie de pêche au Yémen*, traduit de l'anglais par Katia Holmes.

Paul Torday, *Descente aux grands crus*, traduit de l'anglais par Katia Holmes.

Giuseppina Torregrossa, *Les Tétins de sainte Agathe*, traduit de l'italien par Anaïs Bokobza.

Rose Tremain, *Les Silences*, traduit de l'anglais par Claude et Jean Demanuelli.

Rose Tremain, *Le Don du roi*, traduit de l'anglais par Gérard Clarence.

Rose Tremain, *L'Ami du roi*, traduit de l'anglais par Édith Soonckindt.

Helene Uri, *Trouble*, traduit du norvégien par Alex Fouillet.

Clara Usón, *Cœur de napalm*, traduit de l'espagnol par Anne Plantagenet.

Zoé Valdés, *Le Paradis du néant*, traduit de l'espagnol (Cuba) par Albert Bensoussan.

Zoé Valdés, *Le Roman de Yocandra*, traduit de l'espagnol (Cuba) par Carmen Val Julián et Albert Bensoussan.

Zoé Valdès, *La Chasseuse d'astres*, traduit de l'espagnol (Cuba) par Albert Bensoussan.

Carl-Johan Vallgren, *Les Aventures fantastiques d'Hercule Barfuss*, traduit du suédois par Martine Desbureaux.

Alexi Zentner, *Les Bois de Sawgamet*, traduit de l'anglais (États-Unis) par Marie-Hélène Dumas.

CET OUVRAGE A ÉTÉ COMPOSÉ
PAR NORD COMPO
ET ACHEVÉ D'IMPRIMER
PAR CPI BUSSIÈRE – SAINT-AMAND MONTROND (CHER)
POUR LE COMPTE DES ÉDITIONS J.-C. LATTÈS
17, RUE JACOB – 75006 PARIS
EN JUILLET 2015

Dépôt légal : septembre 2015
N° d'édition : 01
N° d'impression : 2017196
Imprimé en France